Abdominal
Ultrasound
Screening

改訂版

カテゴリーが劇的にわかる

編著 平井都始子
奈良県立医科大学附属病院総合画像診断センター

著者 小川眞広
日本大学医学部内科学系消化器肝臓内科

岡庭信司
飯田市立病院消化器内科・内視鏡センター

最新 腹部超音波検診判定マニュアル対応版！

見落としなし！
らくらく判定！

webで
エコー動画
×
走査が
みられる！

MC メディカ出版

序文

2014年に日本消化器がん検診学会、日本超音波医学会、日本人間ドック学会の3学会共通で発行された『腹部超音波検診判定マニュアル』は、2021年6月に改訂版が3学会のホームページに公開され、2022年1月には参照画像を含めたフルバージョンの『腹部超音波検診判定マニュアル改訂版（2021年）』が、日本消化器がん検診学会の学会誌第60巻1号に掲載された。現在はこのマニュアル改訂版が3学会のホームページで公開されている。改訂版は、上記3学会に加えて、日本超音波検査学会、日本総合健診医学会、日本がん検診・診断学会もオブザーバーとして参加し、広くアンケートを行って、さらに使用しやすいマニュアルになっている。カテゴリーでは、先天的な形態異常はカテゴリー1であったのが、カテゴリー2に変更され、緊急を要するパニック所見（P）が加わった。判定区分では、Cが要経過観察・要再検査・生活指導であったのが、要再検査（3・6・12か月）・生活改善となり、これまでの経過や他の検査成績を踏まえて、より具体的に指示することになった。各臓器の超音波画像所見、カテゴリー、超音波所見、判定区分の表も項目の記載順が変わり、部分切除後など新たな項目が追加されている。しかし、各種ガイドラインや新たな治療法の普及により一部カテゴリーと判定区分が変更されているだけで、基本的に大きな変更はない。

そこで、本書の改訂にあたっては、新しく加わった項目の加筆と変更されたカテゴリーや判定区分の修正、用語等の見直しにとどめた。超音波スクリーニングでは、隅々まで見落としのない検査をすることが最も重要である。腹部超音波検査をこれから始める技師や研修医の皆さんに、各臓器の描出のコツやピットフォールをよく理解していただき、また、超音波画像所見の意味を理解し、異常所見を正しく読み取って、臨床の場で超音波検査を十分に活かしていただきたい。本書がその一助となれば幸いである。

2022年8月

平井 都始子

改訂版

カテゴリーが劇的にわかる腹部超音波スクリーニング

Contents

Chapter 0 introduction

Chapter 1 肝臓

Web エコー走査と超音波画像を組み合わせた動画をWebサイトに掲載しています。詳しくは「Web動画の視聴方法（12頁）」をご覧ください。

Chapter 2 胆嚢

Chapter 3 肝外胆管

Chapter 4 膵臓

Chapter 5 腎臓

Chapter 6 脾臓

Chapter 7 その他

執筆者一覧

編集

平井 都始子

奈良県立医科大学附属病院総合画像診断センター病院教授

執筆者

平井 都始子

奈良県立医科大学附属病院総合画像診断センター病院教授

Chapter 0　introduction

Chapter 5　腎臓

Chapter 7　その他

小川 眞広

日本大学医学部内科学系消化器肝臓内科准教授

Chapter 1　肝臓

Chapter 6　脾臓

岡庭 信司

飯田市立病院診療技幹・内視鏡センター長

Chapter 2　胆囊

Chapter 3　肝外胆管

Chapter 4　膵臓

撮影協力　エコー装置：Aplio i 900（TUS-AI900）（キヤノンメディカルシステムズ株式会社）

診察台：EX-SD7W（タカラベルモント株式会社）

WEB動画の視聴方法

本書の動画マークのついている項目は､WEB ページにて動画を視聴できます。以下の手順でアクセスしてください。

■メディカ ID（旧メディカパスポート）未登録の場合

メディカ出版コンテンツサービスサイト「ログイン」ページにアクセスし､「初めての方」から会員登録（無料）を行った後、下記の手順にお進みください。

https://database.medica.co.jp/login/

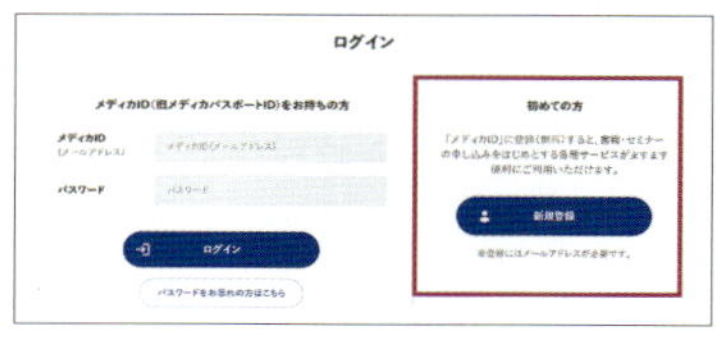

■メディカ ID（旧メディカパスポート）ご登録済の場合

①メディカ出版コンテンツサービスサイト「マイページ」にアクセスし、メディカ ID でログイン後、下記のロック解除キーを入力し「送信」ボタンを押してください。

https://database.medica.co.jp/mypage/

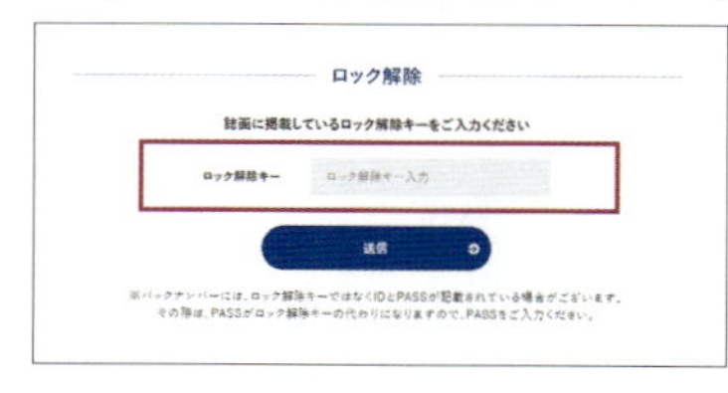

②送信すると､「ロックが解除されました」と表示が出ます。「動画」ボタンを押して、一覧表示へ移動してください。

③視聴したい動画のサムネイルを押して動画を再生してください。

銀色の部分を削ると，ロック解除キーが出てきます.

*WEBページのロック解除キーは本書発行日（最新のもの）より3年間有効です。有効期間終了後、本サービスは読者に通知なく休止もしくは終了する場合があります。

*ロック解除キーおよびメディカID・パスワードの、第三者への譲渡、売買、承継、貸与、開示、漏洩にはご注意ください。

*図書館での貸し出しの場合、閲覧に要するメディカID登録は、利用者個人が行ってください（貸し出し者による取得・配布は不可）。

*PC（Windows / Macintosh)、スマートフォン・タブレット端末（iOS / Android）で閲覧いただけます。推奨環境の詳細につきましては、メディカ出版コンテンツサービスサイト「よくあるご質問」ページをご参照ください。

Chapter

0

introduction

introduction

カテゴリー

カテゴリー	意味	説明
0	描出不能	装置の不良、被検者・検者の要因などにより判断不能の場合。
1	異常なし	異常所見はない。
2	良性	明らかな良性病変を認める。正常のバリエーションを含む。
3	良悪性の判定困難	良悪性の判定困難な病変あるいは悪性病変の存在を疑う間接所見を認める。高危険群を含む。
4	悪性疑い	悪性の可能性の高い病変を認める。
5	悪性	明らかな悪性病変を認める。

（日本消化器がん検診学会　超音波検診委員会　腹部超音波検診判定マニュアルの改訂に関するワーキンググループ．日本超音波医学会　用語・診断委員会　腹部超音波検診判定マニュアルの改訂に関する小委員会．日本人間ドック学会　健診判定・指導マニュアル作成委員会　腹部超音波ワーキンググループ．腹部超音波検診判定マニュアル改訂版（2021 年）．日本消化器がん検診学会雑誌．60 巻 1 号，132，表 1-1，2022．より一部改変して転載）

- カテゴリー0は、手術により切除されている、消化管ガスでまったく描出されない、臓器の位置異常のため存在する部位を観察できていないなど、まったく判定できない場合である。
- 馬蹄腎やベルタン腎柱、肝の部分萎縮や膵尾部欠損、多脾症などの正常変異はカテゴリー2となる。

- カテゴリー3以上の所見について、精査の結果、良性と判断されている病変については、該当するカテゴリーにダッシュをつけて3'、4' のように記載する。しかし高危険群の場合、判定区分はカテゴリー3、判定区分 D2（要精検）で変わらない。

判定区分

<table>
<tr><td>A</td><td colspan="2">異常なし</td></tr>
<tr><td>B</td><td colspan="2">軽度異常</td></tr>
<tr><td>C</td><td colspan="2">要再検査（3・6・12 か月）・生活改善</td></tr>
<tr><td rowspan="4">D
（要医療）</td><td>D1</td><td>要治療</td></tr>
<tr><td>D1P</td><td>要治療（緊急を要する場合）</td></tr>
<tr><td>D2</td><td>要精検</td></tr>
<tr><td>D2P</td><td>要精検（緊急を要する場合）</td></tr>
<tr><td>E</td><td colspan="2">治療中</td></tr>
</table>

＊破裂の可能性の高い腹部大動脈瘤や大動脈解離などのように緊急を要すると判定された場合は、D1P、D2P（P：パニック所見）と判定する。

（日本消化器がん検診学会　超音波検診委員会　腹部超音波検診判定マニュアルの改訂に関するワーキンググループ．日本超音波医学会　用語・診断委員会　腹部超音波検診判定マニュアルの改訂に関する小委員会．日本人間ドック学会　健診判定・指導マニュアル作成委員会　腹部超音波ワーキンググループ．腹部超音波検診判定マニュアル改訂版（2021 年）．日本消化器がん検診学会雑誌．60 巻 1 号，132，表 1-3，2022．転載）

- 『腹部超音波検診判定マニュアル改訂版（2021 年）』[1)]（以下、マニュアル）では、臓器ごとに超音波画像所見に応じてカテゴリーが決められ、同時に判定区分が決まる。
- 判定医は、血液検査など超音波所見以外のデータや前回所見などを考慮して最終決定する。
- カテゴリー3の超音波所見は、経時的な変化が確認できるような画像を残すことが特に重要である。

- P：パニック所見…破裂の危険性の高い腹部大動脈瘤や大動脈解離などのように緊急を要すると判定された場合は、D1P、D2P と判定する。

＊ P：パニック所見やカテゴリー5の病変については、速やかに判定医に報告する。

＊ カテゴリー3の病変については、少なくとも過去 2 回以上の結果で経時変化がなければ判定を C（12ヵ月後再検査）としてもよい。

＊ 限局性病変や、管腔の径が前回と比較して明らかに増大している場合は、必要に応じて判定を D2 としてもよい。

超音波検査の基本的事項

- 検査室の環境（室温、明るさ、音、検査台の高さと検査者の椅子の高さなど）を整える。
- 検査前に装置やプローブの点検をして正常に作動することを確認する。
- 前回の検査結果など事前にわかる情報を確認する。
- ゲインやフォーカス位置、STC を適切に調整する。
- 臓器の観察や画像の記録は常に同じ手順で行う。
- 必要に応じて体位変換する。
- 検査に要する時間は、異常がない症例であれば 1 時間に 5～6 人が目安となる。
- 本書に、各臓器の走査方法と記録画像、ピットフォールについて述べているので参考にするとよい。

超音波検査と記録断面

- マニュアルでは、対象臓器を肝・胆・膵・脾・腎・腹部大動脈とし、DICOMデータでの記録と基準断面（25断面）の保存と体位変換による8断面を推奨している。
- 超音波検査は動画でリアルタイムに診断をするもので、病変を捉えた画像を保存しないと診断には結び付かない。病変が存在した場合にはその画像が中心になり、病変がない場合の基準断面の保存画像は検査を行ったことの証である。専門医や上級技師・医師に二重読影を依頼する場合に保存画像が適切でない場合には読影は不可能である。
- 1断面の描出範囲が狭いという超音波検査の弱点を克服するためには複数枚の保存画像が必要で、保存画像を増やすほど描出されている範囲は広くなり、検査後の検証が可能となるが、複数枚の静止画ですべての領域がカバーできるわけではない。
- 今後、周辺機器の進化によりボリュームデータ保存が標準化となる時代もすぐそこまで来ており、ボリュームデータを意識した注意深い観察が重要である。基準となる断面を記録するのみではなく、臓器をくまなく観察し、その一部を保存する感覚を身につける必要がある。
- したがって、常に立体を意識して、広くプローブを振る扇動操作（tilting）で観察し、代表する基準断面を記録する。病変については動画像の保存が望ましい。

- 撮影部位は、ボディマークで第三者に伝えることが可能であるが、各施設で撮影順序を決めておくことで時間短縮および描出不良部位の把握も可能となり、客観性が飛躍的に上昇する。さらに教育効果もあるため、ぜひ徹底することをお勧めする。

病変を発見したとき

- 病変がどの臓器のどの部位に存在するのかがわかる画像を記録する。
- 病変を中心に最低2方向から拡大した画像を記録する。病変を十分拡大した画像は必須である。
- 必要に応じて体位変換した画像を記録する。
- カテゴリーを判断するために重要な所見の有・無を明瞭に描出する。
- 浅い部位の病変は、高周波プローブに持ち替えて観察する。
- 拡大した画像で計測する。
- 過去の検査で計測されている場合は、できるだけ同じ断面で計測する。
- カラードプラ法の観察も加える。

腎細胞がん症例

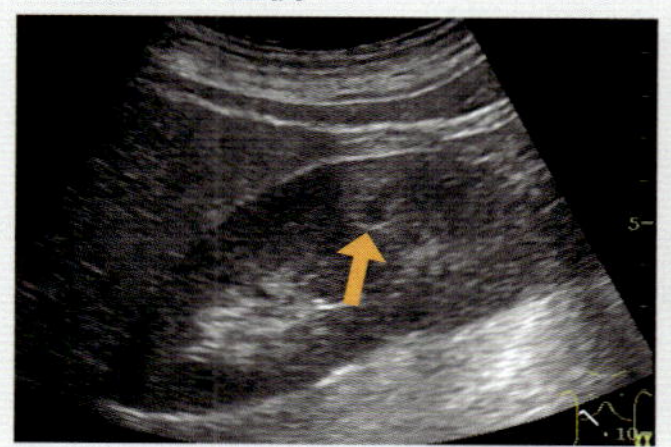

全体像を示す画像

右腎中央よりやや足側の、腹壁寄りの腎実質内に病変を認める。

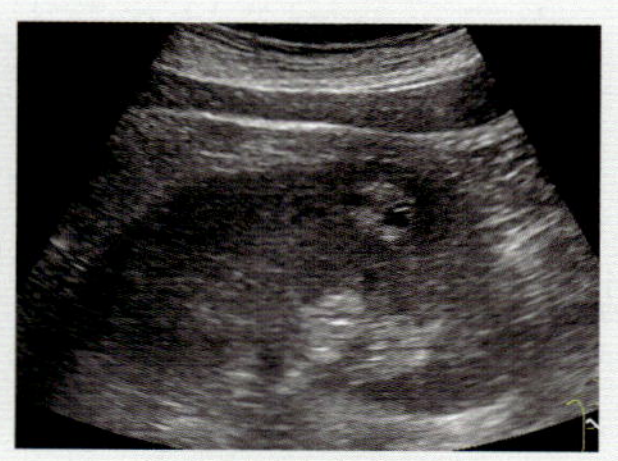

走査面を変えた画像

境界明瞭、整で内部に無エコー域を伴う円形病変である（カテゴリー5）。

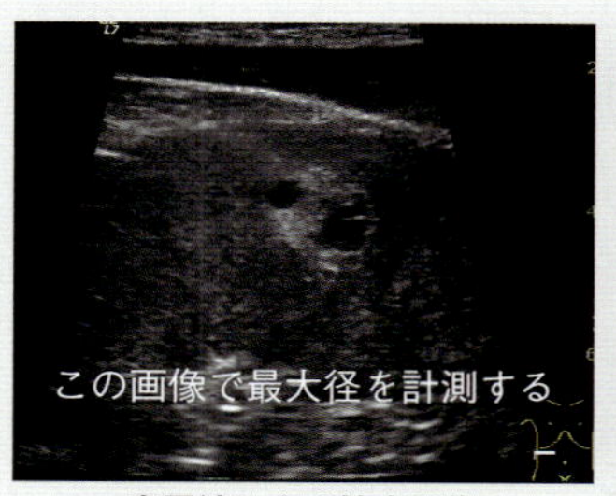

高周波による拡大画像

病変の境界や内部性状が、より明瞭である。

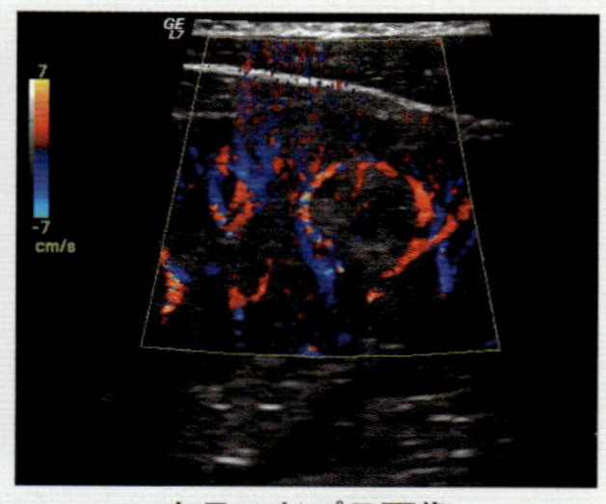

カラードプラ画像

病変辺縁を取り囲み、内部に流入する血流表示を認める。

カラードプラ法の正しい使い方

- 対象とする病変を拡大して、画面のできるだけ中央に描出する。
- カラーエリアは最低限必要な範囲まで小さくする。病変の横幅の2倍まで、画面の横幅の2/3程度までが目安となる。
- カラーゲインはノイズが出ない程度で最大にする。
- できるだけ断面を動かさない。
- 流速レンジを調整する。

血管の確認や血管病変かどうかの診断では、あまり細かな調整の必要はなく、初期設定（12〜16cm/s）で門脈や肝静脈が良好にカラー表示される設定でよい。腫瘍の血流表示について確認する場合は、できるだけ流速レンジやフィルターを下げて、カラーの感度を高くする必要がある。また、浅い部位であればカラーの周波数を高く、深部であれば周波数を低くすると感度が高くなる。

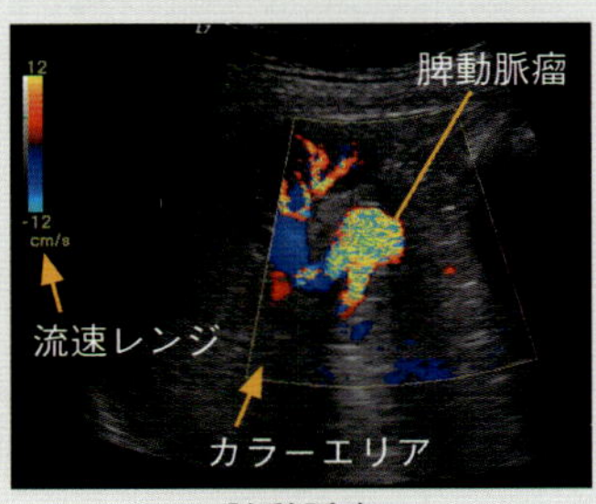

脾動脈瘤

- 脾動脈瘤のような血管病変は、腹部の初期設定の流速レンジ（12cm/s）で観察すると、エイリアシングのためモザイク状にカラー表示されているが、血管病変であることは瞬時に確認できる。

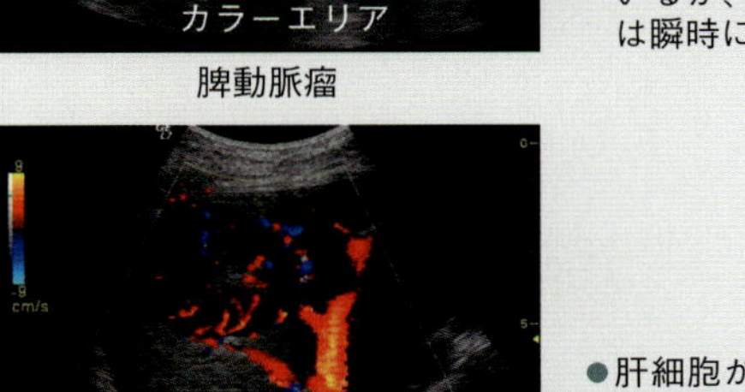

肝細胞がん

- 肝細胞がんの腫瘍内血流表示は、流速レンジを8cm/sまで下げて観察することで良好に描出されている。

設定条件によるカラー表示の違い：多血性の膵内分泌腫瘍例

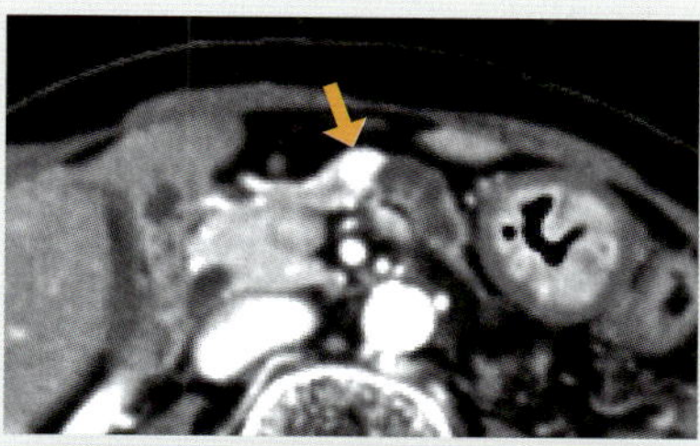

● 造影早期相では、血管と同程度に造影される血流豊富な病変である。

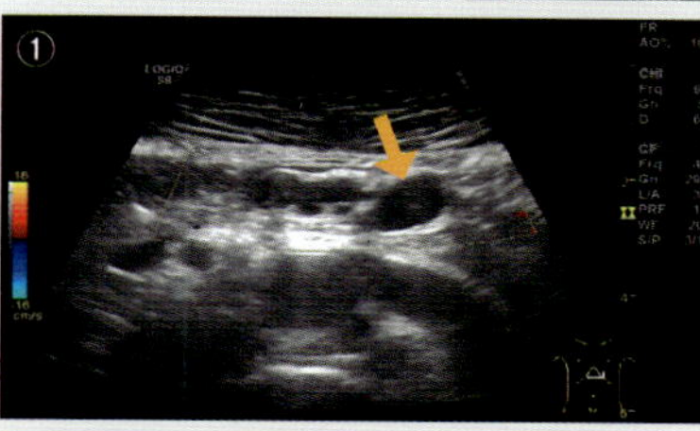

①〜③は同じ病変に対して異なる条件で撮ったカラードプラ画像である。

● ③の画像が最も拡大されており、画面中央に病変が描出されている。

● カラーエリアの横幅は③の画像が最も狭い。画面の右上にあるフレームレート（FR）は、① 8Hz、② 12Hz、③ 17Hz で、③が最も高い。

● 流速レンジは、① 16cm/s に比べて② 5cm/s と低く、①では血流表示をほぼ認めないが、②では病変周辺に血流表示を認める。

● ③はパワードプラ法で②よりカラーの送信周波数が高くカラーゲインも高いため、血流感度が高く、病変内にも豊富な血流表示を認める。

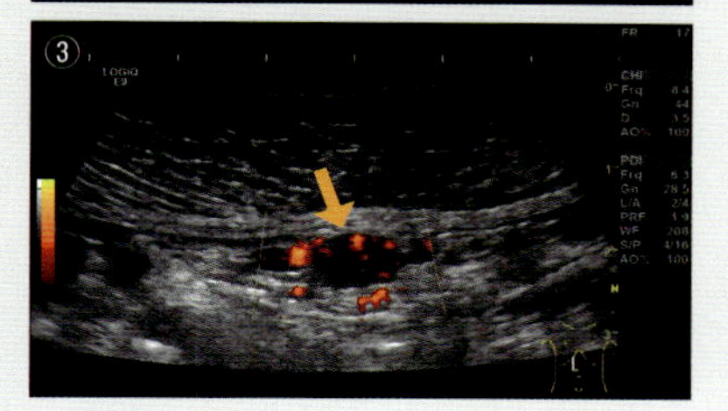

引用・参考文献

1）日本消化器がん検診学会 超音波検診委員会．腹部超音波検診判定マニュアルの改訂に関するワーキンググループ．腹部超音波検診判定マニュアル改訂版（2021 年）．日本消化器がん検診学会雑誌．60（1），2022，126-180．

Chapter 1

肝臓

カテゴリーおよび判定区分「肝臓」

超音波画像所見	カテゴリー	超音波所見（結果通知表記載）	判定区分
切除後[注1)] 移植後	2	肝臓部分切除後 肝臓移植後	B
局所治療後	3	肝臓局所治療後	C
先天的な変形[注2)]	2	肝臓の変形	B
描出不能	0	肝臓描出不能	D2
びまん性病変			
高輝度肝・肝腎（脾）コントラスト有り・深部方向の減衰増強・肝内脈管の不明瞭化のいずれかを認める[注3)]	2	脂肪肝	C
肝縁鈍化・実質の粗造なエコーパターンおよび肝表面の結節状凹凸を認める（いずれか）[注4)]	3	慢性肝障害疑い	C
肝縁鈍化・実質の粗造なエコーパターンおよび肝表面の結節状凹凸を認める（すべて）[注4)]	3	慢性肝障害	D2
充実性病変			
充実性病変を認める	3	肝腫瘤	C
カテゴリー3 判定区分Ｄ２のびまん性病変の合併がある充実性病変	4	肝腫瘍疑い	D2
最大径　15mm ≦	4	肝腫瘍疑い	D2
肝腫瘍性病変			
マージナルストロングエコー・カメレオンサイン・ワックスアンドウエインサイン・ディスアピアリングサインのいずれかを認める[注5)]	2	肝血管腫	C
辺縁低エコー帯・後方エコー増強・多発のいずれかを認める	4	肝腫瘍疑い	D2
末梢胆管の拡張	4	肝腫瘍疑い	D2
モザイクパターン・ブライトループパターン・ハンプサイン[注6)]のいずれかを認める	5	肝腫瘍	D1
クラスターサイン・ブルズアイパターン[注7)]のいずれかを認める	5	肝腫瘍	D1
肝内胆管・血管のいずれかに断裂・腫瘍塞栓を認める	5	肝腫瘍	D1

嚢胞性病変			
嚢胞性病変（大きさを問わず以下の所見を認めない）	2	肝嚢胞	B
充実部分(嚢胞内結節・壁肥厚・隔壁肥厚)および内容液の変化(内部の点状エコーなど)を認める[注8)]	4	肝嚢胞性腫瘍疑い	D2
末梢胆管の拡張[注9)]	3	肝内胆管拡張を伴う肝嚢胞	D2
その他の所見			
石灰化像[注10)]	2	肝内石灰化・肝内結石	C
気腫像	2	胆道気腫	B
肝内胆管拡張　最大径　4 mm ≦（胆嚢切除後 6 mm ≦）[注11)]	3	肝内胆管拡張	D2
但し、乳頭部近傍の胆管まで異常所見なし	2	胆管拡張	C
血管異常[注12)]	2	肝血管異常	D2
異常所見なし	1	肝臓異常所見なし	A

注 1）局所治療後で再発所見が無いものは、腫瘍性病変としては扱わない。部分切除の場合には切除部位が分かれば記載し、残存部分で超音波画像所見を評価する。

注 2）先天的な変形（部分萎縮など）は、カテゴリー2 、判定区分Bとして変形部分以外はほかと同じ評価法とする。

注 3）肝実質の輝度は健常な腎臓と同じ深度で比較をする（慢性腎不全の場合は脾臓と比較)。脾腎コントラストを確認し脾腎間に輝度差が無い場合に肝腎コントラストを評価する。限局性低脂肪化域の好発部位に認められる不整形の低エコー域で、スペックルパターンに乱れがなく、カラードプラにて脈管走行に偏位を認めない場合には、充実性病変としない。

注 4）肝実質の評価は、フラッグサインや簾状エコーを認めた場合も、粗造な実質エコーパターンに含める。

注 5）糸ミミズサインなど、内部の変化が捉えられるものもこの範疇に入る。

注 6）モザイクパターン（同）nodule in nodule：腫瘤内部の小結節がモザイク状に配列して形成されたエコーパターン。原発性肝細胞癌にみられる特徴。
ブライトループパターン：原発性肝細胞癌の脱分化した状態を指す用語で、高エコーの結節内に低エコーの結節が出現した状態。
ハンプサイン：実質臓器の腫瘍などで、その部分の表面が突出して観察されること。

注 7）クラスターサイン：多数の腫瘤が集簇して一塊になって描出されることで、転移性肝腫瘍に特徴的。ブルズアイパターン（同）標的像：腫瘤などの内部エコーが同心円状の構造を示すエコーパターン。

注 8）囊胞性病変で明らかに壁に厚みを持った場合には全て壁肥厚とする。内容液の変化（囊胞内出血・感染など）も、腫瘍性の可能性が否定できないため、要精査の対象とする。また、腫瘍性増殖を示す細胞で覆われた、囊胞の総称となる腫瘍性囊胞も、この範疇に含める。

注 9）肝囊胞により末梢胆管が拡張している場合には、囊胞性腫瘍の合併の可能性や治療適応のある症例が含まれるため、要精査とする。

注 10）胆管過誤腫などで認められるコメット様エコーも含める。気腫と石灰化・結石との鑑別は体位変換や呼吸時の移動の状態で判別を行う。

注 11）肝内胆管の拡張は 4mm 以上（小数点以下を四捨五入）とする（左右肝管は肝外肝管である）。腫瘤性病変を認めない限局性胆管拡張、胆管の術後も含める。

注 12）血管異常は門脈 – 静脈シャント、動脈 – 門脈シャント、動脈 – 静脈シャントのほかに、肝外側副血行路を含めた門脈圧亢進所見、動脈瘤、門脈瘤などを含む。但し、軽度の門脈瘤や門脈 – 静脈シャントで病態に影響がないと判断されるものは、カテゴリー2、判定区分Cとする。また、腫瘤性病変に関連する血管異常は腫瘤性病変の評価に準ずる。

（日本消化器がん検診学会　超音波検診委員会　腹部超音波検診判定マニュアルの改訂に関するワーキンググループ．日本超音波医学会　用語・診断委員会　腹部超音波検診判定マニュアルの改訂に関する小委員会．日本人間ドック学会　健診判定・指導マニュアル作成委員会　腹部超音波ワーキンググループ．腹部超音波検診判定マニュアル改訂版（2021 年）．日本消化器がん検診学会雑誌．60 巻 1 号，134-135，表 2-1，2022．転載）

1　肝臓の解剖

- 肝臓は約1,500gあり、人間の最大の実質臓器である。
- 超音波検査は、CT・MRIと異なり1画面で描出できる範囲が狭いという欠点がある[1)]。見落としがないようにするには、解剖を理解し、可能な限り端から端まで観察することが重要となる。
- 肝臓は、大部分が肋骨に覆われており、下方は胃・大腸に接しているため、これらを避けた観察方法となる。したがって水平断はほとんどなく、斜走査による断層像がほとんどとなるため、頭の中で前後関係や頭尾側方向が、混乱しないようにすることが大切である。
- 超音波では、門脈が比較的末梢まで描出できるため、門脈枝によるクイノーの肝区域分類（Couinaud's hepatic segment）に従い、S1からS8の8亜区域（subsegment）[2)]に分けて表現する。所見記載の際にも、共通の用語を用いることは、検査結果の客観性を保つためにも重要である。
- 区域の境界となる構造物の確認も重要である。肝鎌状間膜および肝円索、静脈管索裂によって左葉内側区域と左葉外側区域に分けられ、下面ではさらに肝門の前方に方形葉（S4）、後方に尾状葉（S1）と呼ばれる左葉内側区域が区分される。また、中肝静脈はCantlieラインの部分となり、肝の右葉と左葉の境界、右肝静脈が肝右葉の前区域と後区域の境界となる。

- 肝臓内には門脈と並走して肝動脈と胆管が走行し、さらに肝静脈が走行している。超音波検査では、末梢では門脈と肝静脈のみ描出が可能となるが、門脈に並走して常に肝動脈と胆管が走行していることを頭に入れておくことが重要である。
- 肝臓の解剖の理解を深めるため、クイノーの肝区域分類と門脈・肝静脈の走行（図1）、さらに正面のほかに下からの像（肋骨弓下のイメージ）（図2）、右側からの像（右肋間走査のイメージ）（図3）を提示する。

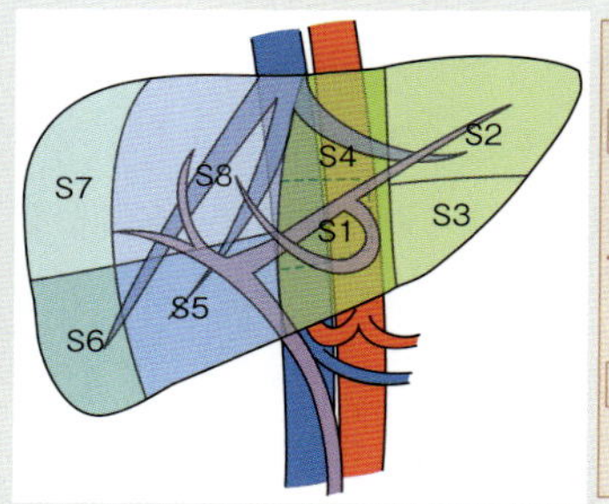

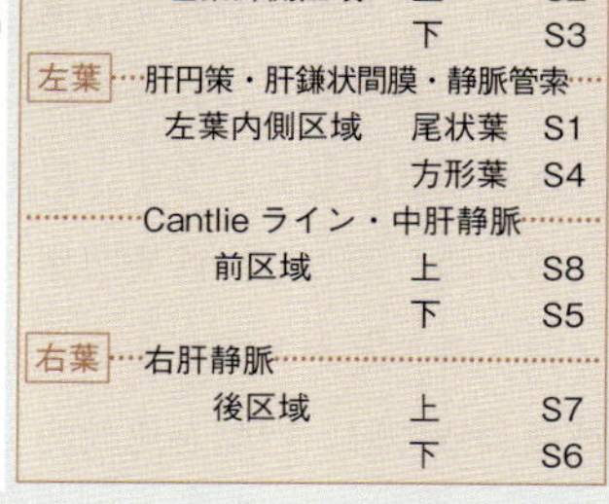

	左葉外側区域	上	S2
		下	S3
左葉	肝円策・肝鎌状間膜・静脈管索		
	左葉内側区域	尾状葉	S1
		方形葉	S4
	Cantlie ライン・中肝静脈		
	前区域	上	S8
		下	S5
右葉	右肝静脈		
	後区域	上	S7
		下	S6

図1 肝区域（正面）

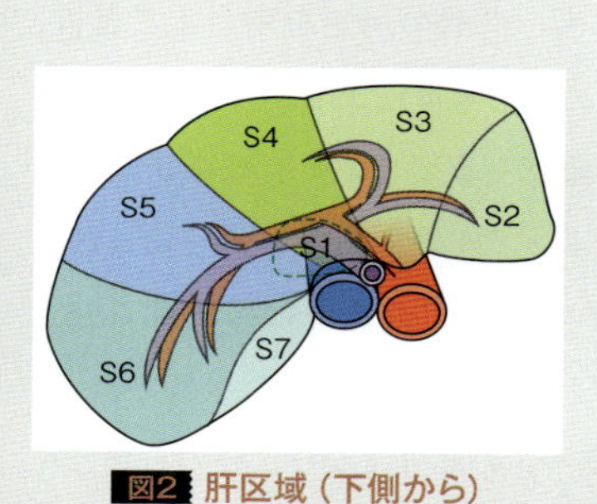

図2 肝区域（下側から）

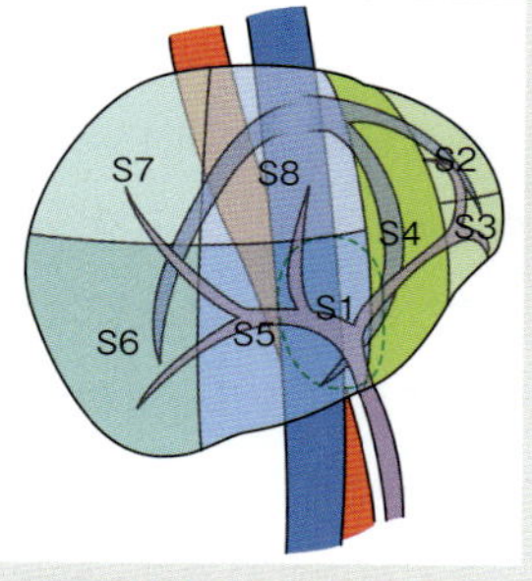

図3 肝区域（右側から）

2 肝臓の基本走査

- 超音波画像の客観性を担保する目的で撮影順番を固定し、25断面の画像保存を遵守することを推奨している[3]。可能な限り各2方向からの撮影断面が入るようにしており、肝臓に対しては12/25断面を保存している。肝臓が大きな臓器であることと、超音波検査の1回の描出範囲が狭いという弱点を克服するために、他方向からの複数枚の保存画像が必要となる。
- 12断面の撮影をすることで2cmを超えるような腫瘤性病変であれば、どこかの断面で一部でも映っている公算となる。

①正中縦走査（S2：外側上区域・S3：外側下区域中心）（大動脈面）
②正中縦走査（S1：尾状葉～S3：外側下区域中心）（下大静脈面）
③左肋骨弓下走査～正中横走査（S1：尾状葉～S3：外側下区域中心）
④正中横走査～右肋骨弓下走査（S4：内側区域・門脈臍部中心）
⑤右肋骨弓下走査（S5：前下区域中心）
⑥右肋骨弓下走査（S6：後下区域・S7：後上区域中心）
⑦右肋骨弓下走査（S8：前上区域中心）
⑧右肋骨弓下走査（肝静脈中心）
⑨右肋間走査（S8：前上区域中心）
⑩右肋間走査（S5：前下区域中心）
⑪右肋間走査（S7：後上区域中心）
⑫右肋間走査（S6：後下区域中心）

①肝左葉外側区域（S2・S3）矢状断（大動脈面）（図4）：正中縦走査

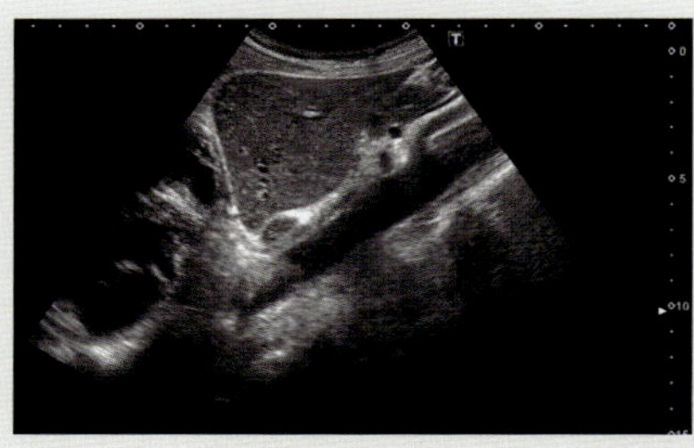

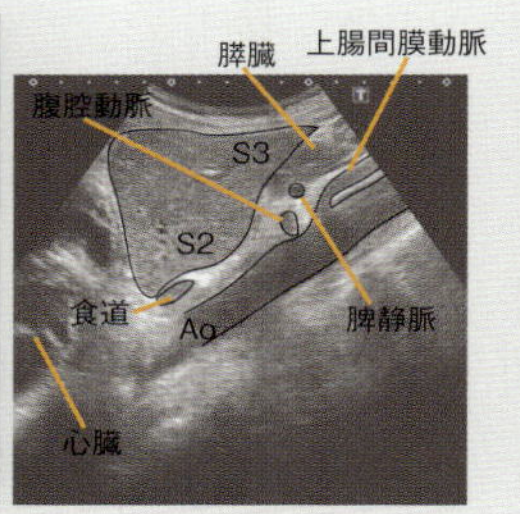

図4 肝左葉外側区域（S2・S3）矢状断（大動脈面）：正中縦走査

- 触診で肝腫大の評価をする場所でもあり、びまん性肝疾患の評価を行ううえで重要な断面となる。
- まず、大動脈の長軸断面で正確に肝縁を描出する。ここで肝下端の肝縁の角度に注目し、鋭角か鈍角かを評価する。正常が鋭角なのに対し、慢性肝障害の進行とともに肝縁は鈍化する。⑫の肝右葉の下端でも同様の評価が可能と考えるが、プローブからのビームが肝縁に対し垂直に当たるこの断面で評価することが望ましい。被検者の状態によっては必ずこの断面のみで評価できないこともあるので、両者で最終判定する。
- 次に、肝表面と肝下面の輪郭を評価する。健常者では平滑であるのに対し、慢性肝障害の進行とともに輪郭が凹凸不整となる。内部エコーについては、全体を通して評価する。

②肝左葉（S1～S3）矢状断（下大静脈面）（図5）：正中縦走査

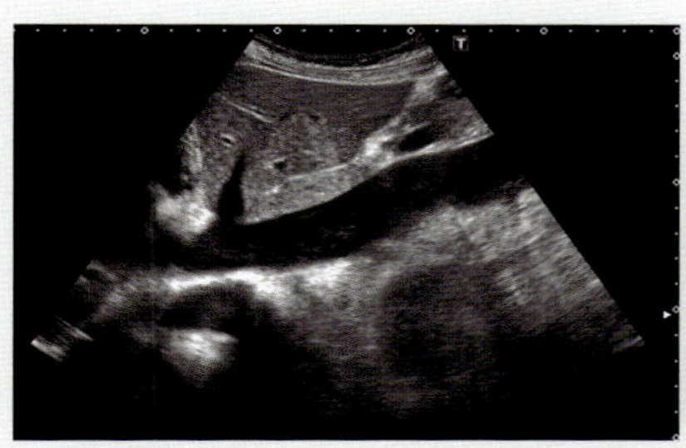

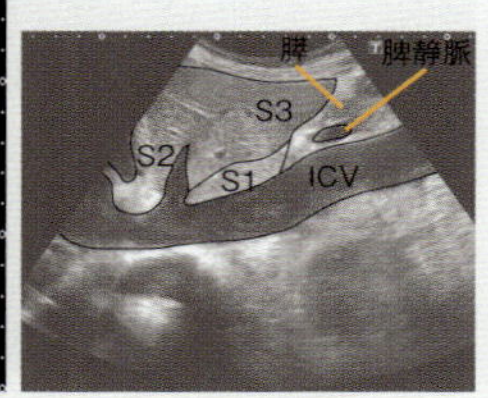

図5 肝左葉（S1～S3）矢状断（下大静脈面）：正中縦走査

- ①の走査から、プローブを被検者の右側に平行移動させた断面となる。
- ここでは、S1の観察が大切。S1は、④の心窩部横～斜走査の門脈臍部の観察時にも描出されるが、門脈臍部のアーチファクトにより門脈本幹の背側になるS1は描出不良となることもあるため、この断面を中心に観察する。慢性肝障害や多飲酒者では、S1の部分的な腫大を認めることがある。
- 心不全などによるうっ血肝の場合、下大静脈径は拡張し、吸気時と呼気時の呼吸性の変動が少なくなる。
- 静止画像のみではなく、ここでは呼吸性変動により全身の循環動態を推測する断面も撮影する。

③肝左葉（S1～S3）（図6）：左肋骨弓下走査～正中横走査

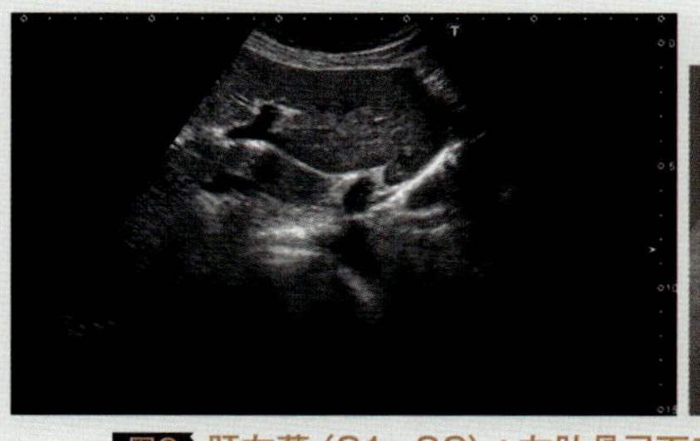

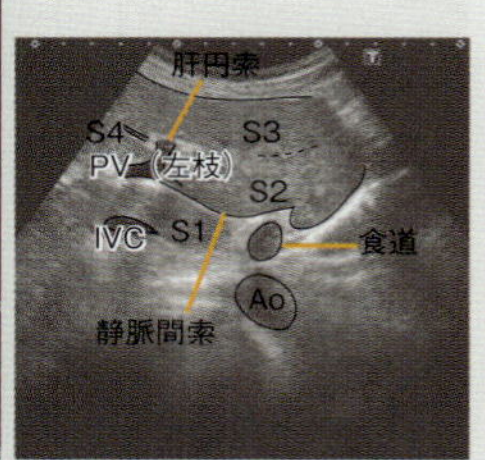

図6 肝左葉（S1～S3）：左肋骨弓下走査～正中横走査

- S1～S3を中心に観察する。
- 左の肋間走査はないため、左の肋骨弓下走査も駆使してS1～S3の観察を行う。肝左葉の端から端まで、つまり頭側の心臓～尾側の膵臓に至るまで描出できるようにプローブを振り全体を観察することが重要である。異常がない場合は、図6の門脈のP2、P3が映る断面を保存する。肝左葉外側区域はこの断面のみではなく、①②の縦走査2～3枚（膵頭部の縦走査も合わせると）が保存される。
- 内脈左枝から肝表面に索状高エコーを認めることがあり、これが、S3とS4の境界となる肝円索である。
- 肝円索や静脈間索は、その存在を知らないと短軸状でスキャンした際に高エコー腫瘤と誤診するので注意が必要である。

④肝左葉内側区域（S4）・門脈臍部（図7）：正中横走査〜右肋骨弓下走査

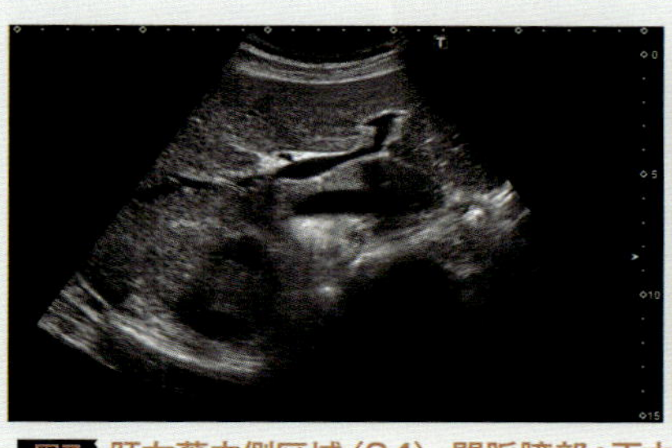

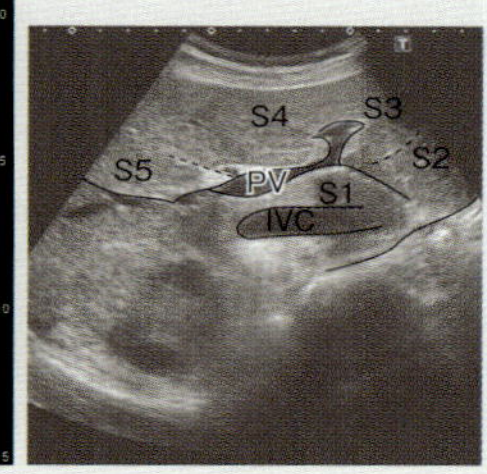

図7 肝左葉内側区域（S4）・門脈臍部：正中横走査〜右肋骨弓下走査

- S4を中心に観察する。
- S4の境界は、左側のS3との境界が肝円索、右側のS5との境界は胆嚢底と肝背面の下大静脈を結ぶ線（Cantlieライン）・中肝静脈である。S8との境界となる横隔膜のドーム直下までしっかりと観察する。
- 肝臓の栄養の約7割は門脈からの血流で成り立っているため、門脈の観察も重要である。門脈本幹〜第一次分枝の観察を行いS4の領域とともに門脈一次分枝に異常がないことを記録する。びまん型肝細胞がんでは、腫瘤性病変が描出できずに腫瘍塞栓のみで発見されることもある。
- この断面では門脈本幹から一次分枝が正常である証である。

⑤肝右葉前下区域（S5）（図8）：右肋骨弓下走査

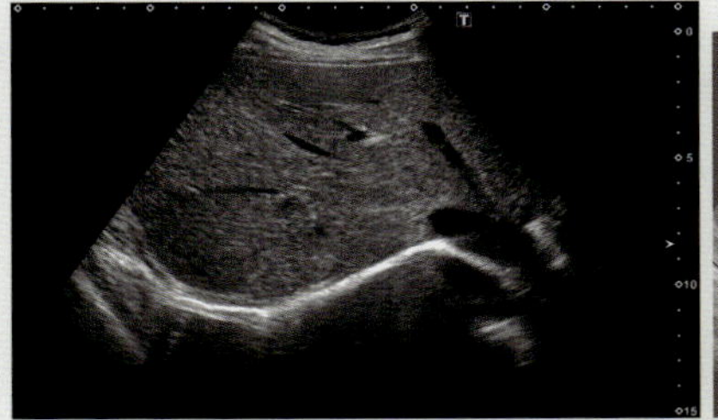

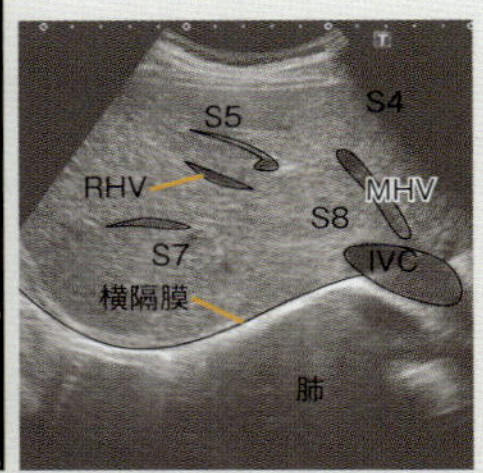

図8 肝右葉前下区域（S5）：右肋骨弓下走査

- S5・S8（前区域）は、S4との境界がCantlieライン、S6・S7（後区域）との境界が右肝静脈（RHV）、横隔膜側がS8で足側がS5である。
- S8の見上げ不足、S5のプローブの近傍（浅い部分）は見落としやすい場所のため、腹壁からの適切な距離を保つために腹式呼吸を用いるなど呼吸の調整が有用である。おのおのの区域を意識して観察し、S5とS8をそれぞれ保存する。
- S5の観察においては、特に浅い部分を意識し、フォーカス位置を浅めにして観察することも重要である。
- やせ型で不安がある場合には、高周波プローブでの観察も有効である。

⑥肝右葉後区域（S6・S7）（図9）：右肋骨弓下走査

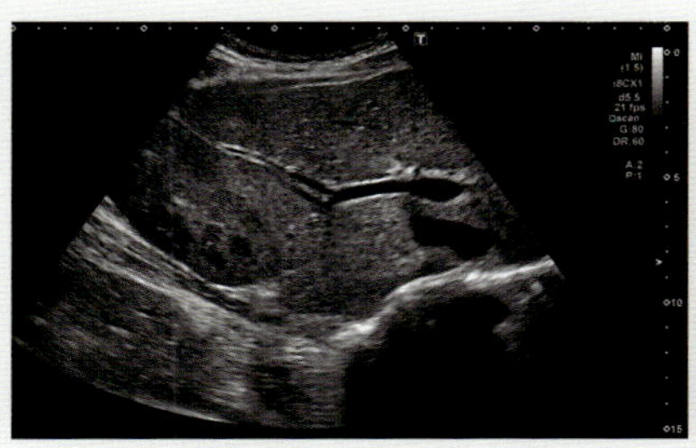

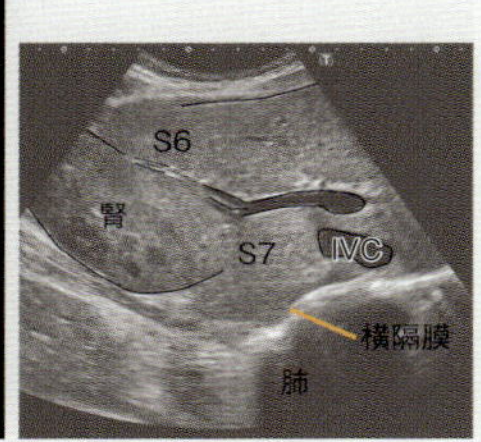

図9 肝右葉後区域（S6・S7）：右肋骨弓下走査

- ⑤のS5・S8から次はS6・S7の観察に移る。ボリュームデータを取得するイメージで、連続性を持って撮影することが重要である。
- S6・S7の観察となるので、⑤よりプローブを起こし気味にして背側を意識して観察する。
- S6は、肝臓の下端が消失するまでプローブを振って観察することが重要となる。
- ここでの注意は、肝右葉の観察を④と同じ位置の正中近傍で行わず、距離が近くなるように肋骨に沿って被検者の右にプローブをずらして（文字通り右肋骨弓下）走査することである。吸気にすることで、肝臓が足側に移動し描出しやすくなる。
- 呼気時のみの観察ではなく、呼吸性移動時にも観察をすることで、見落としを減らすことができる。

⑦肝右葉前上区域（S8）（図10）：右肋骨弓下走査

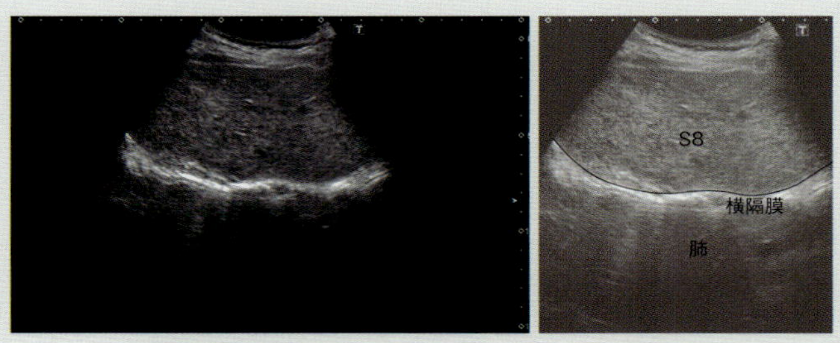

図10 肝右葉前上区域（S8）：右肋骨弓下走査

- ここまでプローブを肋骨弓下に沿って右側腹部まで走査し、肝右葉前区域⇒背側下端の外側まで観察してきた。今度はここからS7（後上区域）を経由してふたたびS8の方向へプローブを振り上げる。この際、横隔膜が見えなくなるくらいまで振り上げ、肝臓の頭側部分の死角を減らすことが重要である。
- 肝臓の挙上が著明な症例では、左側臥位や座位での描出が有効となる。
- プローブを寝かせて広い範囲を観察するためには、自分の手が邪魔にならないプローブの持ち方もポイントになる。

⑧肝静脈（図11）：右肋骨弓下走査

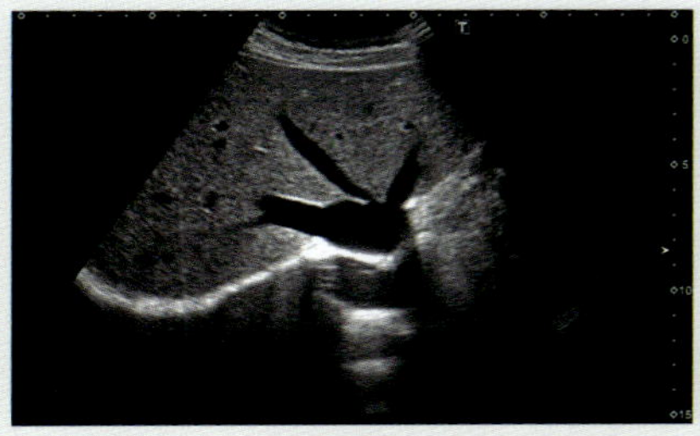

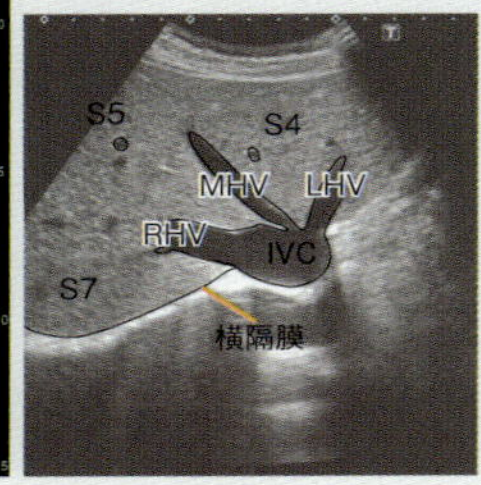

図11 肝静脈：右肋骨弓下走査

- ⑦で後区域を経由して前区域のS5・S8を中心に見上げたので、今度はこの部分から背側を意識してプローブを起こしていく。体の中心方向に向けながらプローブを起こすようなイメージである。
- この走査ではS4の一部も観察できることを意識する。
- ここでは下大静脈に注ぐ肝静脈（左・中・右肝静脈）が描出できる。吸気・呼気の差でうっ血肝などの循環不全の病態も観察可能な断面となる。
- 次に肋間走査に移るが、初心者は門脈の区域ばかり気になり占拠性病変の確認が疎かになることも多いので、もう1周同じ走査を繰り返し、病変の見逃しがないかの確認を行ってから肋間走査に移行することを推奨している。

⑨肝右葉前上区域（S8）（図12）：右肋間走査

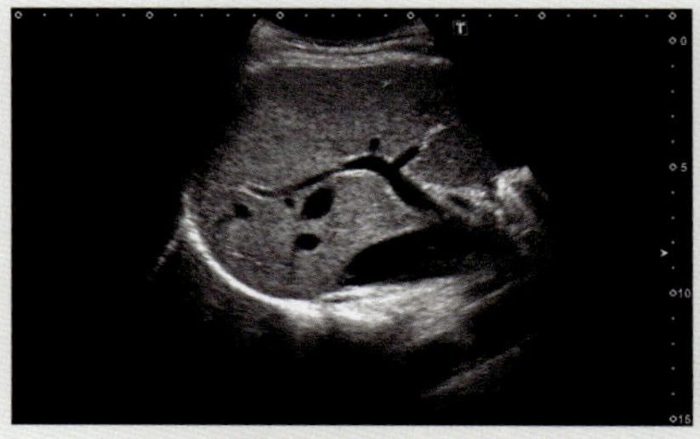

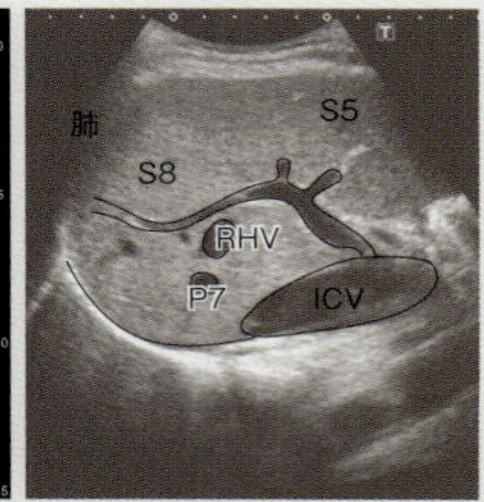

図12 肝右葉前上区域（S8）：右肋間走査

- 肋間走査は、正しく肋間にプローブを収めることが最も重要である。
- 1肋間上下させ、最も描出しやすい肋間で観察を行う。
- 肋間に沿ってプローブを頭・尾側方向へ移動させ、その部分で tilting（扇動操作）を行う。
- S8 は横隔膜下の部分となるので、最大呼気時に描出範囲を広げて撮影することが大切である。
- 呼気時のみではなく吸気時にも観察を行う。
- 可能であれば、肝臓の頭側にある横隔膜の曲線が広く出るくらいまで描出すること、門脈の P8 が末梢側で複数本に枝分かれしている部分まで観察することが望ましい。

⑩肝右葉前下区域（S5）（図13）：右肋間走査

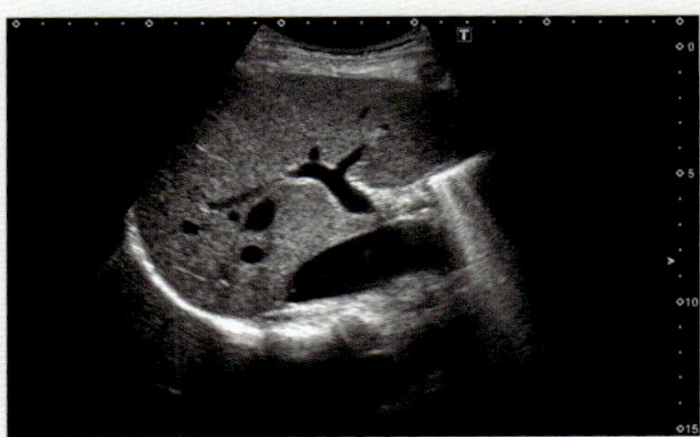
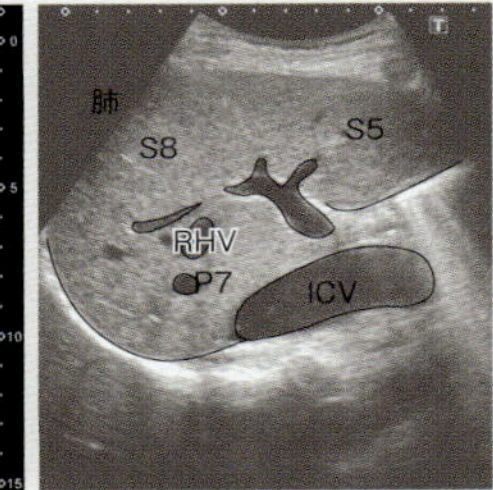

図13 肝右葉前下区域（S5）：右肋間走査

- 胆嚢近傍の領域、S5を中心に撮影する。
- 胆嚢の基準断面の肋間走査とほぼ同じとなるが、あくまでも肝臓が中心の観察断面となるため、保存画面も胆嚢の記録断面と同じにならないように注意する。
- 肝腫大などにより、肋間でうまく撮影できない場合は尾側にずらし、肋間と同じ方向で撮影を行う。
- 肝臓が頭側に位置するように呼気時に撮影する。
- プローブの尾側が皮膚から離れないように注意する。

⑪肝右葉後上区域（S7）（図14）：右肋間走査

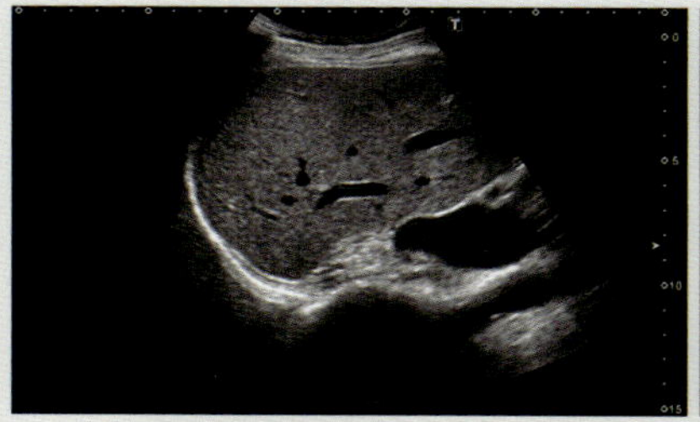

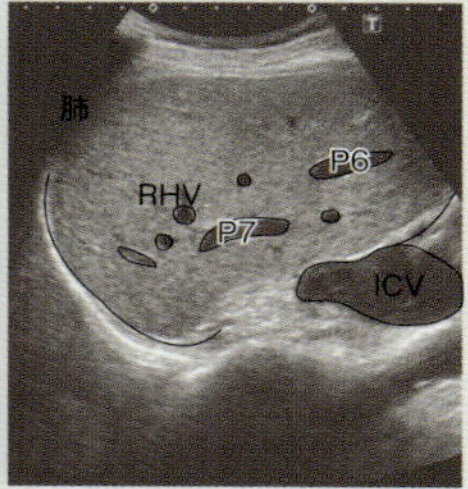

図14 肝右葉後上区域（S7）：右肋間走査

- 右肝静脈がS5・S8とS6・S7の境界となるため、この断面では右肝静脈を確認する。その背側がS7となる。
- 肝静脈を長軸に描出すると、門脈が短軸に、肝静脈を短軸にすると、門脈が長軸に描出される。肝静脈と門脈は走行する方向が異なるため、位置関係を把握しておく。
- 後区域の観察は、極力、背側の肋間で、プローブが垂直に近い状態で描出できる位置で観察を行う。
- 右肝静脈の評価もびまん性疾患の評価では重要であり、有所見の場合には、右肝静脈の長軸像も別に記録する。

Memo

⑫肝右葉後下区域（S6）（図15）：右肋間走査

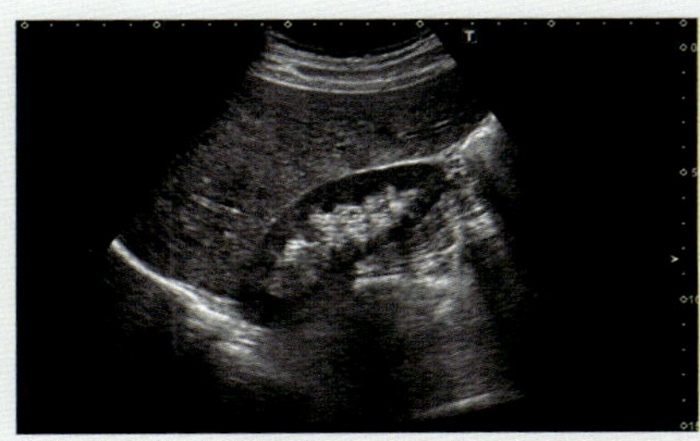
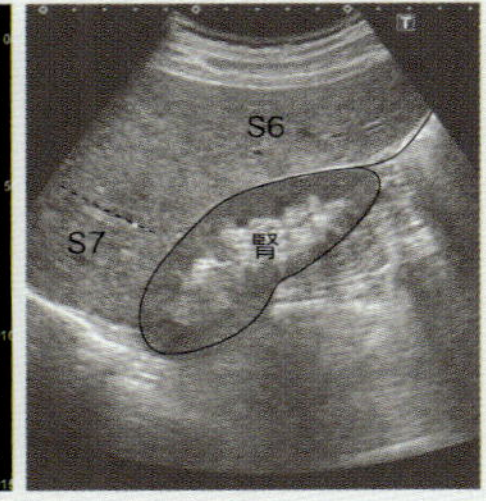

図15 肝右葉後下区域（S6）：右肋間走査

- ⑪から尾側へプローブを移動し、肝臓が見えなくなると腎臓の短軸像が描出される。
- 腎臓を下端まで描出した後、プローブを時計方向に回転させると、腎臓の長軸とともにS6が広く描出される。
- S6と腎臓の観察を行い、異常がなければ図15のような肝腎コントラストが比較できる断面で保存画面を撮影する。
- 肝腎コントラストを評価する断面となるため、肝実質と腎実質を、表面から同じ深さで比較できるような断面で撮影することが大切である。また、肝下端まで見落とすことなくしっかりと、肝臓が完全に描出されなくなるまで尾側に振って観察することが重要である。

3 描出のコツとピットフォール

- 肝臓の走査法は、縦走査、横走査、肋骨弓下走査、右肋間走査が基本となる。ここでは、これらの走査法のコツとピットフォールについて解説する。
- 前述したが、肝臓は大きな臓器であり、複数枚の静止画ですべての領域がカバーできるわけではない。したがって、規定された基本断面のみではなく、常に立体を意識して、プローブを広く振ることが重要となる。
- 超音波検査は動画で診断するものであり、動画像を大切にする心構えが必要である。
- 実際の臨床の場では、高齢者・重症患者などに対しても検査を施行するため、体位変換は必須ではないが、体位変換が有効な撮影箇所や体型等があることは、検査を施行するうえで自覚しておく必要がある。
- 有所見例では、その所見を画面の中央で撮影し、第三者にわかりやすい画像を撮影することを心掛ける。

①正中縦走査

- 正中縦走査は、肝臓以外にも胃、膵臓、大動脈、下大静脈等いろいろな情報が得られる断面である。まずは、この断面で各臓器の位置関係・状態を把握することが大切である。
- ここでは、吸気で肝臓を尾側に下げて観察し、肝臓の形態評価を大動脈の長軸断面で行う。縦走査においてもボリュームを意識して、可能な限り左右に幅広くプローブを振り、縦走査で肝臓のS1～S4の観察を行う（Web1）。
- さらにこの断面では、プローブの圧迫の加減が重要となる。触診する感覚での圧迫が丁度よく、圧迫を加減することにより肝臓の硬さが、視覚的に評価できる。
- 大動脈の左側に走行する下大静脈は呼吸性の変化がある。心不全になると、この差が少なくなる（図16）。

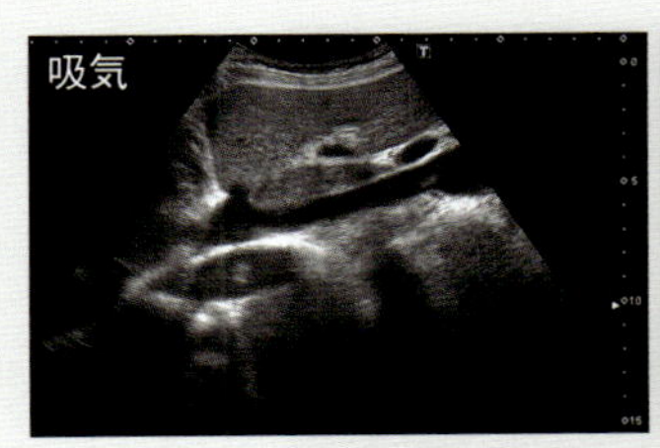

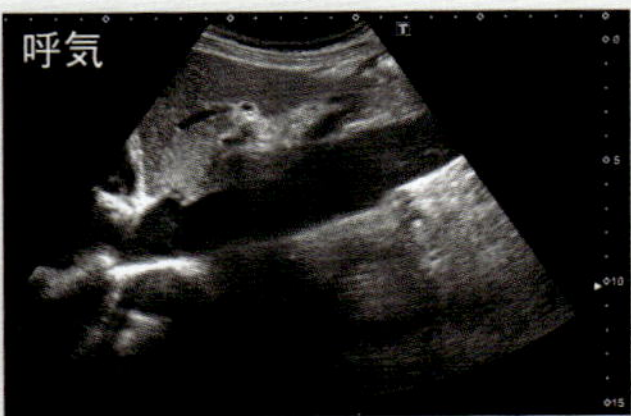

図16 正中縦走査：下大静脈面

②横走査

- 正中横走査は、S2・S3と門脈臍部・S4が中心になる。この断面、または少しだけ右肋骨弓下走査に移動した際の、門脈の左右の第一次分枝が描出される断面は、CTの断層像と似ているため肝臓の基本断面となる。つまり、クイノー肝区域分類を理解・確認するのに適している断面と考えられる。肝区域がわからなくなった際にはこの断面に戻り、ここから連続的に門脈を追って各区域の確認を行えば間違いがなくなる。
- 体形とプローブ幅によるところが大きいが、横走査のままのプローブの移動範囲は意外と狭く、すぐに骨にあたってしまう。骨にあたったら肋骨弓下に移動し観察する。
- 肝左葉は肋間走査がないため、左肋骨弓下走査を取り入れ、大きくtiltingを行うことが重要である（図17）。

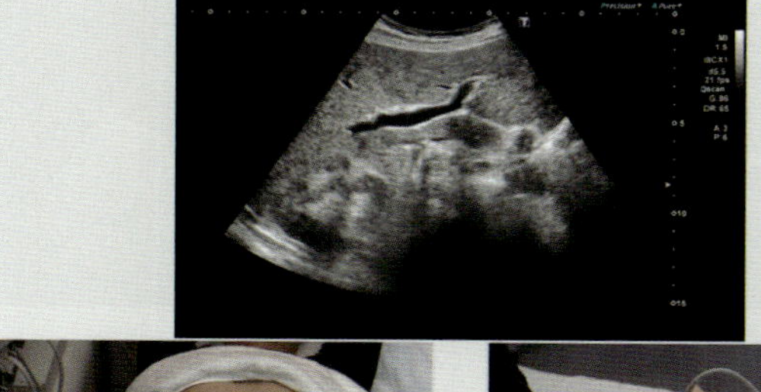

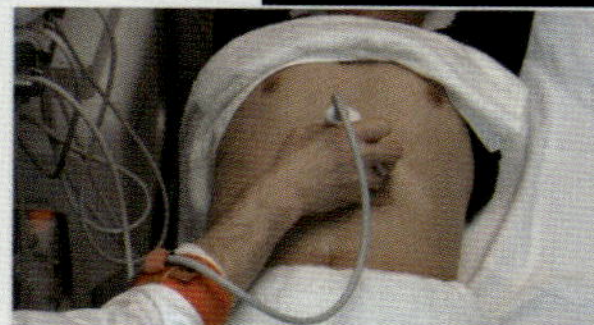

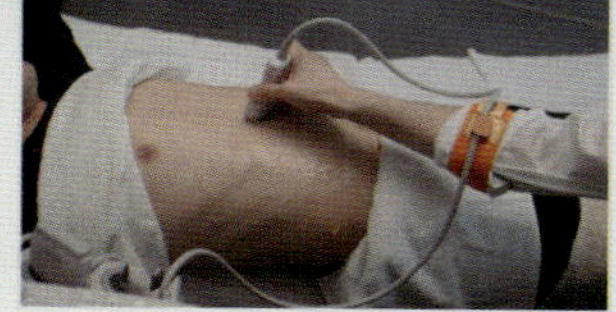

図17 左肋骨弓下走査 Web2

③肋骨弓下走査

- ②の正中横走査で肝右葉も撮影が可能であれば、CT 等と同様の断面で理解しやすいが、肝臓は肋骨により保護されており、骨の背側は超音波検査で描出できない。そのため肋骨弓下からの見上げや見下ろしの断層像となり、他の画像診断と異なる断面となることに注意する。
- 正中横走査の部位のままで、肝右葉の肋骨弓下走査をすべて行っている初心者を見かけることがある。肋骨弓に沿って右下方までプローブを移動させながら tilting も行い、観察することで、描出範囲が確実に広がるので注意が必要である。
- 深部描出ばかりに注意を向ける人がいるが、コンベックス型プローブでは近距離にも描出不良部位があり、いわゆる近距離干渉帯があることを認識することも重要である。
- 特に臓器の隅々まで観察する気持ちが必要で、S6 は下端の肝臓が描出できなくなるまでプローブを振ることが大切である。
- 肋骨弓下走査では、S8 の描出を広くすることが重要となる。この際注意するポイントは、プローブを振り上げる際、自分の手が邪魔にならないように手の甲を上手く抜いてプローブ先端を可能な限り上に向けることが大切である。その際（図18）、tilting の軸が手の後ろ側でプローブとそれをつなぐケーブルの付着部分付近になること、初めから強く圧迫すると肝臓が尾側に移動しないため十分な呼気をしてから圧迫を加えることなどを意識することで広い範囲の抽出が可能となる（図19）。

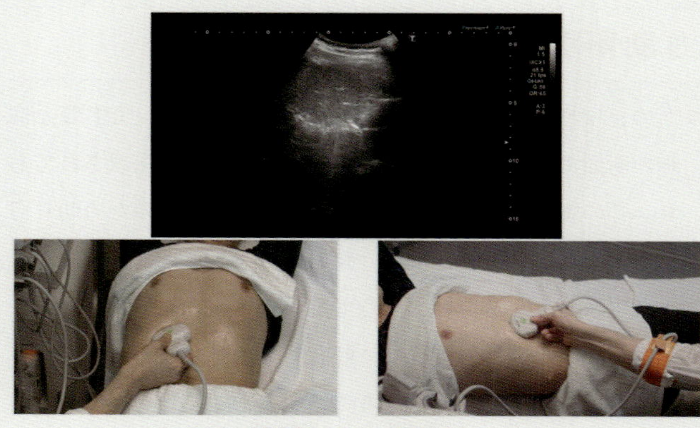

図18 tilting Web3

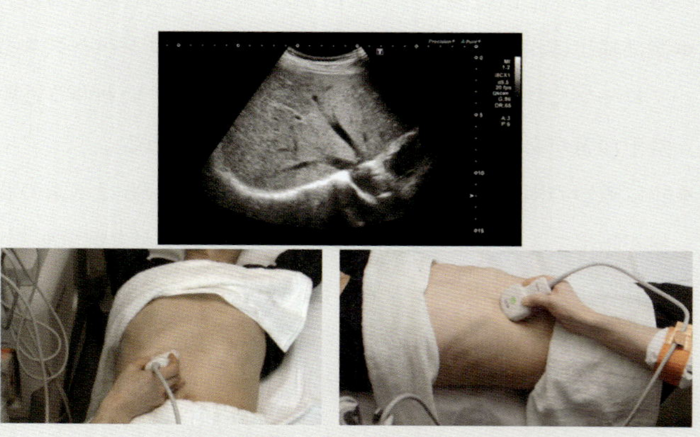

図19 圧迫方法 Web4

④右肋間走査

- 肋間走査の苦手な人が意外と多いが、プローブをあてる場所は肋間に限られているので、実は最も簡単な走査法である。
- 最も確実なのは、指で肋間の走行を確認し、その方向に線状にエコーゼリーを塗布し、そのゼリーに沿って皮膚に垂直にプローブをあてる手法である（図20）。これだけできれいな画像が得られる。主に4～5肋間の観察を行う。肺の多重エコーが見えたら1肋間尾側に下げ、腎臓、消化管が見える場合には1肋間頭側に上げればよい。後はその肋間でプローブ面を軸としたtiltingを行うのみである。
- 肋間というレールに沿ってプローブを移動させ、肝臓が頭尾側方向ともに見えなくなるまでくまなく観察する。

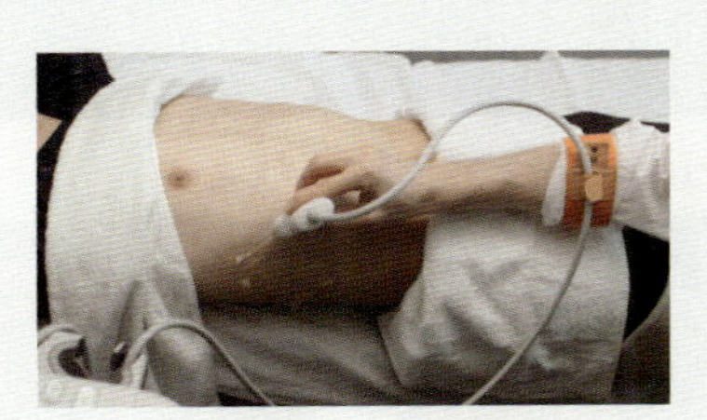

図20 ゼリー塗布 Web5

- S6・S7（背側）の観察では、プローブをうまく皮膚と接触させられるかがポイントとなる。プローブがベッドにあたって描出しにくいことがある（図21-a）が、これはベッドの端から身体が少し出るくらいの位置に寝てもらうことで回避できる（図21-b）。
- 背側から腹側へプローブを見上げる感覚で描出する。
- 肺は邪魔になるので、通常は呼気の状態で観察するが、挙上が極端な場合やS6・S7では吸気時に観察する。

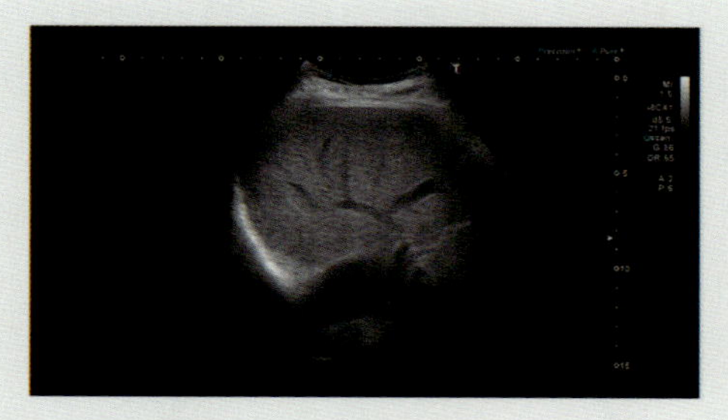

a 悪い例：プローブがベッドにあたっている

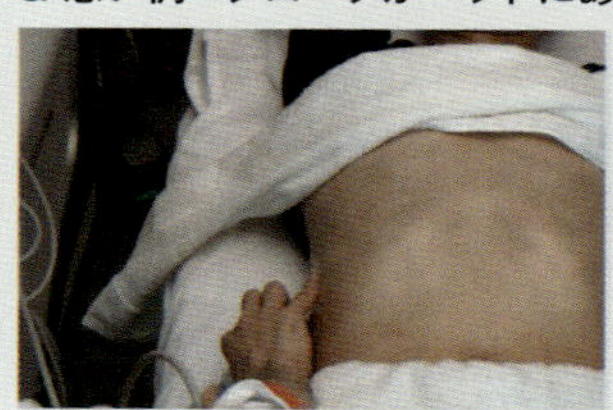

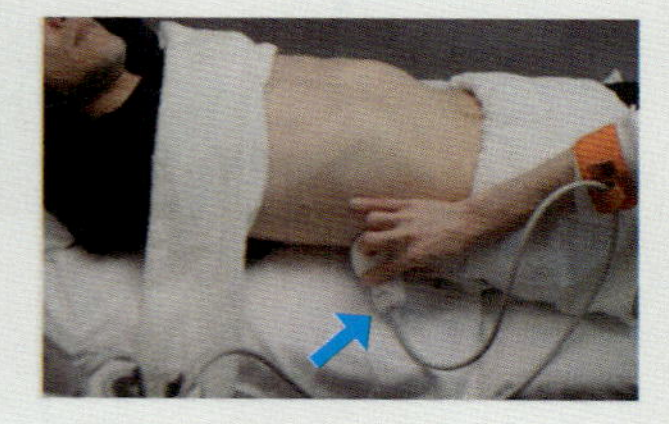

b 良い例：プローブがベッドにあたっていない

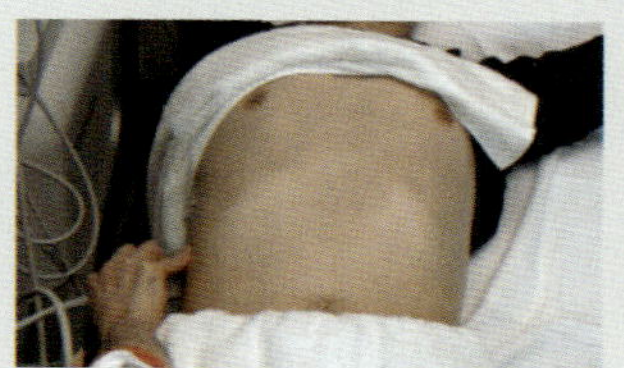

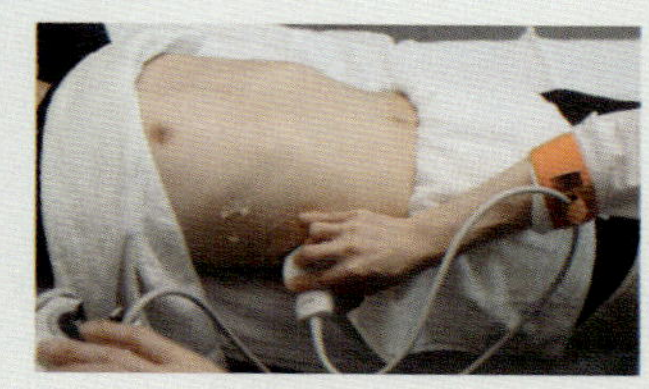

図21 S6・S7（背側）を観察するときのプローブと身体の位置

⑤呼吸法

- 被検者の呼吸法には、胸式呼吸と腹式呼吸がある。
- 呼吸法をうまく利用することで、肝臓が肋骨弓下に下がり描出範囲が広くなるため、体位変換以上の効果が期待できることがある。多くの症例で胸式呼吸を推奨している。
- 腹式呼吸を推奨しない理由として、腹壁と肝臓に距離ができ、この間に内臓脂肪や消化管が入り込む、圧迫の調節がしにくいなどを根拠としている。もちろん全例ではなく、肝表面の観察で距離を離して撮影したい場合や、内臓脂肪過多症例で消化管ガスを下腹部の方向に移動させたい場合などには腹式呼吸を利用する。
- 描出しにくいと思ったら、観察部位を変更するのと同様に、呼吸法も適宜手法を変更する柔軟性が必要である。

Memo

⑥体位変換

- 胆嚢や膵臓ほどではないが、肝臓でも体位変換が有効となる撮影方法がある。

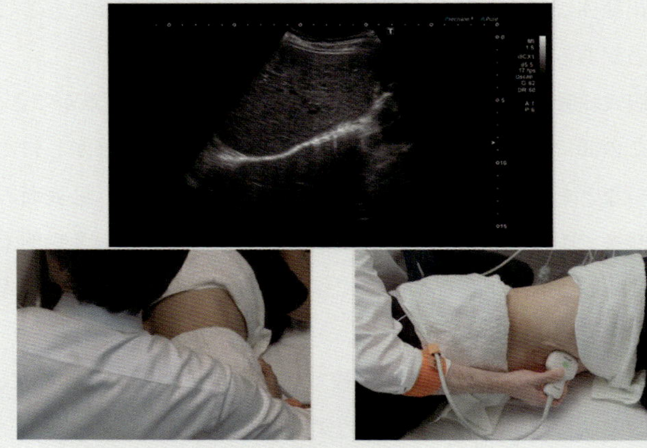

図22 左側臥位

- 左側臥位（図22）：右肋骨弓下走査で肝臓が描出しにくいと感じた際に行う。やや腹臥位に近い状態とし、プローブを持つ手でお腹を支えるようにする。
- この体位で右の肋間走査は行わないことが重要である。左側臥位では、肋間と肝臓に隙間ができてしまうので有効な肋間走査の撮影法とはいえない。

●右側臥位：右肋間走査の際の有効な体位変換である。肝萎縮症例などに有用となる。この体位はプローブがあてにくいので、ベッドの端で横向きに近い状態になってもらい、ベッドの端から見上げるようにプローブをあてる（図23）。ベッドと椅子の高さを調整すると施行しやすくなる。

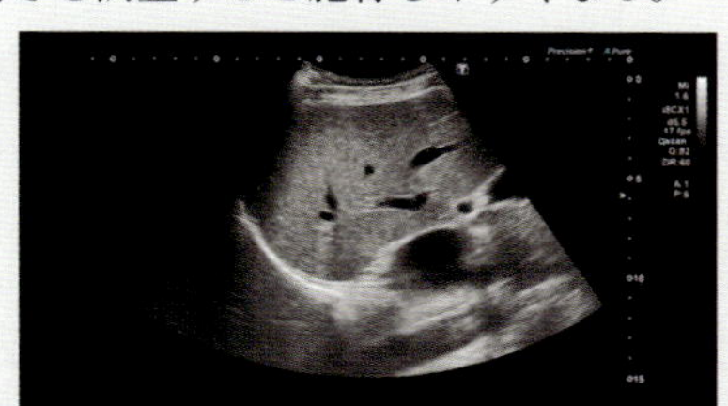

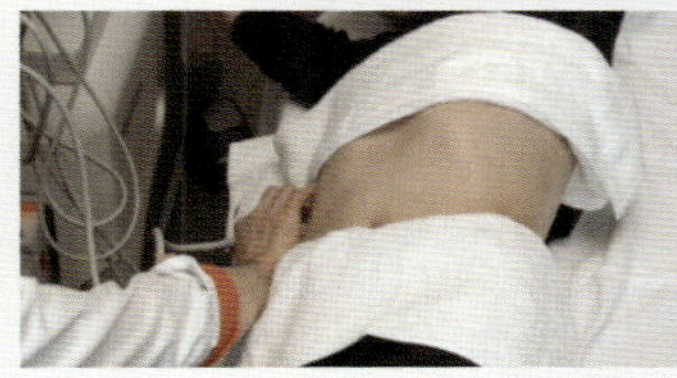

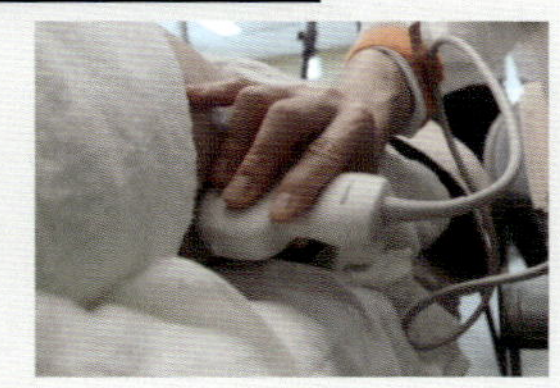

図23 右側臥位

●座位（図24）：肝臓が挙上している場合や呼吸の調節を行っても描出不良の場合に有効である。後ろに手をつかせると腹筋に力が入り、描出がかえって不良となる。また高齢者では力が入りにくいなどの問題があるため、電動ベッドの使用を勧めるが、電動ベッドがなければ検査者のほうに向いて普通に座る体位でよい。

肋骨弓下走査

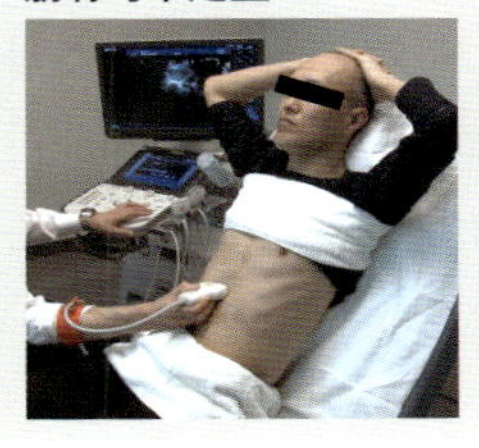

右肋間走査

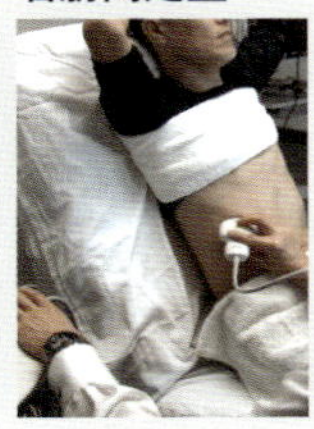

図24 座位 Web6

4　びまん性病変

- 超音波診断学におけるびまん性肝疾患の評価方法としては、①腫大の有無、②輪郭の評価、③内部エコーの評価、④脈管の評価、⑤随伴所見、⑥腫瘤性病変の有無の6点で行う。

どのような画像なら、慢性肝障害カテゴリー3にするの？

- いわゆる肝細胞がんのハイリスクグループを早期に拾い上げ、早期に背景肝の治療を行うことも、がん検診の1.5次予防として重要なことと考える。しかし、それのみでは肝臓検診は採血検査で十分となってしまい、超音波検査の意義がなくなってしまう。また、臓器には加齢による変化があり、輪郭の鈍化などは肝疾患がなくても高齢者においては認める場合もある。
- 効率的ながん検診を目指す意味でも、マニュアルでは肝硬変に近い状態のびまん性病変を要精検としている。したがって肝縁鈍化、実質の粗造なエコーパターン、肝表面の結節状凹凸を認める、のすべて認める場合をカテゴリー3、超音波所見：慢性肝障害、判定区分D2（要精検）とし（図25）、いずれかの場合を同じカテゴリー3でも超音波所見を慢性肝障害疑い、判定区分C（要再検査）としている。
- 肝実質の評価においては、フラッグサインや簾状エコーを認めた場合も、粗造な実質エコーパターンに含めるとしている。

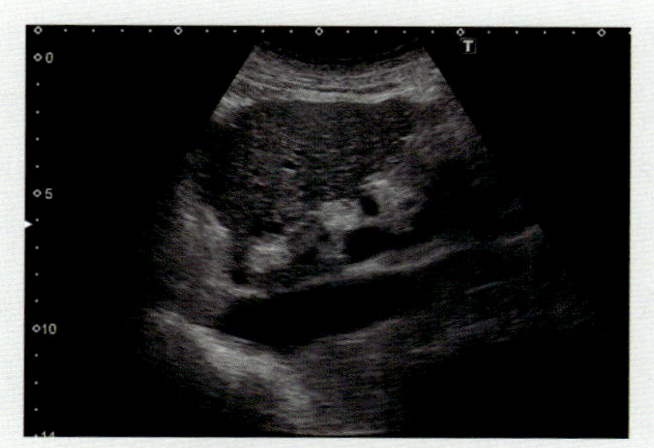

図25 びまん性肝疾患

肝縁鈍化、粗造な実質エコーパターン、肝表面の結節状凹凸のすべてを認めておりカテゴリー3、超音波所見：慢性肝障害、判定区分 D2（要精検）となる。

- ウイルス性肝炎の治療も重要であり、マニュアルでは、判定区分は原則的に超音波画像上の異常所見によって決められるが、血液検査など超音波検査以外の検査所見や前回所見との比較などを考慮して、判定医が変更して最終決定することは可としている。

脂肪肝の評価法は？

- 脂肪肝の超音波診断は従来、高輝度肝、肝腎（脾）コントラスト有り、深部方向の減衰増強、肝内脈管の不明瞭化の４点すべてを確認した場合とされていた（図26）。
- これらの所見は、肝細胞に脂肪沈着したことにより起こる現象であるが、脂肪沈着の量、分布、脂肪滴の大きさなどにより画像も異なる。カテゴリー分類ではいずれか一つ確認できれば脂肪肝、カテゴリー2、判定区分Ｃ（要再検査）としている。
- 最も特徴的なのが高輝度肝（Bright liver）と呼ばれるもので、微細点状の、緻密で均質な、べったりとした高エコー像である。脂肪沈着による超音波の減衰の増強や肝内脈管の不明瞭化、腎実質には脂肪が沈着しないことを利用した腎実質と輝度を比較した（肝腎コントラスト）エコーレベルの増強を特徴としている。この超音波所見がすべて揃った場合には、肝実質の組織上1/3以上に脂肪が沈着した脂肪肝であることを意味していた。しかし、年々脂肪肝が増加するとともに、非アルコール性の脂肪性肝疾患（non-alcoholic fatty liver disease：NAFLD）の概念が確立され、臨床の場や検（健）診における評価項目、事後判定にも変化が生じている。その理由として、NAFLDのなかに進行性の病態である非アルコール性脂肪性肝炎（non-alcoholic fatty steatohepatitis：NASH）が含まれていることが挙げられる（図26）。したがってNAFLDも早期に発見し、治療対象とすることが望まれている。

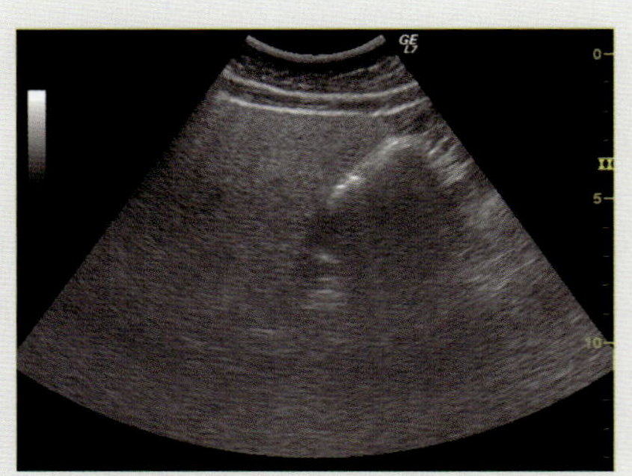

図26 脂肪肝（NASH症例）

- 本疾患では、脂肪の沈着が5%程度からの早期拾い上げも重要と言われるようになった[4]。超音波検査を用いた定量的な脂肪沈着の評価法が可能な装置も出現するようになっている。超音波検査は、他の検査法と比較し、微量の脂肪を拾い上げる感度は高いため、有用な手法となると考えられる。

- 脂肪肝所見に前述の肝縁鈍化・実質の粗造なエコーパターンおよび肝表面の結節状凹凸のいずれかを伴う場合には、カテゴリー3、超音波所見：慢性肝障害疑い、判定区分C（要再検査）となるので注意が必要である。
- つまり、脂肪肝に軽度でも慢性変化が加わった症例においては、判定区分は同じCであるが、カテゴリーを3として、高危険群となることを検者・被検者共に意識させる狙いがある。
- 病理組織上の脂肪肝にまで脂肪沈着が至っていない場合を超音波検査では肝脂肪化と呼び、用語を使い分けている。

Point

脂肪肝を評価するときの注意点

- 肝腎コントラスト：超音波検査の特徴として、深部方向には少なからず減衰が起こる。そのため腎臓との輝度値を比較する際には肝表面から同じ深さで評価することが大切である（図27）。

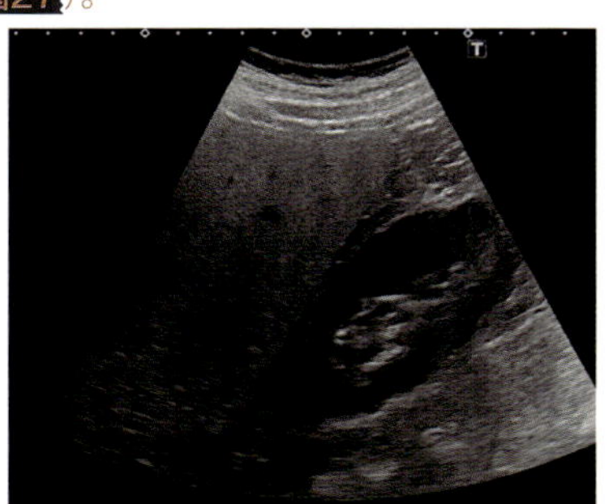

図27 脂肪肝（単純性脂肪肝症例）

●肝腎コントラストで評価できない場合：腎実質には脂肪沈着しないことを利用して腎実質と腎実質のエコーレベルを比較し、評価項目としているが、慢性腎不全症例においては腎実質の輝度が上昇してしまう。この場合は脾臓の実質と比較する。また、肝腎コントラストを評価する場合においても脾腎コントラストを確認し、輝度差がないことを前提としている。内臓脂肪が多く、1画面に肝臓と腎臓が表示できない場合もある。このような場合には、モニタを2画面表示にして左右にそれぞれ同じ深さで肝臓・腎臓あるいは脾臓を表示して比較するようにする（図28）。

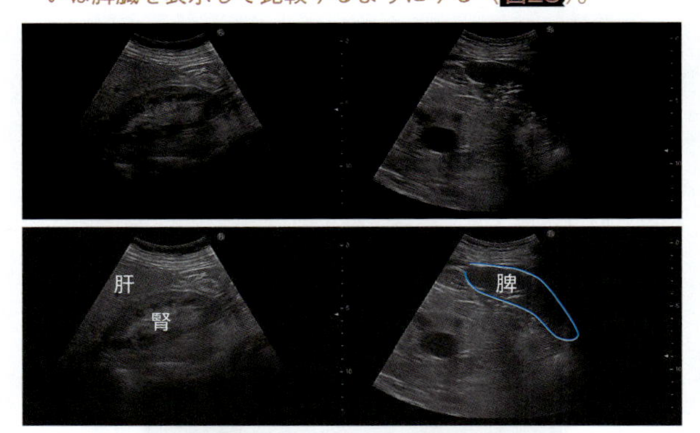

図28 慢性腎不全の脂肪肝

これは腫瘤性病変ですか？（脂肪肝で認める脂肪非沈着部位）

- 脂肪肝を診断する際、脂肪の非沈着部が相対的なエコーレベルの低下により“低エコー腫瘤”として間違われることがある。これは限局性低脂肪化域として扱われる。門脈以外の血管から肝臓に血流が送り込まれる異所性還流によって起こるといわれている。
- この対処法としては、まず好発部位があることを理解すること、周囲のエコーレベルに惑わされないようによく観察を行い、この部分が正常のスペックルパターンであることを確認すること、カラードプラを使用し、脈管走行に偏位がないことを確認することである。以上で診断が可能となり、腫瘤性病変として扱わない。

- 好発部位は、胆嚢周囲（胆嚢静脈の灌流領域）、S2 および S4 背側（右胃静脈の異所性灌流領域）、S4 前面肝表面直下（Sappey の静脈灌流領域）の 4ヵ所になる（図29、図30）。

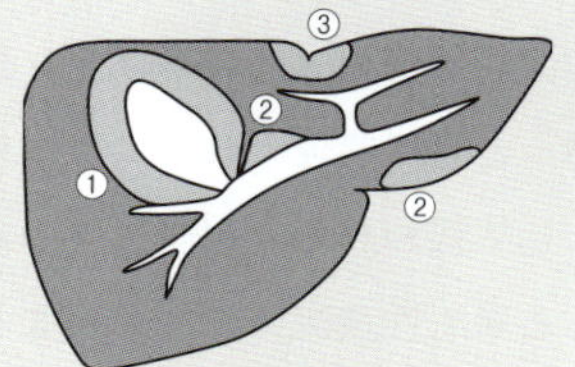

図29 脂肪肝における限局性低脂肪化域の好発部位

（日本消化器がん検診学会　超音波検診委員会　腹部超音波検診判定マニュアルの改訂に関するワーキンググループ．日本超音波医学会　用語・診断委員会　腹部超音波検診判定マニュアルの改訂に関する小委員会．日本人間ドック学会　健診判定・指導マニュアル作成委員会　腹部超音波ワーキンググループ．腹部超音波検診判定マニュアル改訂版（2021 年）．日本消化器がん検診学会雑誌．60 巻 1 号，135，図　肝 -1，2022．転載）

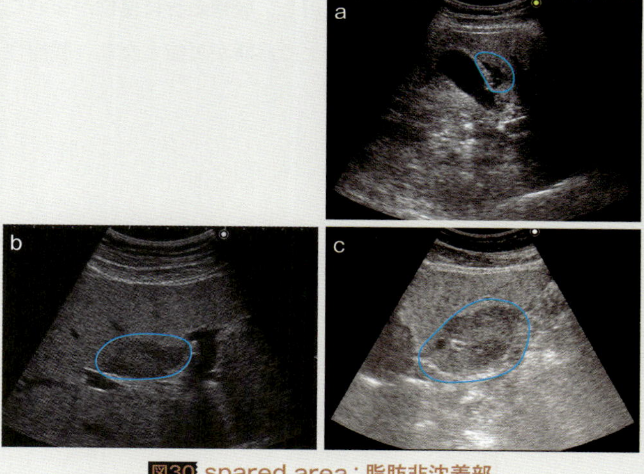

図30 spared area：脂肪非沈着部

a　胆嚢周囲：胆嚢静脈の灌流領域
b、c　S2 および S4 背側：右胃静脈の異所性灌流領域

5 充実性病変

- 肝腫瘤性病変で大切なことは、的確な存在診断を行うことである。そして重要な点は、肝悪性疾患の代表である肝細胞がんに対する扱いとなる。古典的な肝細胞がんの場合には、技術的な問題で見逃しとなる場合が多く、肝臓を一方向のみで観察するのではなく、複数の方向から観察し、一定の基準走査で観察・画像保存を行うことで最小限に防ぐことが可能となる。
- 問題は、早期肝細胞がんとその境界病変の取り扱いと考え方についてである。マニュアルは検（健）診は年1回施行することを想定し、1年間経過観察を行っても医療的に問題が少ないところを線引きにしている。つまり早期の肝細胞がんであっても、発育速度の遅い段階では経過観察でよいという解釈になる。また、背景肝に慢性肝障害を伴う肝腫瘤性病変と、背景肝に異常がない場合では、肝がんの発生頻度はまったく異なるため、評価を変えている。充実性病変を認める場合はカテゴリー3、超音波所見：肝腫瘤、判定区分C（要再検査）、カテゴリー3のびまん性病変の合併がある場合はカテゴリー4、超音波所見：肝腫瘍、判定区分D2（要精検）、最大径15mm以上はカテゴリー4、超音波所見：肝腫瘍疑い、判定区分D2（要精検）としている。これにより、健常者に認める小さな肝血管腫を安易に要精検とする必要がなくなる。もちろんこれですべてをカバーできるわけではない。マニュアルでは、肝限局性病変についてはHBV、HCV感染や血小板減少（15万/mm^3未満）など臨床生化学データで慢性肝疾患が疑われる場合は、必要に応じて判定区分をD2（要精検）としてよいとしている。つまり検査所見や前回所見との比較などを考慮して、判定医が最終決定できるようにしている。

6 肝腫瘍性病変

マージナルストロングエコー（marginal strong echo）とは?

- 肝海綿状血管腫の辺縁に、ほぼ全周性に縁取るようにみられる高エコー所見とされる[5]（図31）。これは肝実質と肝血管腫内部における血流の貯留した状態の音響透過性の差によって出現すると考えられる。肝血管腫の代表的な所見であり、カテゴリー2、超音波所見：肝血管腫、判定区分C（要再検査）とする。

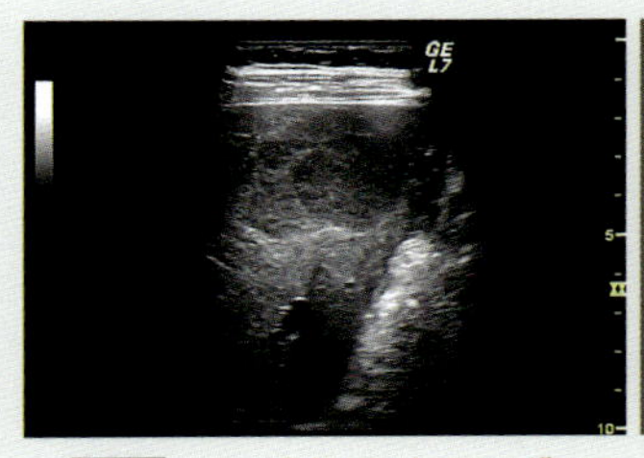

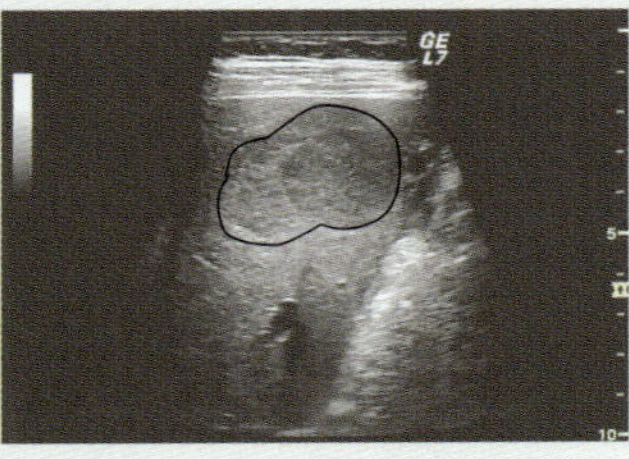

図31 マージナルストロングエコー（marginal strong echo）

- 安易に marginal strong echo を使用する場合が目立つため、確実に肝血管腫と診断可能な縁取りの高エコーのときのみ本用語を使用すべきである。

- 高エコーの部分が厚い場合には、早期肝細胞がんでみられるbright loop patternと間違えないことが重要な点となる(図32)。この所見は高エコー型の肝細胞がんの内部が脱分化し、その部分が低エコーとなったものであり、治療適応となる肝細胞がんの所見であるため注意が必要である（カテゴリー5、超音波所見：肝腫瘍、判定区分D1〈要治療〉)。

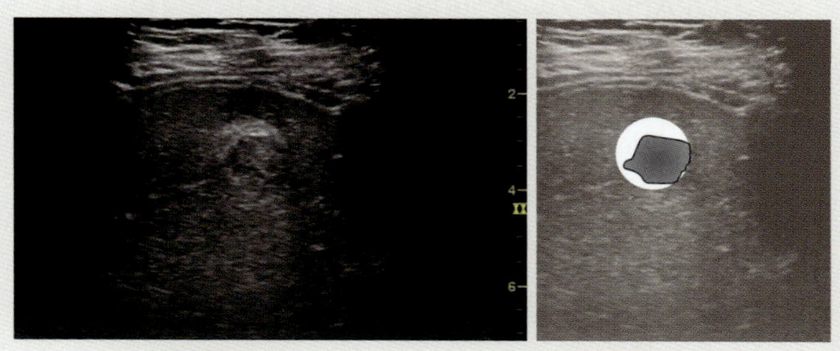

図32 bright loop pattern（肝細胞がん）

- Bright loop patternは、高エコーの腫瘤部の一部が低エコーの腫瘍に置換されていく所見のため、高エコー部分は縁取りではなく、幅が厚く、そしてその幅が均質な厚さではないことが特徴となる。

カメレオンサイン（chameleon sign）とは？

- 肝海綿状血管腫でみられる特徴の一つ[5)]。体位変換によって内部エコーパターンが変化する徴候を指す（図33）。
- 後述のワックスアンドウエインサインと意味合いとしては同様であるが，このサインは内部の変化を体位変換で誘発することを意味する。体位変換は，全例が電動ベッドではないため必ずしもスムーズに行えるわけではない。また体位変換の際にプローブが離れてしまうとその微細な変化には気づきにくいことがあるので注意が必要である。

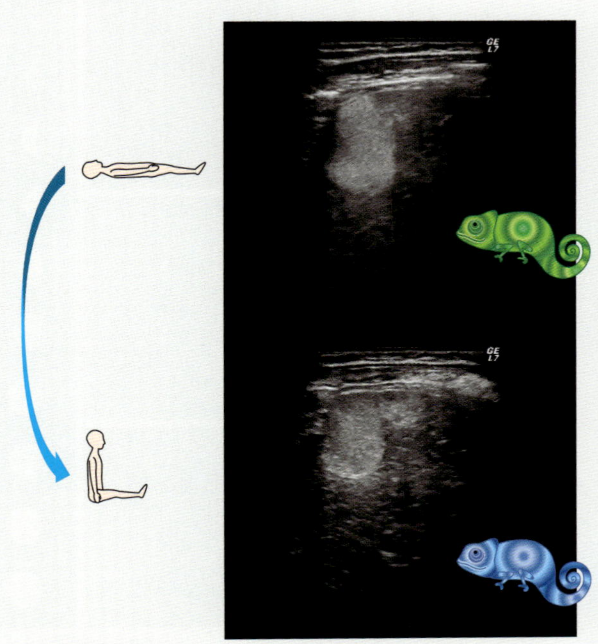

図33 カメレオンサイン（chameleon sign）

ワックスアンドウエインサイン（wax and wane sign）とは？

- 肝海綿状血管腫でみられる特徴の一つ[5)]。経時的に肝血管腫の内部エコーが月の満ち欠けに似た変化を示し、低エコーから高エコーへ、高エコーから低エコーへと変化する（図34）。
- 本所見は、体位変換を行わずに観察でき、内部に貯留している血液の血流変化を捉えたものであり、肝血管腫の確定診断のために有用である。内部を拡大撮影し、血流変化による動きを確認した際に、"糸ミミズサイン"（Web7）と呼称している所見があるが、同様の意味合いと考えられる。

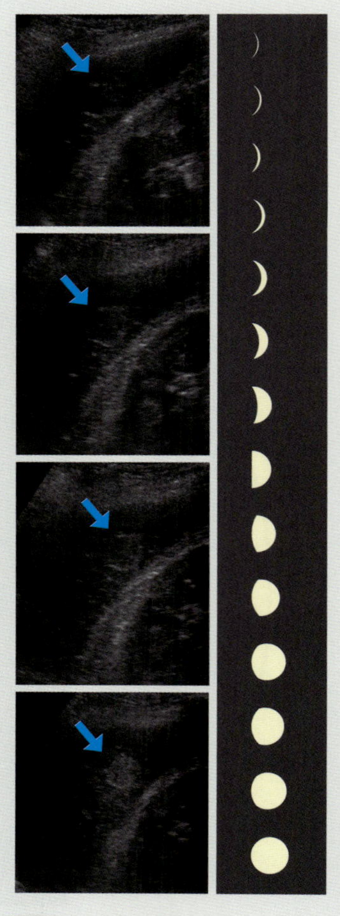

図34 ワックスアンドウエインサイン（wax and wane sign）

ディスアピアリングサイン（disappearing sign）とは？

- 肝海綿状血管腫でみられる特徴の一つ[5)]。プローブの圧迫によってエコー像が変化し、ほとんど消失したようにみえるのが特徴である（図35）。
- このような動的な所見は超音波診断ならではの確定診断所見となるため、前述の2つの所見と同様に、カテゴリー2、超音波所見：肝血管腫、判定区分C（要再検査）とする。

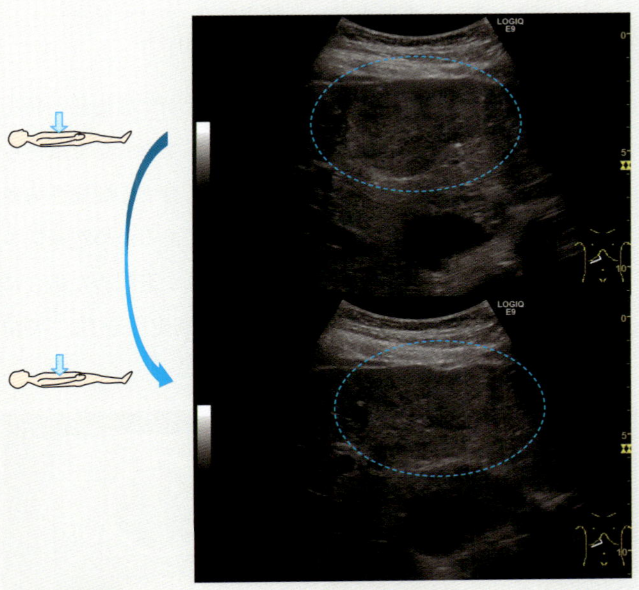

図35 ディスアピアリングサイン（disappearing sign）

辺縁低エコー帯（halo）・後方エコーの増強とは？

- 腫瘤などの辺縁（周辺）環状低エコー帯と定義されている[5)]。古典的肝細胞がんに特徴的な所見とされ、肝細胞がんの組織学的な特徴である偽被膜が形成される症例で観察される。しかし、そのほかの腫瘍でも、厚さなどに差はあるものの、低エコー帯を認めることがあり、B モードのみで他の腫瘍（転移性肝がんなど）との鑑別を明確にできないため、カテゴリー4、超音波所見：肝腫瘍疑い、判定区分 D2（要精検）としている。
- 後方エコーの増強は、腫瘍内の音響透過性が非腫瘍部と異なることにより生じる。腫瘍性病変として重要な所見ではあるものの、腫瘍特異性の低い所見である。多発する腫瘤性病変の場合も、転移性肝がんとの鑑別が困難であるため辺縁低エコー帯、後方エコーの増強・多発のいずれかを認めた場合にカテゴリー4、超音波所見：肝腫瘍疑い、判定区分 D2（要精検）としている（図36）。

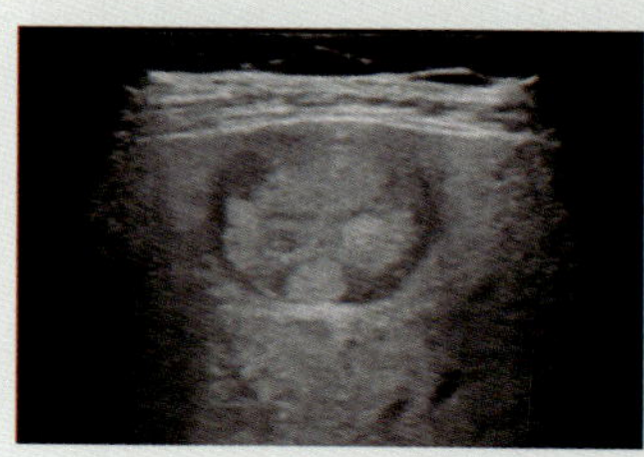
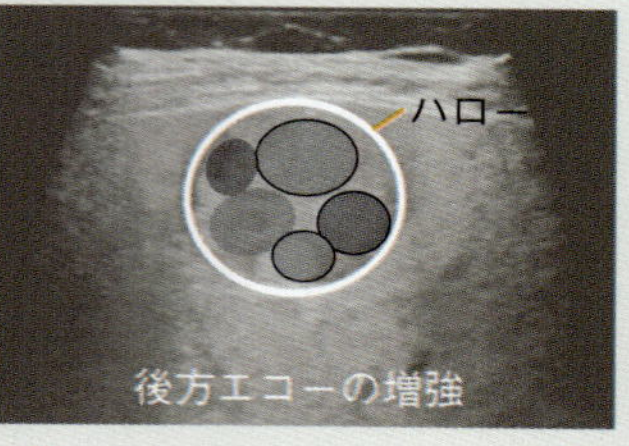

図36 ハロー（halo）

モザイクパターン（mosaic pattern）とは？

● 腫瘤内部の小結節が、モザイク状に配列して形成されたエコーパターンである。原発性肝細胞がんに特徴的で、日本超音波医学会の「肝腫瘤の超音波診断基準」にも用いられている用語であり、nodule in nodule と同義語としている[5)]。この所見を認めた場合には、その腫瘤が肝細胞がんと診断してよいことを指し、カテゴリー5、超音波所見：肝腫瘍、判定区分 D1（要治療）となる。

● 肝細胞がんは、腫瘍の経時的変化のなかで組織がより悪性度を示す細胞に脱分化する特徴がある。古典的な肝細胞がんでは腫瘍内部に複数の分化度の異なる小結節が構成されるようになり、これがモザイク状を呈すると言われている（図37）。全例で認めるわけではなく、早期の肝細胞がんなどでは認めないが、腫瘍の増大とともに出現し、約 2cm を超えると明確となる。この所見を認める場合には治療適応の腫瘍となるため、判定区分 D1（要治療）としている。

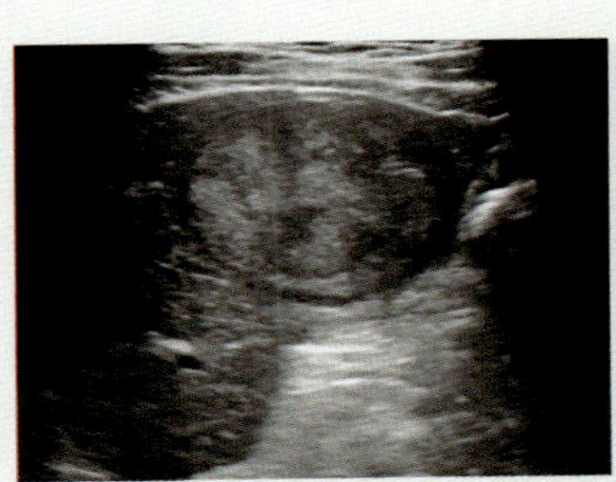
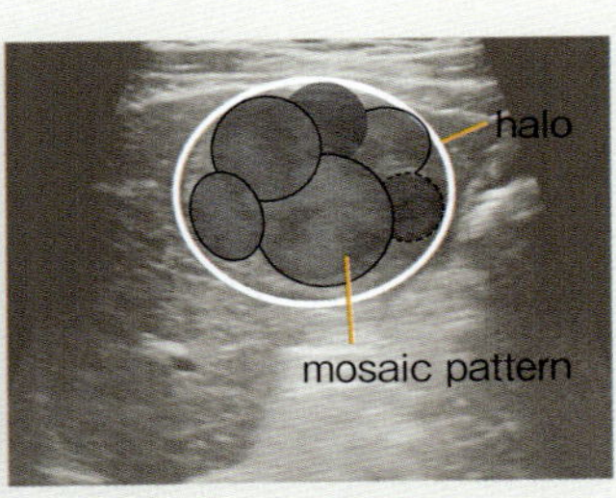

図37 モザイクパターン（mosaic pattern）

クラスターサイン（cluster sign）とは？

- 多数の腫瘤が集簇して一塊になって描出されることで，転移性肝腫瘍に特徴的な所見とされる[5)]。図38に画像を呈示するが、肝血管腫や血管筋脂肪腫で観察される高エコーと異なり、小高エコーの小結節が集簇した形態であり、特異的な所見となっている。したがって本所見を認めた場合には、カテゴリー5、超音波所見：肝腫瘍、判定区分 D1（要治療）となる。
- 転移性肝がんの超音波所見としては、低エコー、等エコー、これらの混在、混合エコーなど原発巣によりさまざまな画像を呈するため、いくつかの用語が使われている。その代表がブルズアイパターン（bull's eye pattern）・標的像（target pattern）である。腫瘤などの内部エコーが同心円状の構造を示すエコーパターンを意味しているが、前述の肝細胞がんの halo と鑑別がつきにくいこともあるので注意が必要となる。

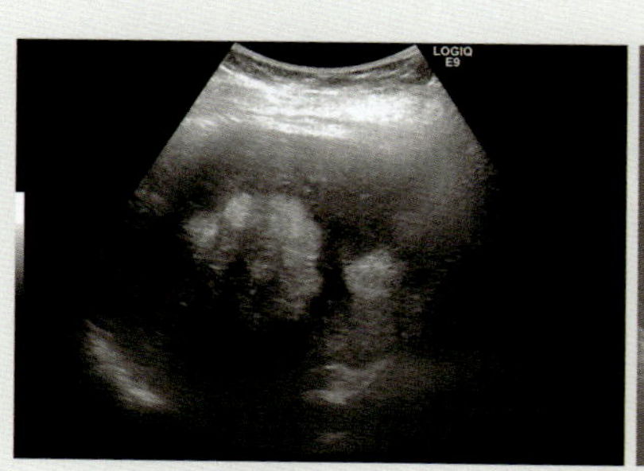

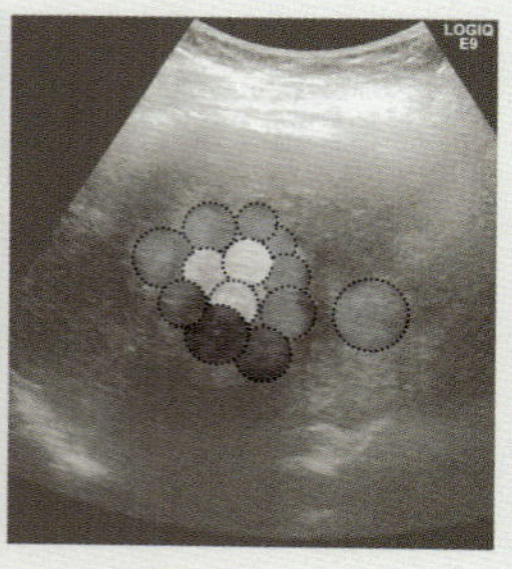

図38 クラスターサイン（cluster sign）

7 囊胞性病変

- 肝囊胞や腎囊胞は、年齢の上昇とともに合併例も増加する良性疾患であり、超音波検査で最も遭遇しやすい疾患でもある。したがって不要な二次検査を増やさないためにも要精検の基準を的確に理解する必要がある。
- まず、囊胞性パターン（cystic pattern）とは、腫瘤内部からのエコーがまったく、あるいはほとんどみられない無エコーを示すことを確認する必要がある。囊胞の内部エコーが変化する場合には、内部の出血、感染、腫瘍化を疑う必要がある。そこでこれらを示唆する所見として、囊胞性病変で充実部分（囊胞内結節・壁肥厚・隔壁肥厚）および内容液の変化（内部の点状エコーなど）を認める場合には、囊胞腺がんなど悪性疾患も考慮する必要があるためカテゴリー4で、超音波所見を肝囊胞性腫瘍疑いとし、判定区分D2（要精検）とする。図39に囊胞腺がんの症例を呈示する。

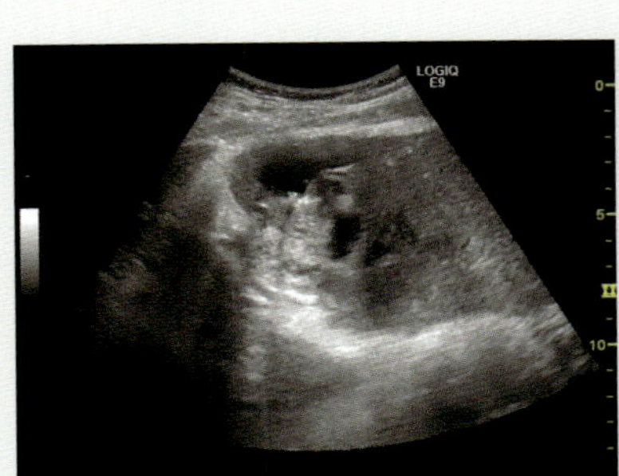

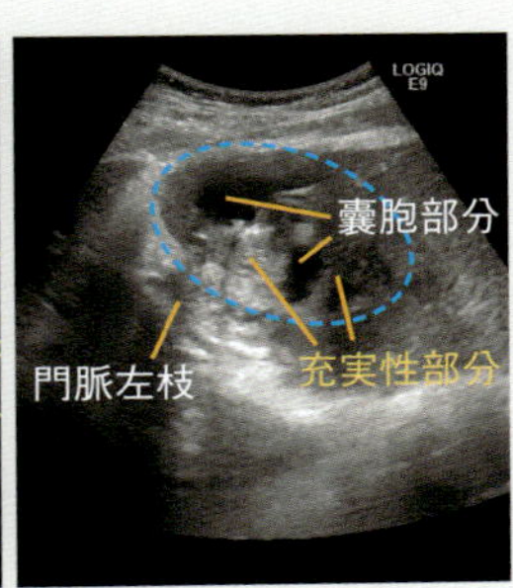

図39 充実部分を有する囊胞性病変

Point

カテゴリー判定区分の注意

- 前回との病変の比較については、経時的変化についてのコメントを記載する。
- 限局性病変や管腔の径が前回と比較して明らかに増大している場合には、必要に応じて判定区分を D2（要精検）としてもよいと記載されている。
- カテゴリー2′、3′、4′で判定区分Cとなっている場合には、12か月後の逐年検診時の超音波検査を再検査としてもよい[1)]。
- 適宜カラードプラを使用し、判定の補助に活用する[1)]。
- 肝限局性病変については、HBV、HCV感染や血小板減少（15万/μL未満）など、臨床生化学データで慢性肝疾患が疑われる場合は必要に応じて判定をＤ２としてもよい[1)]。

Memo

8　分類に迷う症例

マージナルストロングエコーを示す腫瘍と 15mm より小さい高エコー腫瘤があったらどうする?

- 複数腫瘤性病変が存在する場合には取り扱いについて確認する必要がある。マニュアルにおける腫瘤性病変の扱いは、超音波画像所見の充実病変：辺縁低エコー帯、後方エコー増強、多発のいずれかを認める⇒カテゴリー4、超音波所見：肝腫瘍疑い、判定区分 D2（要精検)、としている。これは肝悪性腫瘍を意識した所見で、辺縁低エコー帯は肝細胞がんを、後方エコー増強は肝細胞がんを含めたその他の悪性腫瘍を、多発は、転移性肝がんを意識した所見となっている。
- 転移性肝がんの場合、他の腫瘍性病変と異なり典型像がないため、小さな腫瘍が散在する場合もある。その症例の見落としを防ぐ意味でも、多発の場合は要精検としている。したがって複数ある腫瘤性病変について、良性腫瘍や肝嚢胞などの確定的な所見が得られる場合は、その結節数の対象外となる。
- マージナルストロングエコーを認める結節と 15mm 未満の腫瘤性病変の場合は、マージナルストロングエコー⇒カテゴリー2、超音波所見：肝血管腫、判定区分 C（要再検査）となり、充実性病変の多発として扱う腫瘤の対象から外れるため、単発 15mm 未満の腫瘤性病変⇒カテゴリー3、超音波所見：肝腫瘤、判定区分C（要再検査）となり、総合判定もカテゴリー3、超音波所見：肝腫瘤、判定区分C（要再検査）の評価となる。

- 血管腫の診断がつかない15mm未満の高エコー腫瘤が2つ以上の場合には、多発、カテゴリー4、肝腫瘍疑い、判定区分D2（要精検）となる。

Memo

引用・参考文献

1）日本消化器がん検診学会 超音波検診委員会. 腹部超音波検診判定マニュアルの改訂に関するワーキンググループ. 腹部超音波検診判定マニュアル改訂版（2021年）. 日本消化器がん検診学会雑誌. 60（1）, 2022, 126-180.

2）日本肝癌研究会編. 臨床・病理原発性肝癌取扱い規約. 第4版. 東京, 金原出版, 2001, 68p.

3）小川眞広ほか. 腹部超音波検査の　あっ！？あれ何だっけ？. 大阪, メディカ出版, 2017, 192.

4）日本消化器病学会編. NAFLD/NASH診療ガイドライン2014. 東京, 南江堂, 2014, 139p.

5）日本超音波医学会用語・診断基準委員会. 肝腫瘤の超音波診断基準. Jpn J Med Ultrasonics. 39（3）, 2012, 317-326.

Chapter 2

胆嚢

カテゴリーおよび判定区分「胆嚢」

超音波画像所見	カテゴリー	超音波所見（結果通知表記載）	判定区分
切除後[注1)]	0	胆嚢切除後	B
描出不能	0	胆嚢描出不能	D2
壁評価不良[注2)]	3	胆嚢壁評価不良	D2
形態異常			
最大短径　36mm ≦[注3)]	3	胆嚢腫大	D2
但し、乳頭部近傍の胆管まで異常所見なし	2	胆嚢腫大	C
壁肥厚[注4) 注5)]			
びまん性壁肥厚（体部肝床側にて最大壁厚　4mm ≦）	3	びまん性胆嚢壁肥厚	D2
但し、小嚢胞構造あるいはコメット様エコーを認める	2	胆嚢腺筋腫症	C
壁の層構造の不整あるいは断裂を認める	4	胆嚢腫瘍疑い	D2
限局性壁肥厚（壁の一部に内側低エコーを認める）	4	胆嚢腫瘍疑い	D2
但し、小嚢胞構造あるいはコメット様エコーを認める	2	胆嚢腺筋腫症	C
隆起あるいは腫瘤像（ポリープ）			
有茎性			
最大径　＜ 5mm	2	胆嚢ポリープ	B
最大径　5mm ≦、＜ 10mm	3	胆嚢腫瘤	C
但し、桑実状エコーあるいは点状高エコーを認める	2	胆嚢ポリープ	B
最大径　10mm ≦	4	胆嚢腫瘍疑い	D2
広基性（無茎性）	4	胆嚢腫瘍疑い	D2
但し、小嚢胞構造あるいはコメット様エコーを認める	2	胆嚢腺筋腫症	C
付着部の層構造の不整あるいは断裂を認める	5	胆嚢腫瘍	D1
その他の所見			
結石像（石灰化像を含む） 気腫像[注6)]	2	胆嚢結石 胆道気腫	C
デブリエコー（結石像と別に記載）[注7)]	3	胆泥	D2
異常所見なし	1	胆嚢異常所見なし	A

注 1）残存部分（胆嚢・胆管など）がある場合には、残存部分で超音波画像所見を評価する。
注 2）萎縮や胆石により壁評価ができないものや、食後胆嚢で壁評価ができないものを含む。
注 3）遠位胆管や膵頭部に閉塞機転がないことを評価する。
注 4）小嚢胞構造やコメット様エコーを認める壁肥厚では、隆起性病変の存在に注意する。
注 5）限局性壁肥厚については計測値の判定ではないので注意する。
注 6）気腫と石灰化・結石との鑑別は体位変換や呼吸時の移動の状態で判別を行う。
注 7）遠位胆管や膵頭部に閉塞機転がないことを評価する。

（日本消化器がん検診学会　超音波検診委員会　腹部超音波検診判定マニュアルの改訂に関するワーキンググループ．日本超音波医学会　用語・診断委員会　腹部超音波検診判定マニュアルの改訂に関する小委員会．日本人間ドック学会　健診判定・指導マニュアル作成委員会　腹部超音波ワーキンググループ．腹部超音波検診判定マニュアル改訂版（2021 年）．日本消化器がん検診学会雑誌．60 巻 1 号，145，表 2-2，2022．転載）

1 胆嚢の正常解剖

- 胆嚢は、肝裏面に付着する卵円形ないし洋梨状を呈する袋状の臓器であり、肝臓で産生された胆汁を貯留している。
- 長さは8〜10cm程度で、容積は50mL程度とされるが、個人差がかなりある。
- 頸部にはハルトマン嚢と呼ばれる漏斗状の構造がある。
- 胆嚢管移行部から底部までを3等分し、胆嚢管側から頸部、体部、底部とする（図1）。

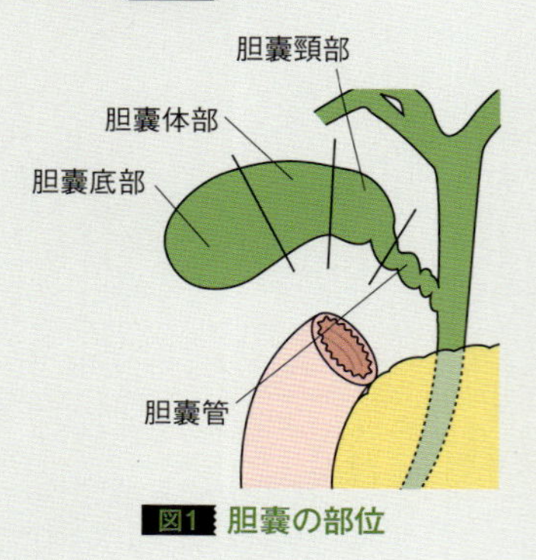

図1 胆嚢の部位

- 胆嚢壁は、粘膜、固有筋層、漿膜下層、漿膜の4層からなり、他の消化管と異なり粘膜筋板と粘膜下層がない（胆嚢床では漿膜もない）。

2　胆嚢の基本走査

右肋骨弓下縦走査

体位とプローブの位置（図2）

- 左側臥位にすることで肝右葉がエコーウィンドウとなり、胆嚢の観察が容易になる。

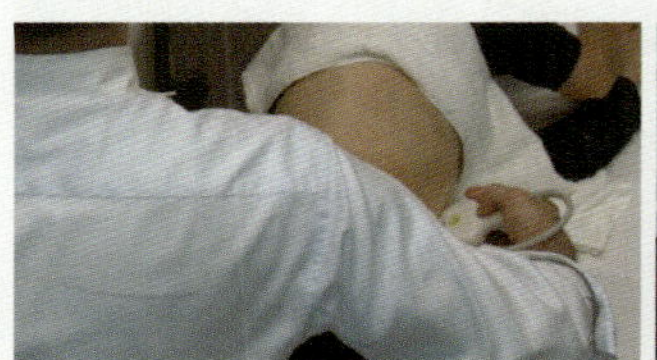
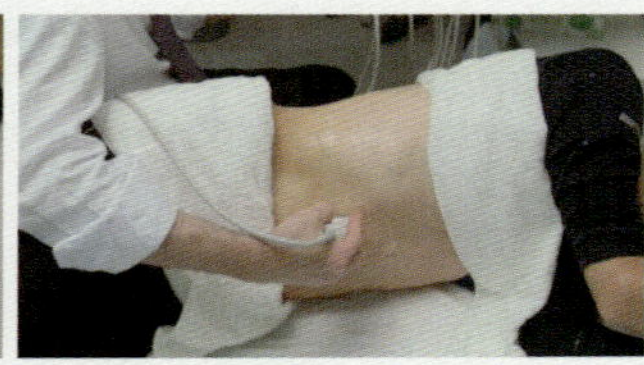

図2 体位とプローブの位置 Web1

患者を左側臥位とし、右肋骨弓下にプローブを置く。

走査法（図3）

- 門脈あるいは肝門部領域胆管を描出すると、その直上に胆嚢頸部が認識できる（図4-a）。フォーカスを頸部のあたりに調整し拡大観察する。吸気位でプローブを正中側に進めると胆嚢体部が明瞭に認識できる（図4-b）。

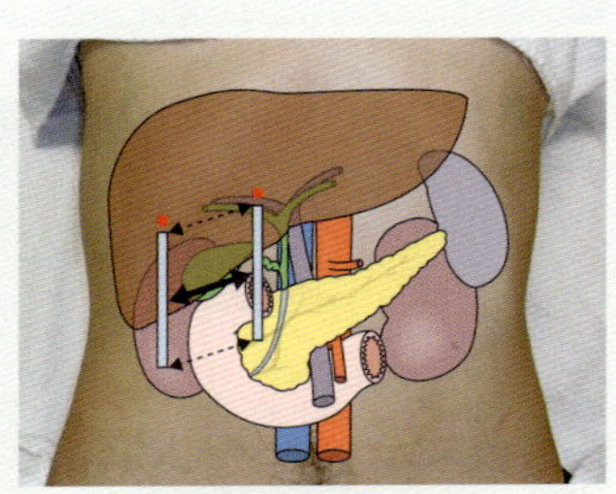

図3 胆嚢縦走査

- さらにプローブを正中側に進めフォーカスを浅い位置に設定し、プローブを振って消化管のガス像を除くようにすると底部が明瞭に描出できる（図4-c）。頸部の観察が不十分な例では、肋間走査を併用すると明瞭に見えることがある。

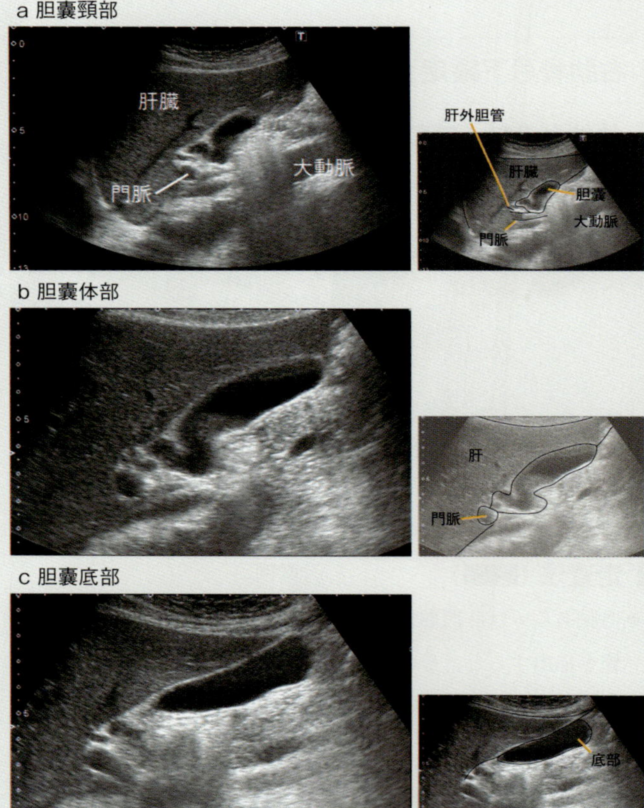

図4 正常例の記録画像

右肋骨弓下横走査

体位とプローブの位置（図5）

●仰臥位の走査で描出が困難な場合は、左側臥位にすると肝右葉がエコーウィンドウとなり、胆嚢の観察が容易になる。

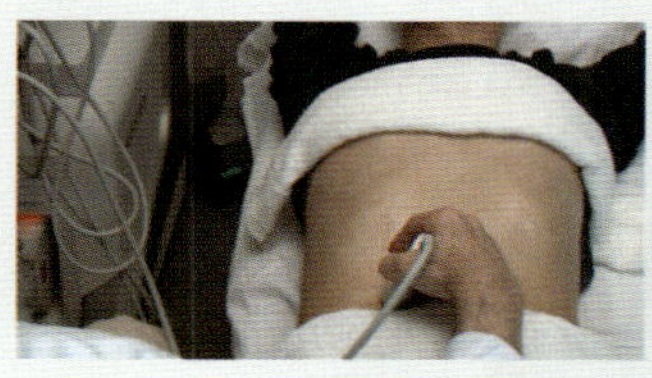
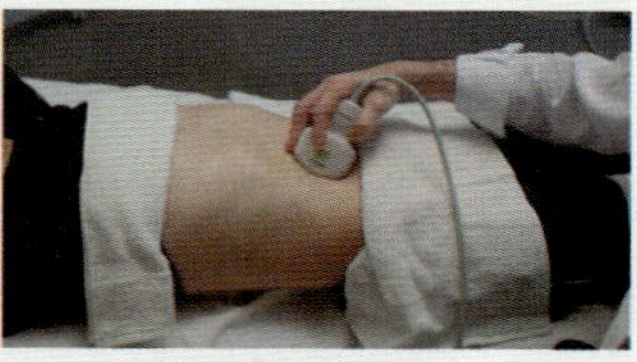

図5 体位とプローブの位置 Web2

患者を仰臥位とし、右肋骨弓下にプローブを置く。

走査法（図6）

●門脈水平部および左右肝管を描出した後、プローブをさらに足側に振ると右肝管のすぐ傍に胆嚢頸部が認識できる（図7-a）。プローブを細かく走査し胆嚢管の一部まで観察するようにする。プローブを半時計方向に回転させながら、さらに足側にプローブを振ると体部が長く描出できる（図7-b）。さらに、半時計方向に回転させて足側にプローブを振ると胆嚢底部が描出できる（図7-c）。アーチファクトにより描出が不良なときには、フォーカスを浅く設定する、近位側のSTCを下げるといった機器の調整に加え、高周波プローブを用いると明瞭に描出できる。

図6 胆嚢横走査

a 胆嚢頸部

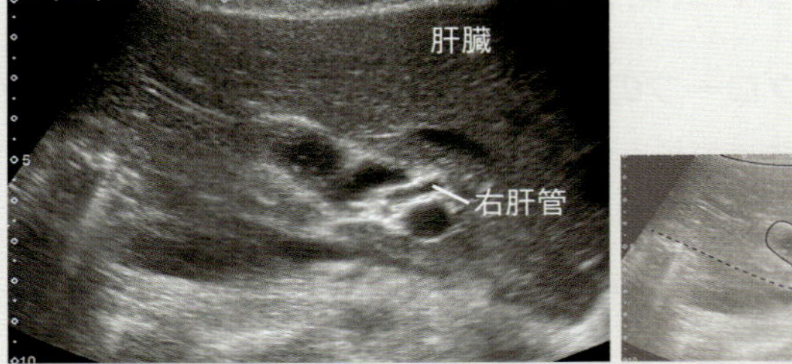

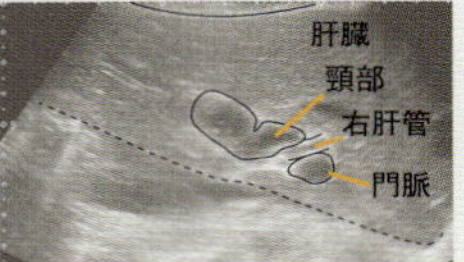

b 胆嚢体部

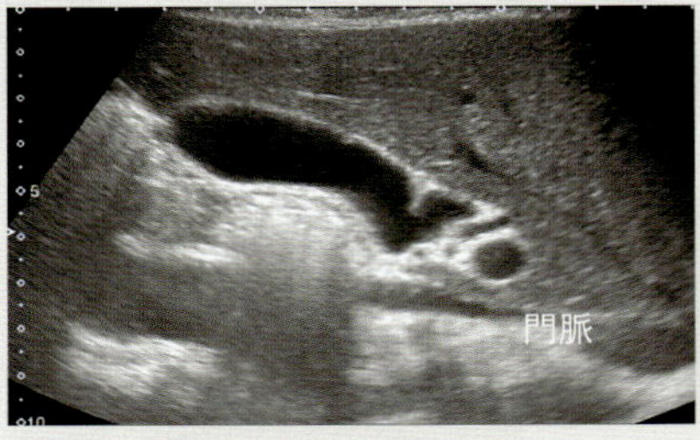

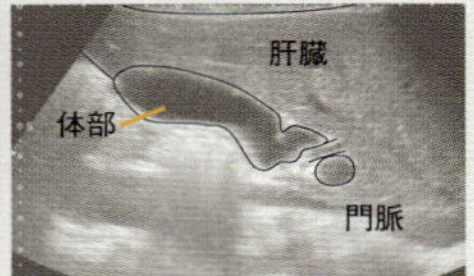

c 胆嚢底部

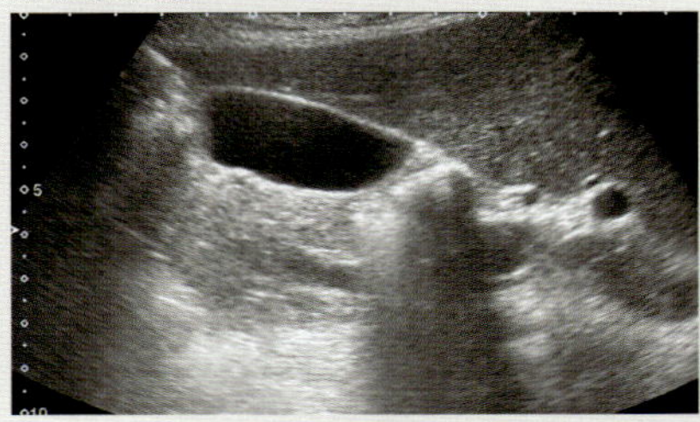

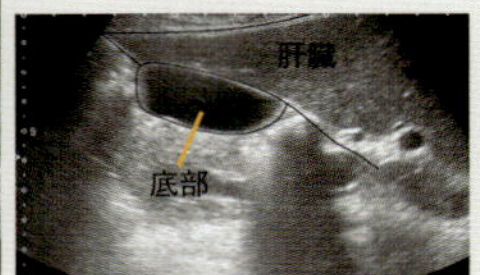

図7 正常例の記録画像

3 描出のコツとピットフォール

描出上の注意点

- 胆嚢は食事や体位により容易に変形する。
- 食後には内腔が虚脱し内腔の観察が不可能となるため、少なくとも前日22時以降は固形物や乳製品を摂取せず、できるだけ午前中に検査を行う。

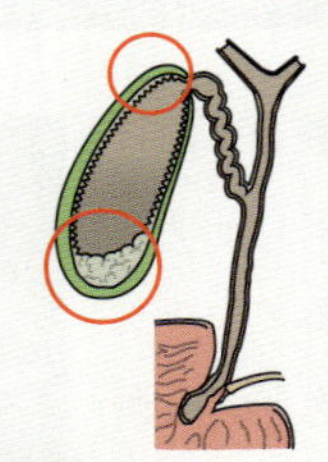

図8 胆嚢のピットフォール（赤丸）

- 午後検査予定の場合は、検査前6時間は固形物や乳製品を摂取しない。
- 胆嚢のピットフォールは、底部と頸部である（図8）。
- 底部は多重反射によるアーチファクトや消化管ガスにより病変が不明瞭となることがあるため、近位側のSTCを下げ、体位変換を併用し、状況に応じて高周波プローブを用いる（図9）。

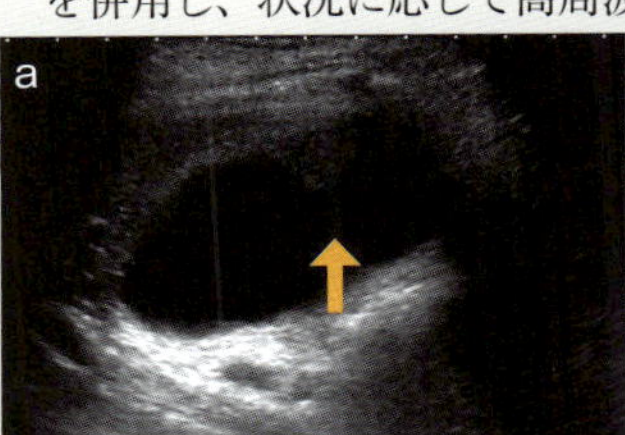

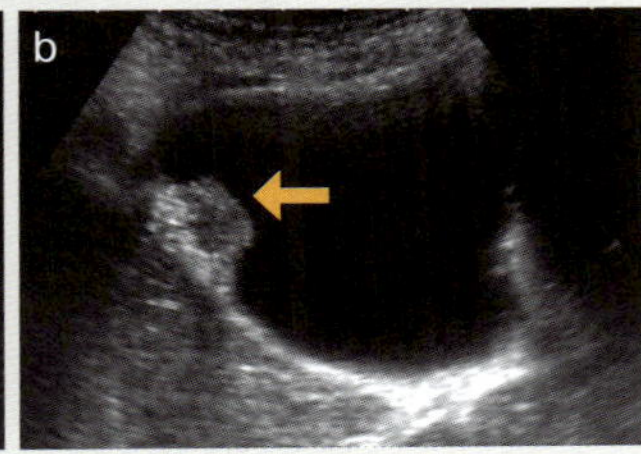

図9 体位変換と高周波プローブの活用

仰臥位では腫瘍の描出が不良だが（a）、左側臥位にし高周波プローブを使用すると腫瘍が明瞭に描出できる（b）。

- 胆囊炎などでは頸部に結石が嵌頓していることがあるため注意が必要である（図10）。

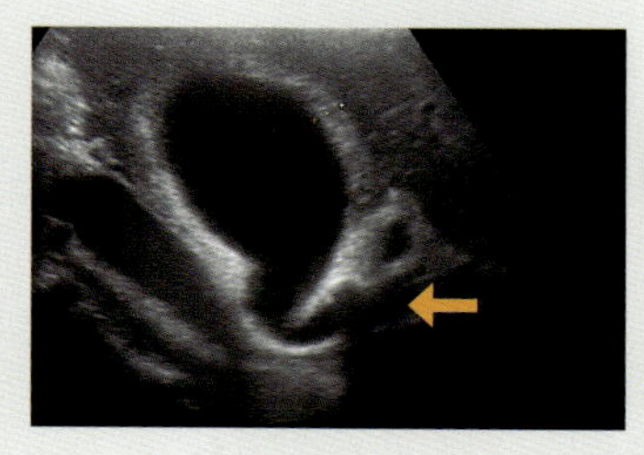

図10 腹痛で受診し、胆嚢の腫大と壁肥厚を認めた例

ハルトマン嚢から胆嚢管が拡張しており、音響陰影（acoustic shadow：AS）を伴う結石像（矢印）を認める。

- 胆嚢頸部はサイドローブによるアーチファクトが胆泥や腫瘤と紛らわしいことがある。

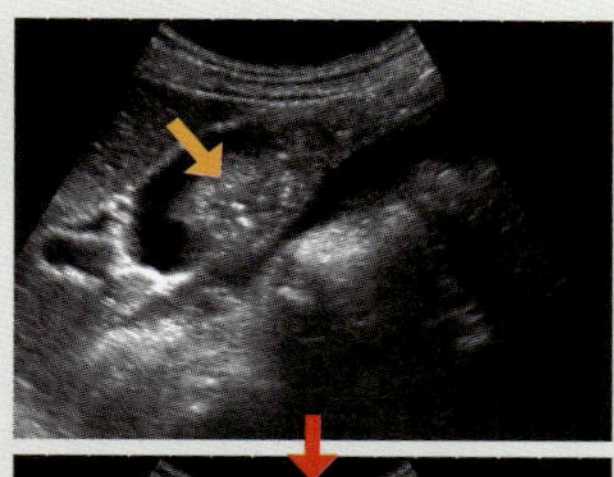

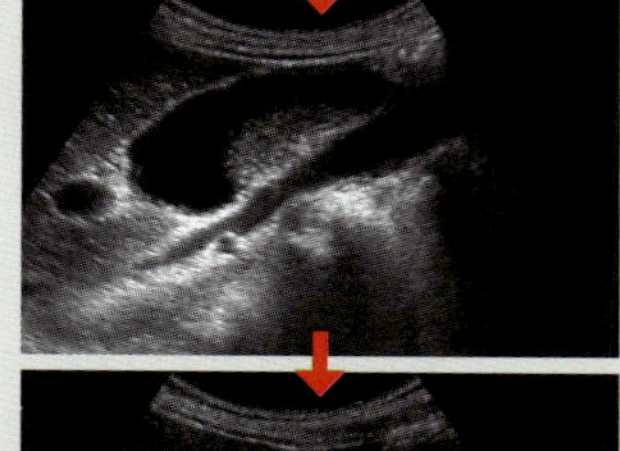

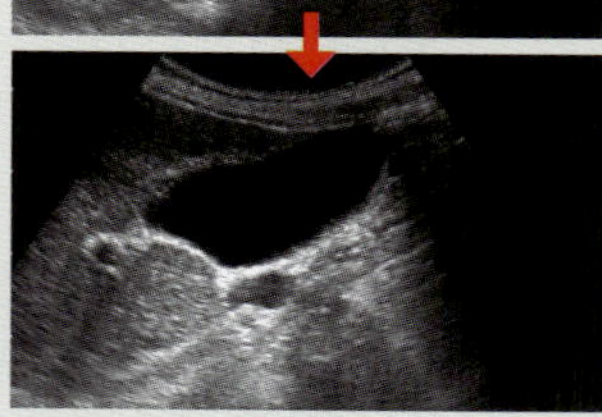

図11 腫瘤様に出現した十二指腸の一部

胆嚢内に十二指腸の一部が腫瘤様（矢印）に描出されているが、ゆっくり呼吸をさせると消失する。

- 隣接する十二指腸や肝臓の一部が胆嚢内の腫瘤のように見えることがある（図11）。
- 胆泥は胆管・十二指腸・膵頭部の疾患に伴う間接所見を呈している可能性がある。

体位変換が必要な場合と有効な体位

- 胆嚢が十分描出されないときや可動性の確認のために体位変換が必要となることがある。
- 左側臥位や半座位として、右肋骨弓下横および縦走査（吸気位）を行う。
- 左側臥位で右肋間走査（呼気位）を行う。
- 腹臥位（四つ這い）にしばらくした後、仰臥位に戻し病変の可動性を評価する。

描出できない場合の考え方

- 最終食事時間や手術（胆嚢摘出術・胃切除術など）の既往を確認する。
- 胆嚢下垂あるいは遊走胆嚢の可能性を考える。
- 胆嚢全体の腫瘤性病変（胆嚢がん、腺筋腫症など）や充満胆泥といった病態を考える。

Memo

4 壁評価不良

壁評価不良とはどんな状態ですか？

● 体位変換などで結石や胆泥が移動し壁が十分評価できる例はよいが、体位変換しても結石が充満していて壁の評価が十分できないときは壁評価不良とする（図12）。

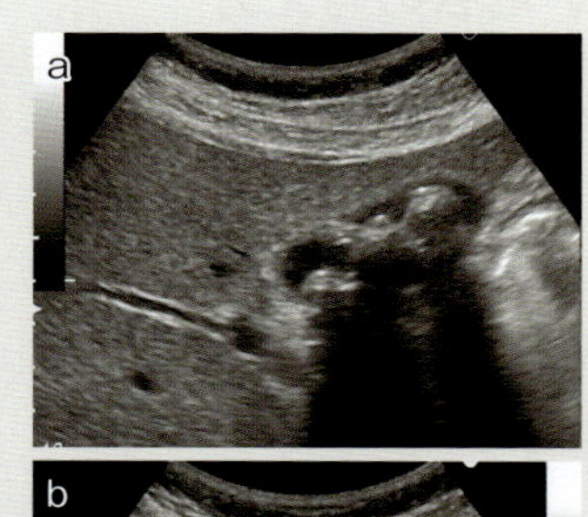

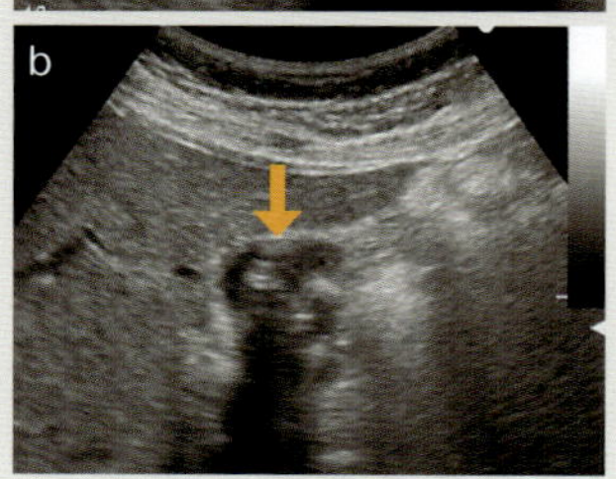

図12 壁評価不良例

a 胆嚢内腔は虚脱しており内部に複数の結石を認める。
b 底部の壁の一部に肥厚（矢印）を認めている（慢性胆嚢炎）。

●食事の影響などで胆嚢腔が十分膨らんでいないとき（図13）も、壁評価不良（カテゴリー3）と判定し、超音波所見：胆嚢壁評価不良、判定区分 D2（要精検）あるいは判定区分 C（要再検査）とする。

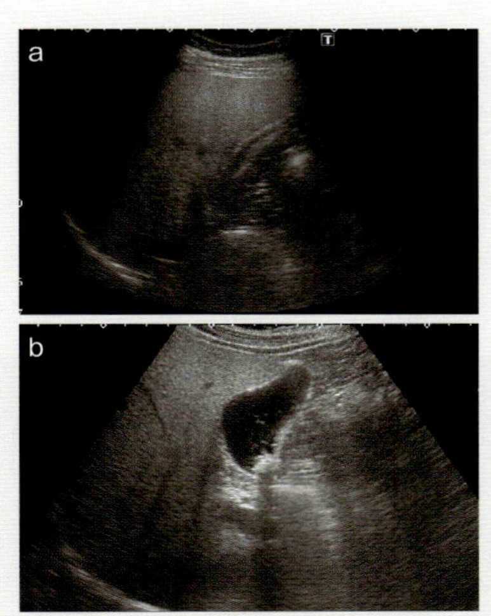

図13 食事の影響による壁評価不良例

前日の食事時間が遅く内腔が虚脱していたため壁評価不良と判定し（a）、後日、超音波検査を再検すると胆泥を伴う結石を認めた（b）。

●胆嚢内に結石や胆泥が存在するときには、胆嚢炎だけではなく胆嚢がんの併存の可能性があるため、必ず胆嚢壁の肥厚の有無を評価する。

5　形態異常（腫大）

胆嚢の大きさはどうやって測るの？

●胆嚢の形態にはかなりの個人差がみられ、形状も変化するため、胆嚢の長軸像を描出した後、その最大短径を測定するようにする（図14）。

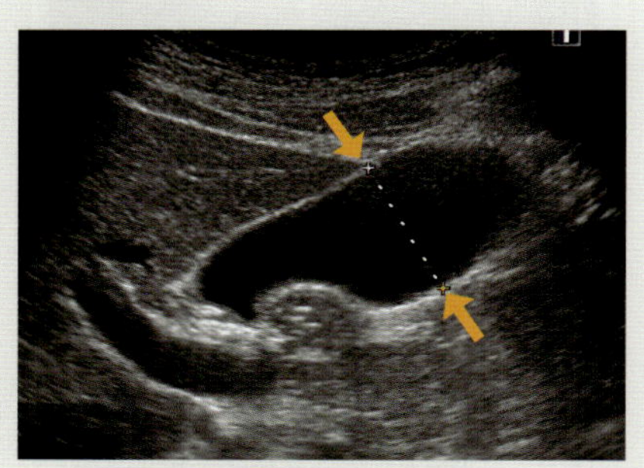

図14 胆嚢の計測

●マニュアル[1]では36mm ≦を腫大としているが、ガイドライン[2]では短軸径4cm ＜または、長軸径8cm ＜を異常としている。

●胆嚢の腫大を認める例では、肝内あるいは肝外胆管の拡張の有無と胆嚢内デブリエコーの有無を評価する。

●胆嚢の病的腫大の特異度の高い指標には、超音波下に胆嚢を圧迫して圧痛の有無を確認する方法（sonographic Murphy's sign）がある。

胆嚢腫大はなぜ精査が必要なの？

●胆嚢腫大は急性胆嚢炎を示唆する超音波所見の一つだが、肝外胆管の閉塞による胆汁うっ滞を反映する間接所見でもある（図15）。

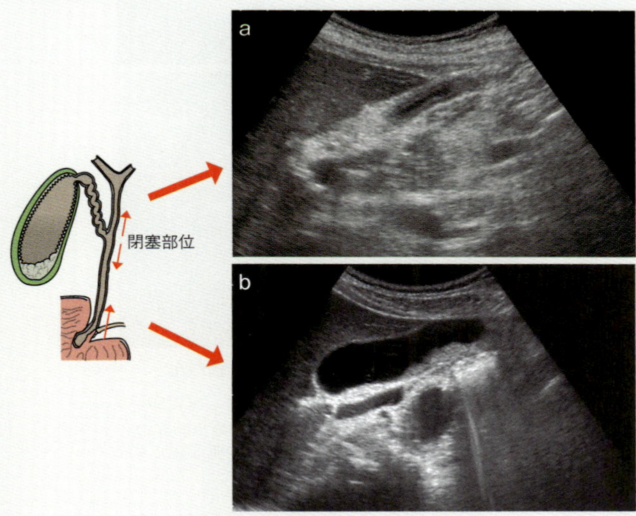

図15 胆嚢腫大の超音波所見

a 肝内から胆嚢管の合流部までに閉塞起点があると、胆汁が胆嚢に流入しないため、胆嚢は虚脱する。
b 乳頭部から胆嚢管合流部までに閉塞起点があると、胆汁がうっ滞し、胆嚢の腫大と胆泥の貯留を認める。

●胆嚢の虚脱や壁肥厚を伴わない腫大あるいは胆泥の貯留は、肝外胆管の異常を反映する重要な所見である。

●胆嚢腫大を認めるときには、左側臥位にして遠位（膵内）胆管を乳頭部近傍までしっかり描出し、閉塞起点となる胆管結石や腫瘍がないか評価する必要がある（図16）。

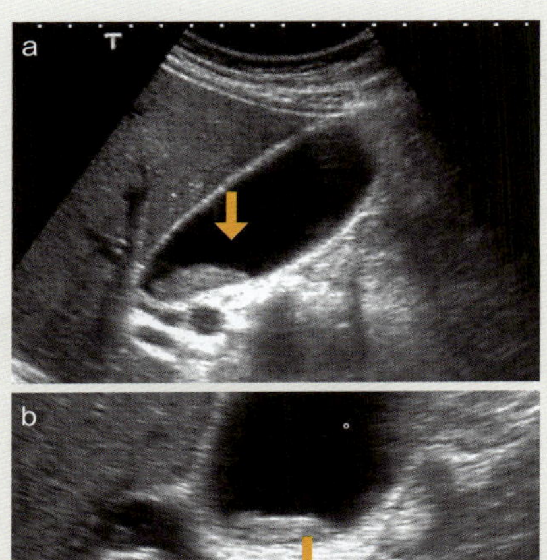

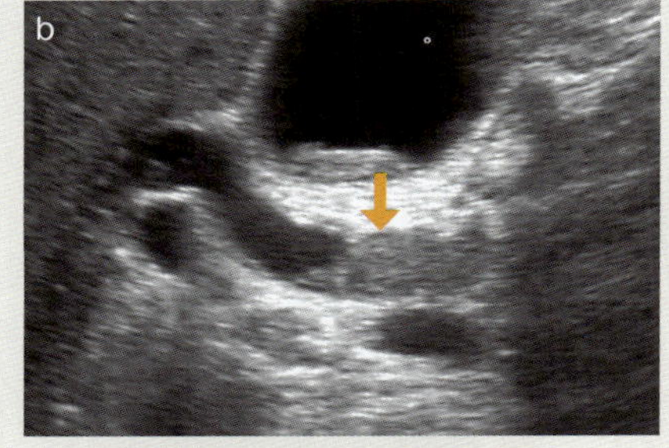

図16 胆嚢腫大を認めた胆管がん

a 胆嚢は腫大しており、デブリエコー（矢印）を伴っているが、胆嚢壁の肥厚は認められない。
b 左側臥位にして、肝外胆管の遠位側を描出すると、胆管がんを認める（矢印）。

Memo

6 壁肥厚

限局性壁肥厚の内側低エコーとは？

● 限局性壁肥厚は、一見するとデブリエコーのようにも見える限局性の内側低エコーの存在である。画面を拡大して胆嚢壁を観察しないと気付かない程度の肥厚もある（図17）。

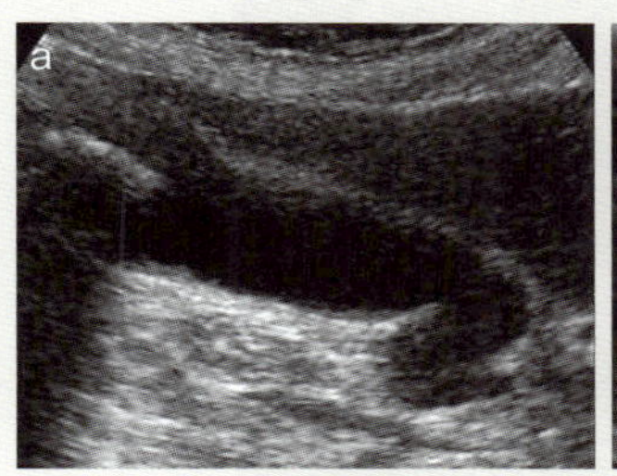

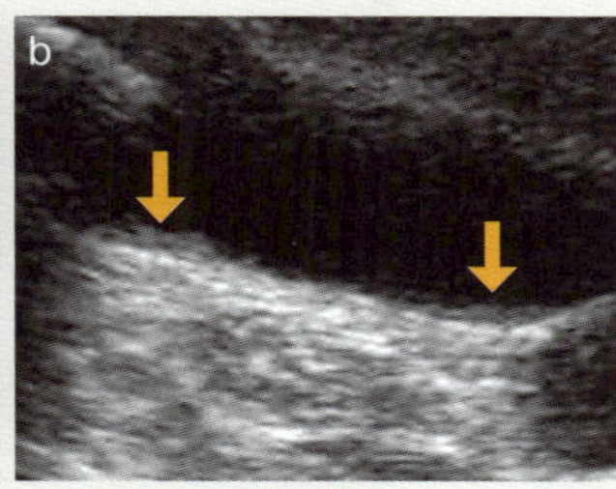

図17 限局性の低エコー層の肥厚

a 底部に胆嚢結石を認める。
b aの拡大画像。矢印の部位にわずかに壁肥厚を認める（胆嚢がん）。

● やや高エコーで乳頭状に見えるものもある（図18）。

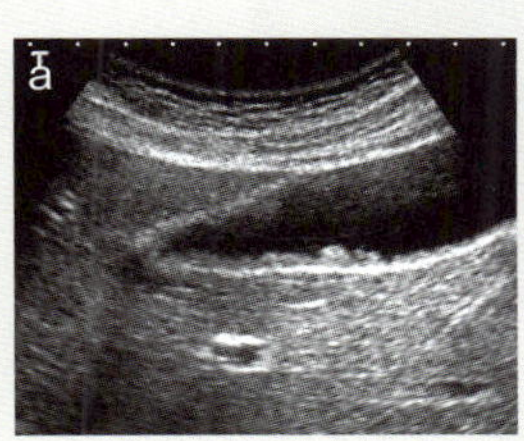

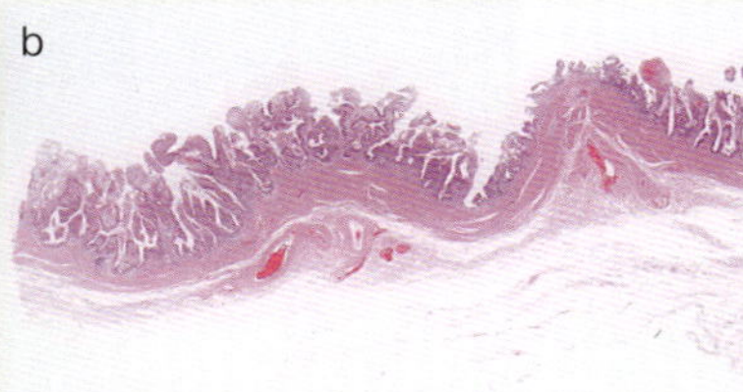

図18 乳頭状所見

超音波画像の乳頭状の壁肥厚が（a）、丈の低い胆嚢がんに対応している（b）。

Point

- 結石を認める例では、通常の大きさで胆嚢を観察した後、画面を拡大して壁の内腔面をしっかり確認する。
- 高周波プローブやリニアプローブがあれば併用する。
- デブリエコーを認める例では、体位変換などで可動性を確認し、可動性が確認できなければ限局性壁肥厚と判定する。

胆嚢壁の厚さはどうやって測るの？

- 胆嚢の壁は、体部の肝床側で測定する（図19）。

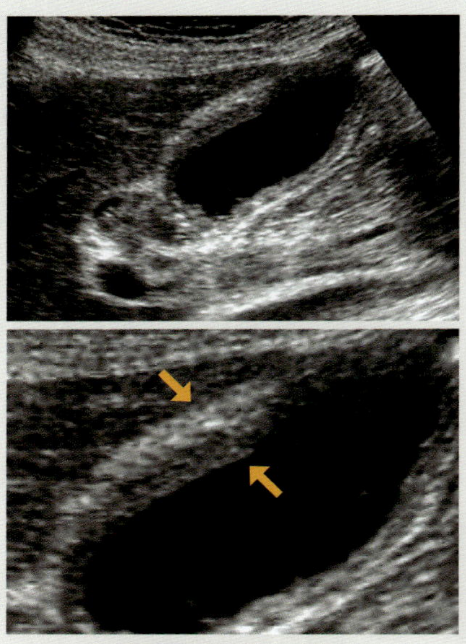

図19 胆嚢壁の厚さ

●びまん性の壁肥厚は、マニュアル[1]では最大壁厚 4mm ≦を壁肥厚ありと判定するが、『急性胆管炎・胆嚢炎診療ガイドライン』[2]（以下、ガイドライン）では 4mm ＜を壁肥厚ありとしている。

●びまん性壁肥厚では、単なる壁の厚さだけではなく、壁の層構造が保持されているか、小嚢胞構造の有無などにも注意する（図20）。

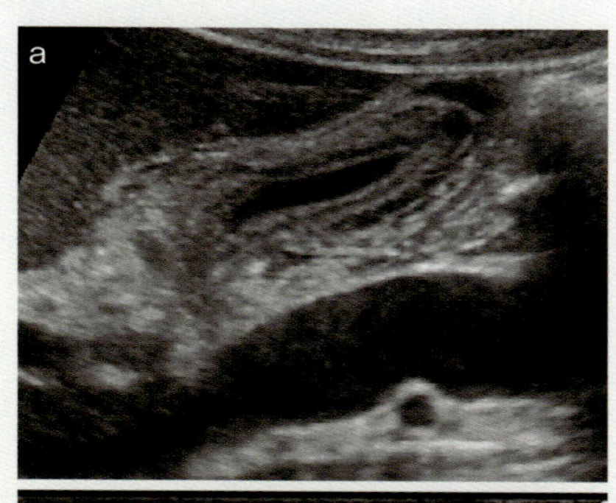

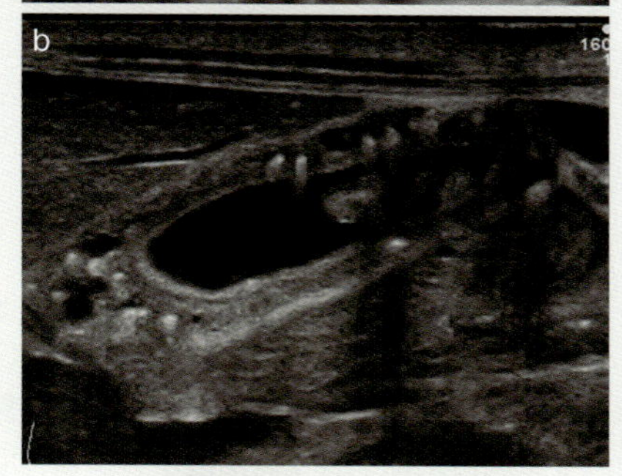

図20 びまん性壁肥厚

a 肥厚した壁内に多層の層構造を認める（急性肝炎）。b 肥厚した壁内に小嚢胞構造やコメット様エコーを複数認める（びまん型胆嚢腺筋腫症）。

胆嚢壁の層構造はどんな画像なの？

- 健常人の胆嚢壁は、高エコーの１層あるいは内側から低・高の２層構造に描出されることが多い（図21）。

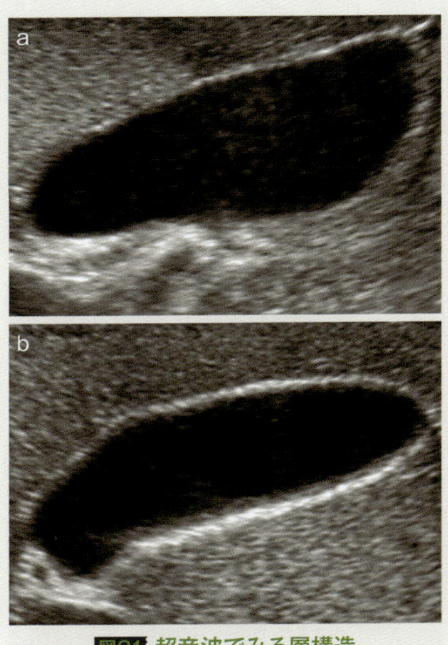

図21 超音波でみる層構造

健常人の胆嚢壁は、高エコーの１層（a）と、低・高の２層構造（b）に描出されることが多い。

- ２層構造に見える場合、第１層の低エコー層は粘膜層、固有筋層、漿膜下層の線維層、第２層の高エコー層は漿膜下層の脂肪層と漿膜を反映する。
- 漿膜下層の線維層、脂肪層および漿膜に達するがんは進行がんとなる。

●そのため、最外側の高エコー層が保たれている病変のなかには進行がんが含まれており、層構造の評価だけでは深達度の診断はできない（図22）。

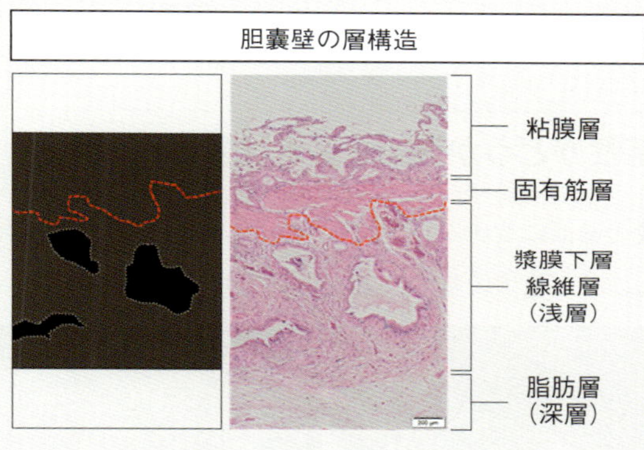

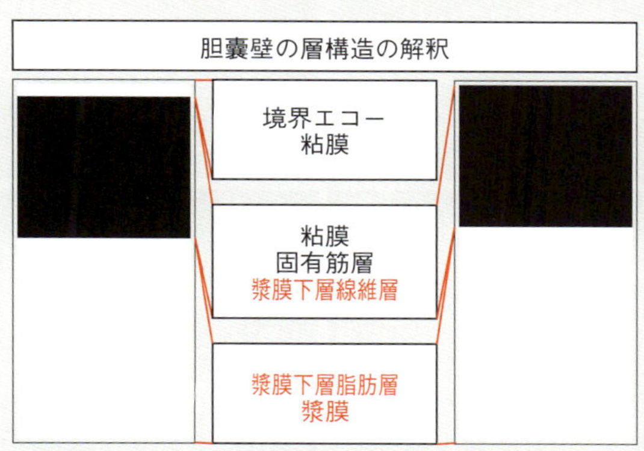

図22 胆嚢壁の層構造とUS像の解釈（文献3より作成）
左は高低高の3層、右は低高の2層。

7　隆起あるいは腫瘤像

有茎性かどうか迷ったときは？

- 病変の基部に茎あるいは明らかなくびれのあるものを有茎性とし、その他は広基性（無茎性）とする（図23）。

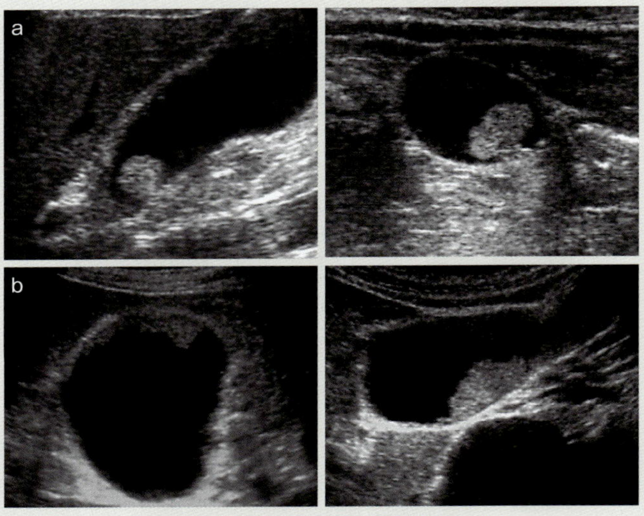

図23 有茎性（a）、広基性（無茎性）（b）

- 迷ったときには、下大静脈の拍動などで“揺らぎ”（Web3）を認めるか、体位変換で形状が変化するかを確認し、いずれもなければ広基性（無茎性）とする。
- 複数あるからといって安易に有茎性としない（図24）。

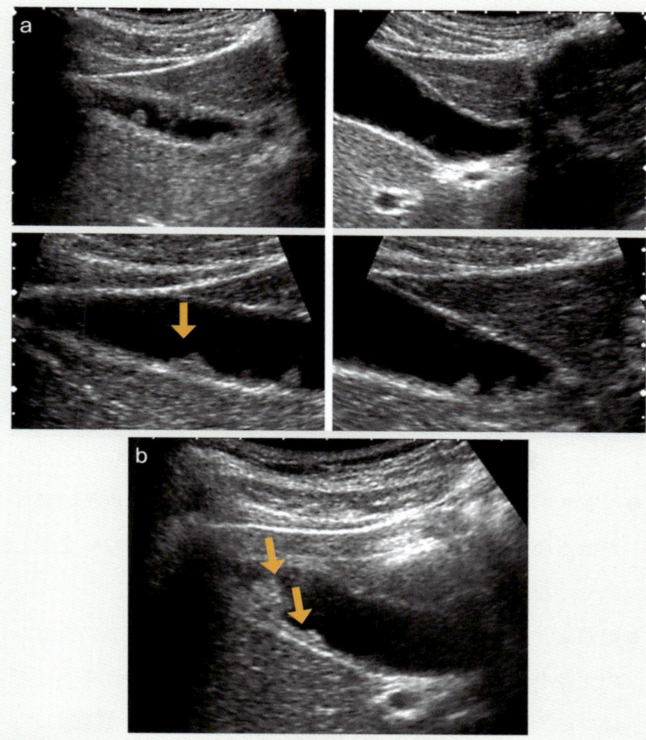

図24 胆嚢内腔に複数の隆起性病変を認めた例

胆嚢内腔に複数の隆起性病変を認め、コレステロールポリープと判断したが、一部に広基性病変を認めており（矢印）（a）、4年後に浸潤を伴う胆嚢がんが指摘された（矢印）（b）。

桑実状とはどんな画像？

- コレステリンの沈着を反映する高輝度の点状高エコーが集合した画像であり、コレステロールポリープの特徴像とされる超音波所見である（図25）。

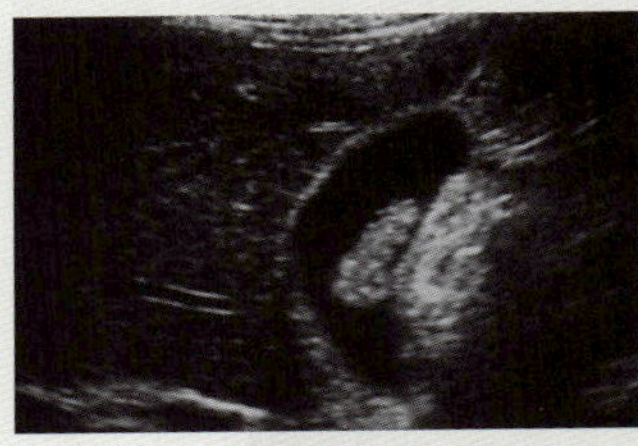
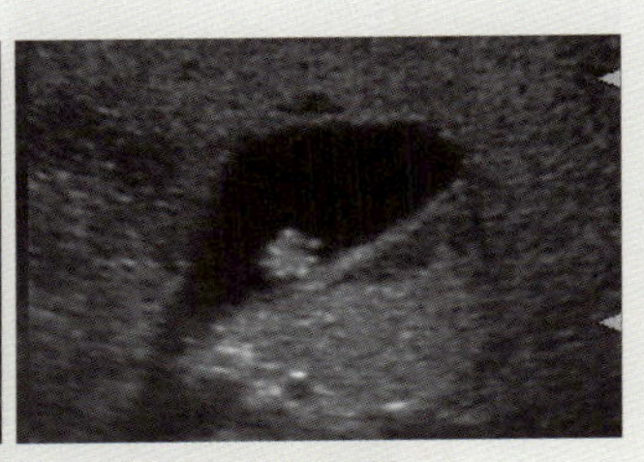

図25 コレステロールポリープの特徴的な画像

- コレステロールポリープは、大型のものになると内部の輝度が低くなる傾向があり、点状高エコーや桑実状エコーを呈しにくくなる。
- 腺がん、腺腫などの腫瘍性ポリープにも一部にコレステリンの沈着を認めることがあるため、点状高エコーの存在だけではコレステロールポリープの診断を確定できない（図26）。
- まず形状（有茎性か広基性か）を評価し、次に大きさ（≦10mmか＜10mmか）を判定し、その後、点状高エコーの有無を評価することが重要である。

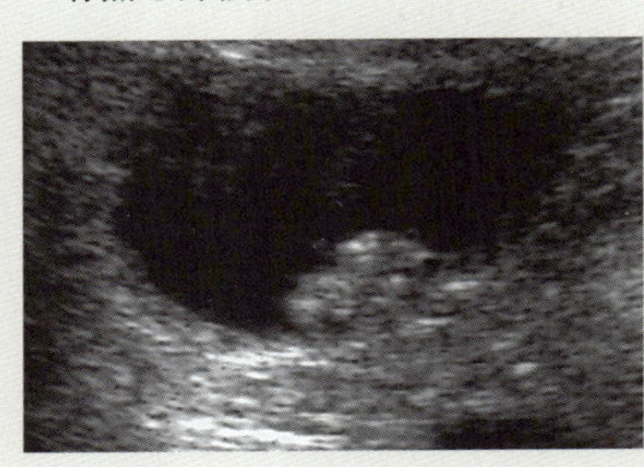

図26 内部に点状高エコーを認めた胆囊がん

有茎性病変ではなく広基性病変であるためカテゴリー4（悪性疑い）とする。

8　その他の所見

デブリエコーってどんな画像？

● 胆嚢内デブリエコーは急性胆嚢炎などで認められる所見であり、胆嚢腔に貯留した濃汁やフィブリン、壊死物質などの炎症産物を反映する。

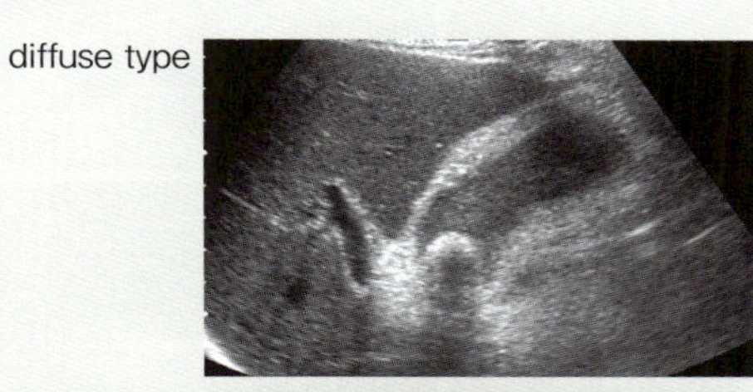

precipitant type

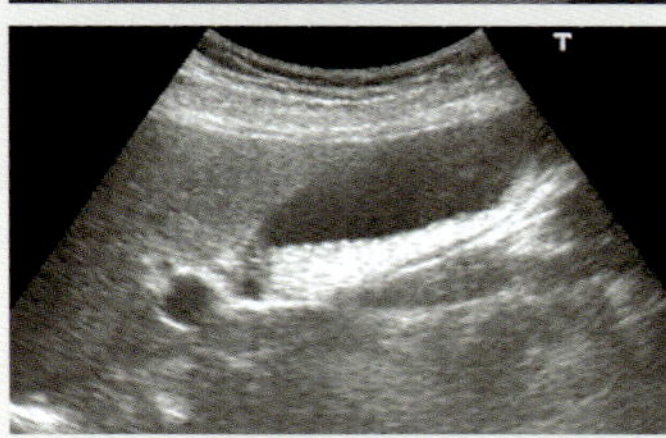

tumefactive type

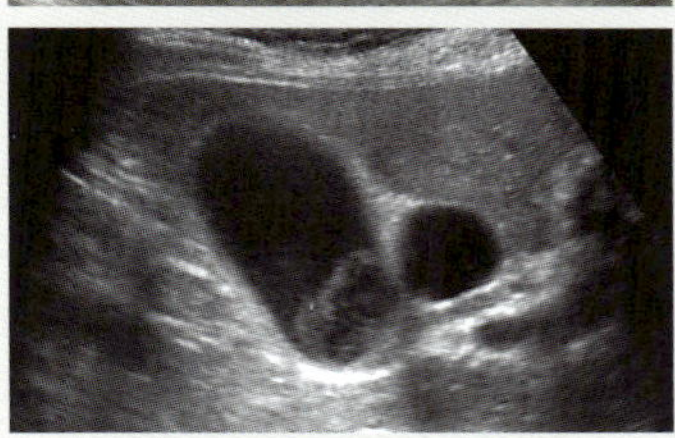

図27 デブリエコーの分類

- デブリエコーは、細かいエコースポットが内腔全体に充満するもの（diffuse type）、細かいスポットが集積して層状を成すもの（precipitant type）、腫瘤状に塊状を成すもの（tumefactive type）の3型に分類される（図27）。
- デブリエコー内に胆嚢がんが潜んでいることもあるため、十分な体位変換に加え、ドプラで血流シグナルの有無を確認する必要がある（図28）。

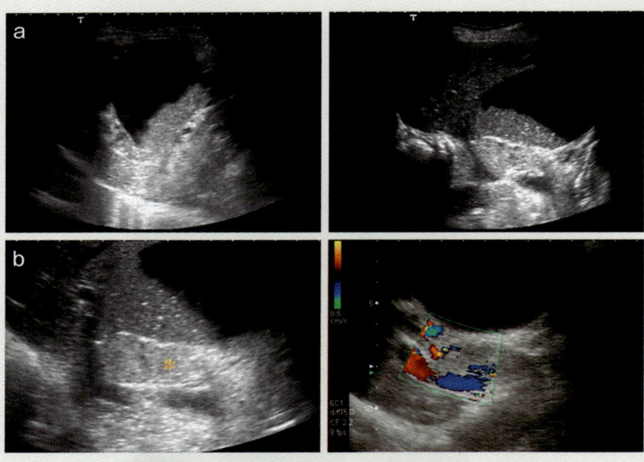

図28 頸部側に胆嚢がんの併存を認めた症例

a 体部のデブリエコーは体位変換で変化を認める。
b 頸部側のデブリエコー（＊）は、ややエコー輝度が高く、内部に血流シグナルを認める。

デブリエコーと結石を分けるのはなぜ？

- デブリエコーは結石と異なり、胆嚢炎だけではなく、肝外胆管の閉塞に伴う胆汁うっ滞でも認められるため、結石や腫瘍などの肝外胆管の閉塞起点を疑う必要がある（図29）（胆嚢腫大を参照）。

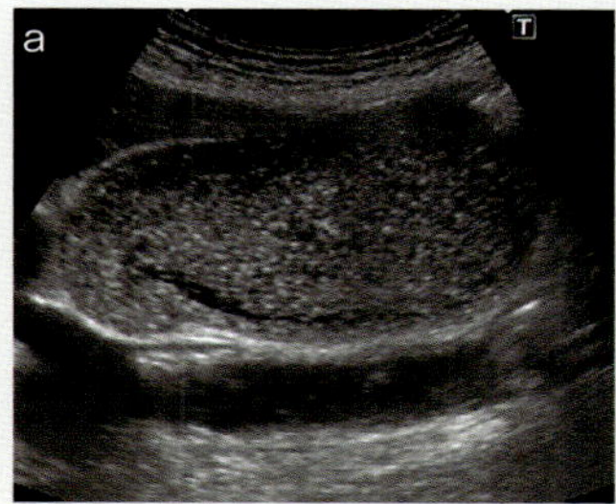

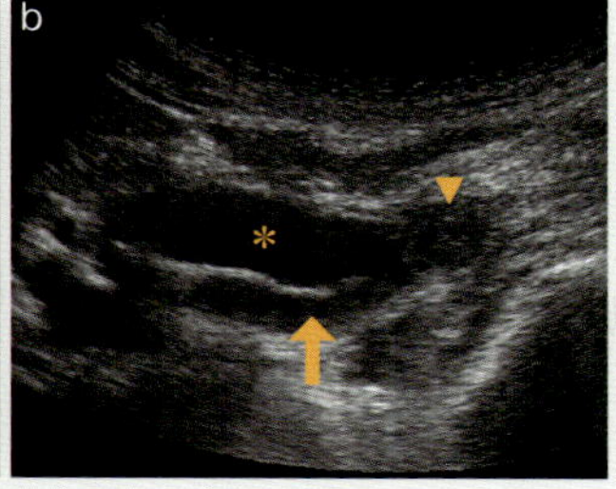

図29 胆嚢管の合流部に胆管がんを認めた例

a 胆嚢は腫大し内腔にデブリエコーが充満しているが、胆嚢壁の肥厚は認めない。
b 左側臥位にして、肝外胆管（*）を描出すると、胆嚢管（矢印）の合流部に胆管がん（矢頭）を認める。

- デブリエコー内に胆嚢がんが併存していることもあるため、ドプラで血流シグナルの有無を確認する（図30）。

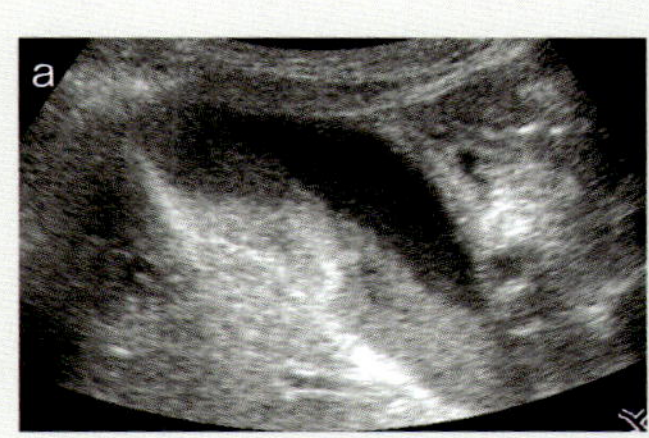

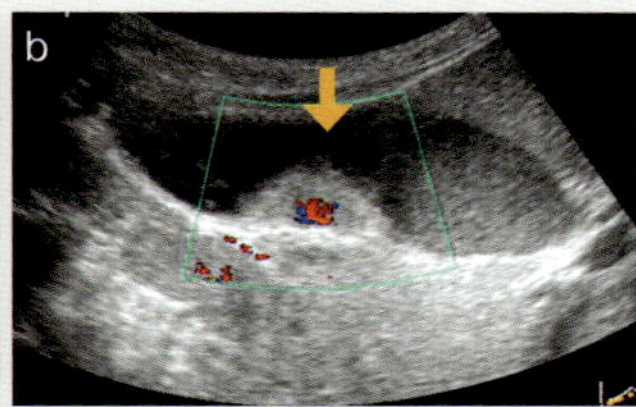

図30 ドプラによる血流シグナルの確認

a 胆嚢は腫大し、壁の肥厚とデブリエコーの貯留を認める。b 体位変換を行うと広基性隆起性病変が明らかとなり、ドプラで血流シグナルを認める。

引用・参考文献

1）日本消化器がん検診学会 超音波検診委員会．腹部超音波検診判定マニュアルの改訂に関するワーキンググループ．腹部超音波検診判定マニュアル改訂版（2021 年）．日本消化器がん検診学会雑誌．60（1），2022，123-81．

2）急性胆管炎・胆嚢炎診療ガイドライン改訂出版委員会．急性胆管炎・胆嚢炎診療ガイドライン 2018．第 3 版．東京，医学図書出版，2018，94．

3）Fujita, N. et al. Analysis of the layer structure of the gallbladder wall delineated by endoscopic ultrasound using the pinning method. Dig Endosc. 7（4），1995，353-6.

Chapter

3

肝外胆管

カテゴリーおよび判定区分「肝外胆管」

超音波画像所見	カテゴリー	超音波所見（結果通知表記載）	判定区分
切除後[注1)]	0	肝外胆管切除後	B
描出不能	0	肝外胆管描出不能	D2
形態異常			
最大径　8mm ≦、胆嚢切除後は 11mm ≦[注2)]	3	胆管拡張	D2
但し、乳頭部近傍の胆管まで異常所見なし	2	胆管拡張	C
嚢腫状あるいは紡錘状の形状	4	膵・胆管合流異常疑い	D2
壁肥厚			
最大壁厚　3mm ≦　あるいは壁の一部に内側低エコーを認める	3	胆管壁肥厚	D2
粘膜面不整	4	胆管腫瘍疑い	D2
層構造不整	5	胆管腫瘍	D1
隆起あるいは腫瘤像（ポリープ）			
隆起あるいは腫瘤像を認める	4	胆管腫瘍疑い	D2
付着部の層構造に不整あるいは断裂を認める	5	胆管腫瘍	D1
その他の所見			
結石像（石灰化像を含む）	2	胆管結石	D1
気腫像[注3)]	2	胆道気腫	B
デブリエコー（結石像と別に記載）[注4)]	3	肝外胆管胆泥	D2
異常所見なし	1	肝外胆管異常所見なし	A

注 1）切除部位が分かれば記載し、残存部分で超音波画像所見を評価する。
注 2）拡大画像で、胆管の前壁エコーの立ち上がりから後壁エコーの立ち上がりまでを計測し小数点以下を四捨五入して mm 表示とする。
注 3）気腫と石灰化・結石との鑑別は体位変換や呼吸時の移動の状態で判別を行う。
注 4）遠位胆管や膵頭部に閉塞機転がないことを評価する。

（日本消化器がん検診学会　超音波検診委員会　腹部超音波検診判定マニュアルの改訂に関するワーキンググループ．日本超音波医学会　用語・診断委員会　腹部超音波検診判定マニュアルの改訂に関する小委員会．日本人間ドック学会　健診判定・指導マニュアル作成委員会　腹部超音波ワーキンググループ．腹部超音波検診判定マニュアル改訂版（2021 年）．日本消化器がん検診学会雑誌．60 巻 1 号，146，表 2-2，2022．より一部改変して転載）

1　肝外胆管の正常解剖

●肝外胆管は、左右肝管から十二指腸の乳頭開口部までであり、胆嚢管より肝側の肝門部領域胆管と十二指腸側に位置する遠位胆管に区分する（図1）。

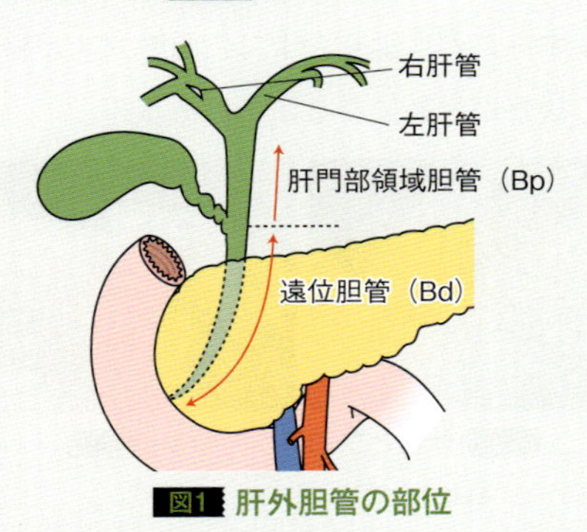

図1 肝外胆管の部位

●肝門部領域胆管は、門脈のやや腹側（浅部）を足側に走行し、遠位胆管は膵上縁から右背側（深部）に向かい乳頭に連続するため、全体としては“逆くの字”の走行となる（図2）。

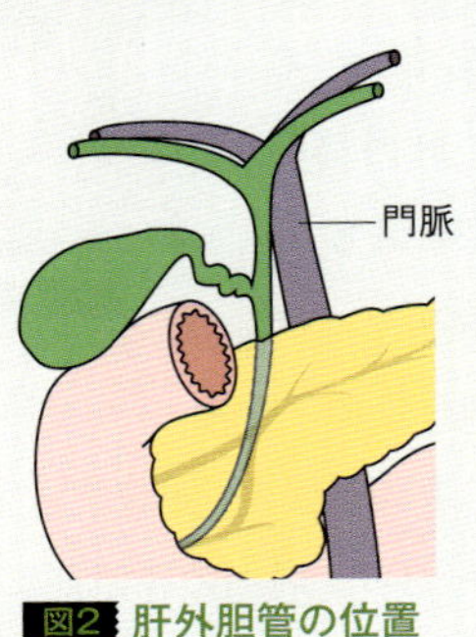

図2 肝外胆管の位置

Chapter 3

2　肝外胆管の基本走査

心窩部縦走査

体位とプローブの位置（図3）

● 左側臥位にすることにより、十二指腸のガスが移動し、肝外胆管全体の観察が容易になることがある。

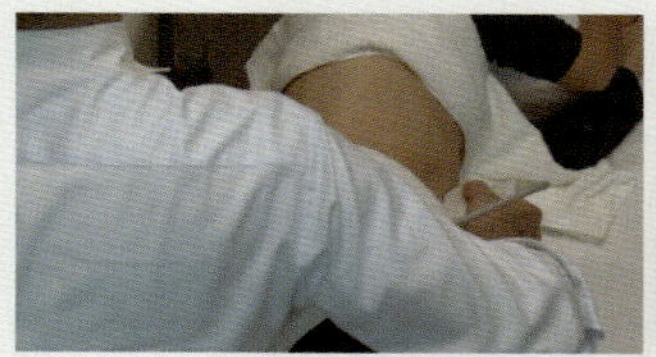
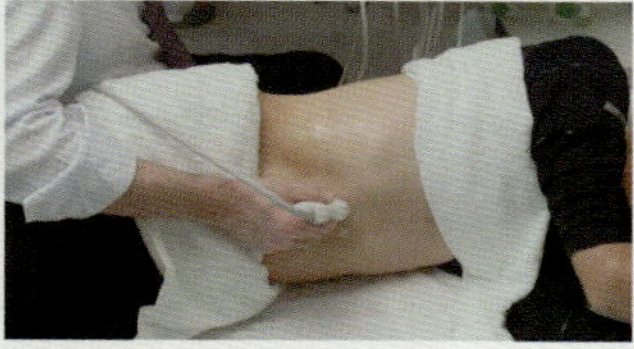

図3 体位とプローブの位置 Web1

患者を左側臥位とし、右肋骨弓下にプローブを置く。

走査法（図4）

● 胆嚢と同様に、左側臥位の右肋骨弓下縦走査で肝門部領域胆管を認識する（図5-a）。続いて肝門部胆管の長軸像を描出する（図5-b）。その後プローブを徐々に外側に回転しながらゆっくり足側に移動させ（“逆くの字”のイメージ）、乳頭近傍まで遠位胆管を描出する（図5-c）。

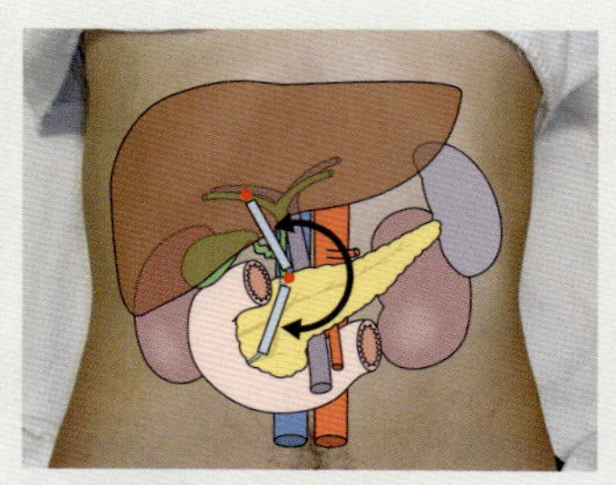

図4 肝外胆管の走査法

● 遠位胆管を描出したら、周囲の膵頭部についても評価する。

a 肝門部

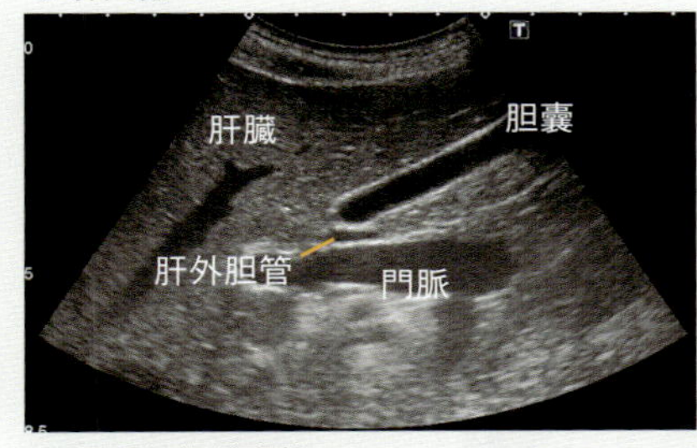

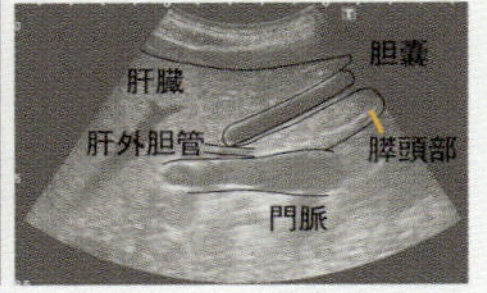

b 肝門部領域胆管

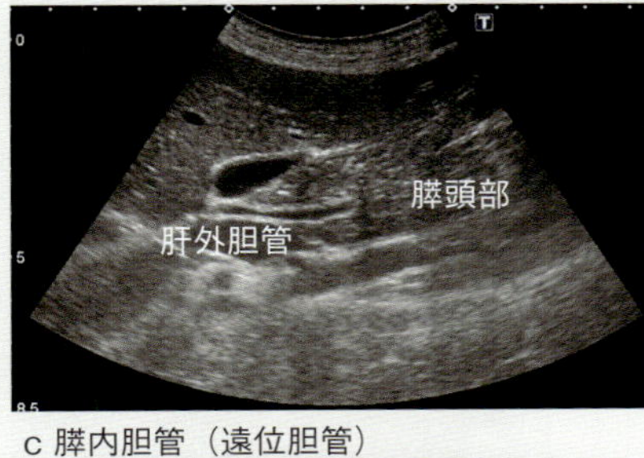

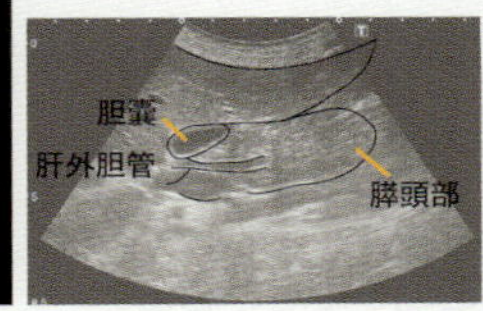

c 膵内胆管（遠位胆管）

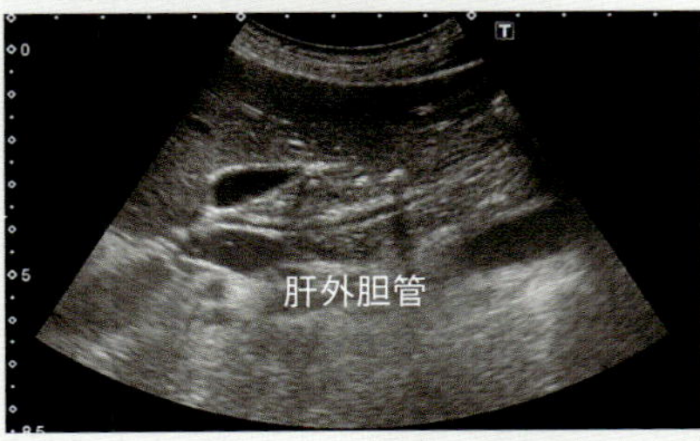

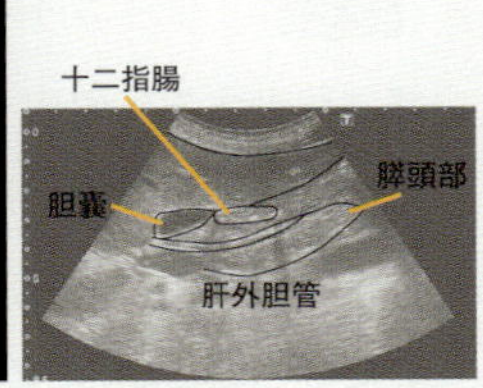

図5 正常例の記録画像

心窩部横走査

体位とプローブの位置（図6）

- 若干ギャッジアップすることで肝左葉がエコーウィンドウとなり、遠位胆管（膵頭部）の観察が容易になる。

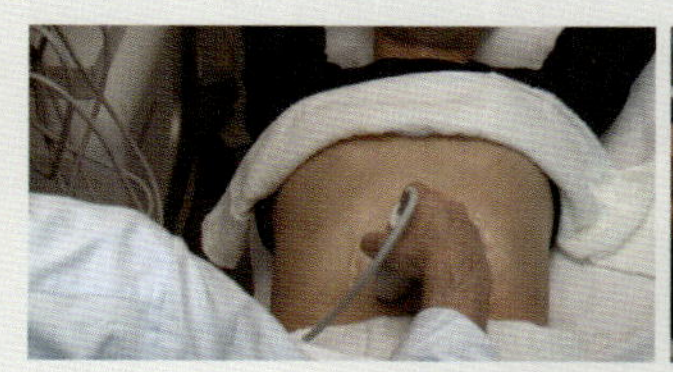
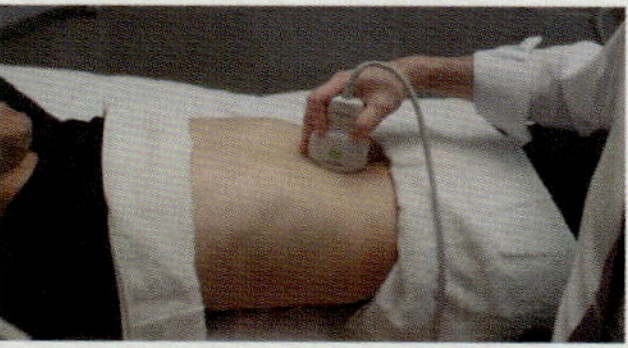

図6 体位とプローブの位置

患者を仰臥位とし、心窩部の剣状突起直下にプローブを置く。

走査法（図7）

遠位（膵内）胆管

- 膵体部を描出した後（図8-a）、プローブを膵頭部に移動する。画面を拡大して膵頭部の背側に位置する膵内胆管の短軸像を描出した後（図8-b）、プローブを徐々に立てていくと膵内胆管の長軸像の描出が可能となる（図8-c）。

図7 膵内胆管の走査法

a 膵体部

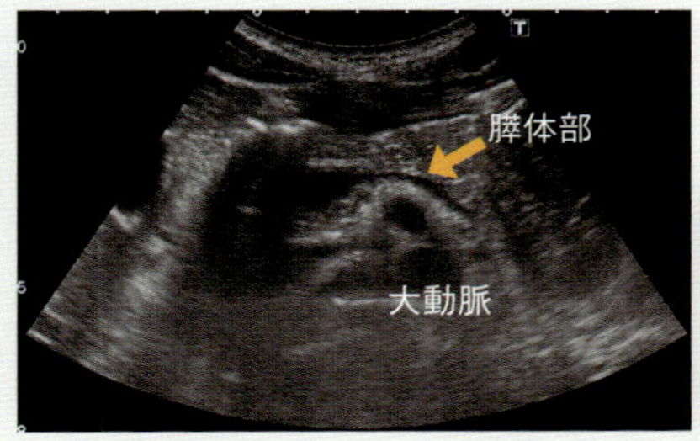

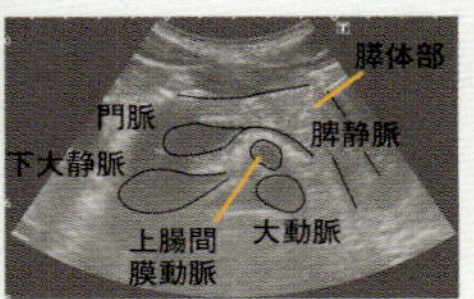

b 膵内胆管短軸

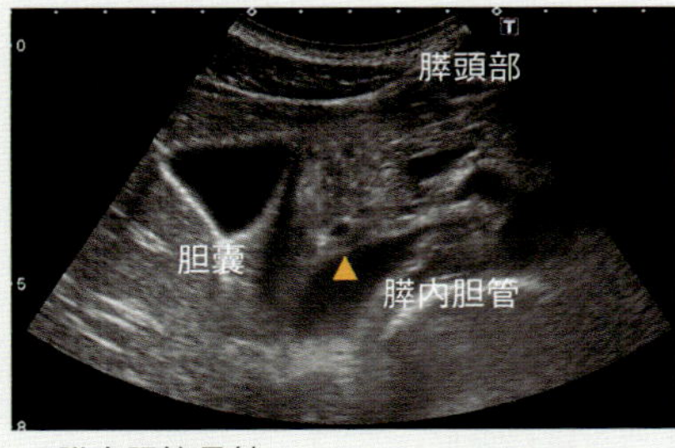

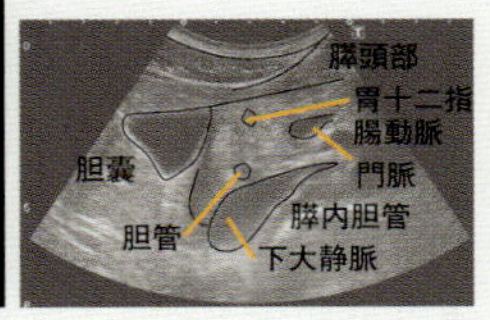

c 膵内胆管長軸

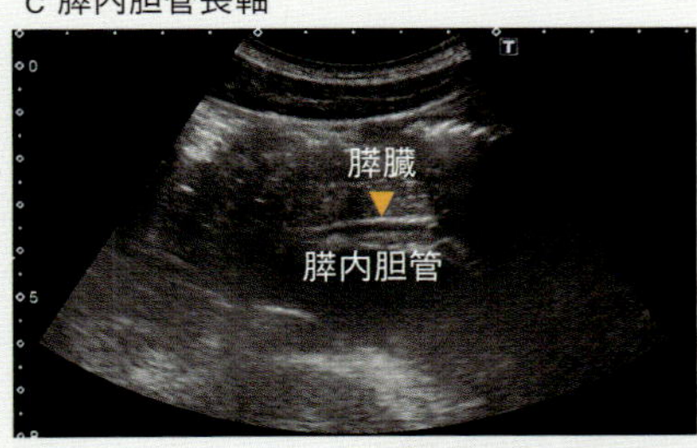

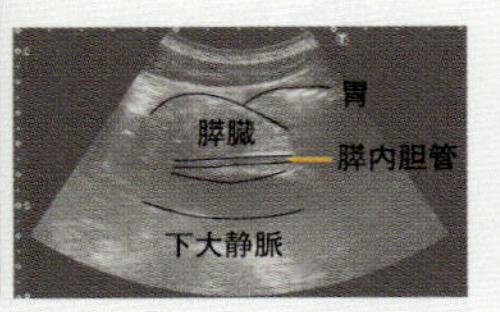

図8 正常例の記録画像

左右肝管

● 心窩部横走査で門脈水平部の直上に描出できる（図9）。

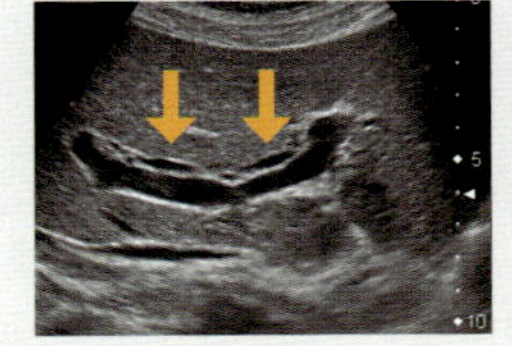

図9 左右肝管の軽度拡張例

3 描出のコツとピットフォール

描出上の注意点

- 肝門部領域の肝外胆管は、門脈の前を走行する。
- その後、胆管は門脈と離れ、体幹の中心側かつ腹側に向かって走行する。
- 遠位（膵内）胆管は体幹の右側に戻り十二指腸に合流するため、十二指腸のガス像に着目する。
- 肝外胆管のピットフォールは、遠位（膵内）胆管である（図10）。
- 遠位（膵内）胆管の短軸像は、膵頭部の横走査にて腹側膵と背側膵の間に描出される。
- 左側臥位では、遠位（膵内）胆管は膵管の腹側を走行することが多い（図11）。

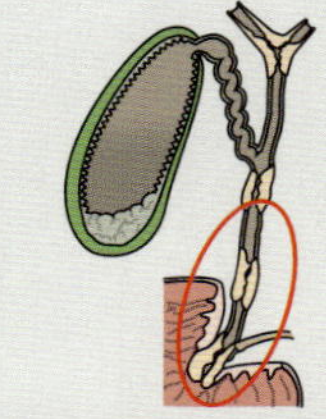

図10 肝外胆管のピットフォール（赤丸）

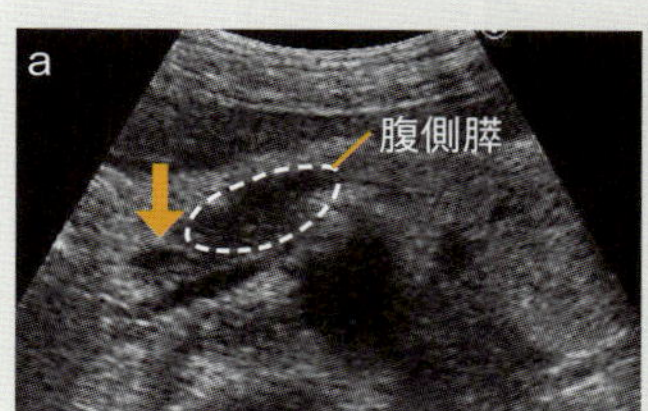

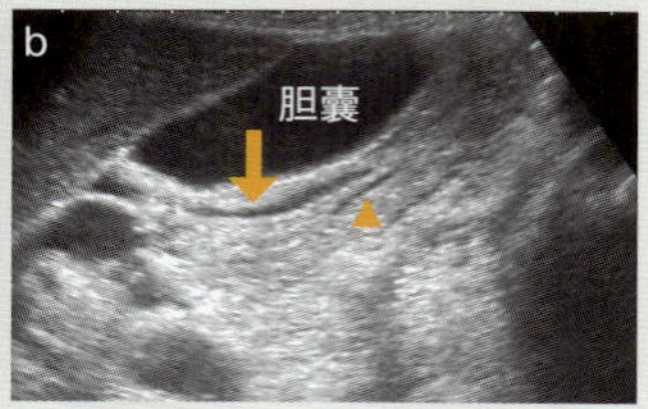

図11 膵内胆管の位置

遠位（膵内）胆管は、短軸像（a）では腹側膵（低エコー領域）と背側膵の間（矢印）、長軸像（b）では膵管（矢頭）の腹側を走行することが多い（矢印）。

体位変換が必要な場合と有効な体位

- 胆管は消化管のガス像などにより、仰臥位のみでは十分描出されないことが多い。
- 左側臥位あるいは半腹臥位として、右肋骨弓下縦あるいは横走査（吸気位）を行う。
- 描出不良例では、他の臓器の走査後にもう一度左側臥位あるいは半腹臥位にして観察する。
- ギャッジアップや座位の横走査で膵頭部の胆管短軸像を確認後、長軸方向に描出する。

描出できない場合の考え方

- 肝内胆管の拡張や胆嚢の腫大といった、胆汁うっ滞の間接所見の有無を評価する。
- 肝外胆管のびまん性疾患（胆管がん、硬化性胆管炎など）や充満胆泥などを考慮する。

Memo

4　描出不能

一部しか描出できないと、描出不能（カテゴリー0）ですか？

- マニュアル[1]では、描出不能（カテゴリー0）を装置の不良、被検者、検者の要因などにより対象臓器がまったく描出できない状態と定義している。
- 対象臓器が一部しか描出できない状態は描出不良とし、観察できた部位が拡張していない場合には、拡張を認めないと記載し、観察不良部位を記載する。
  ➡例）肝外胆管拡張なし、遠位胆管描出不良
- 観察できた部位に拡張が認められればカテゴリー3、超音波所見：胆管拡張、判定区分 D2（要精検）とする。
- 描出不良例で、観察できた部位が拡張していない場合でも、肝内胆管あるいは胆嚢の超音波所見の異常を認める場合、および肝胆道系酵素の上昇などを認める場合には、カテゴリー0、超音波所見：肝外胆管描出不能、判定区分 D2（要精検）とする（図12）。

左右肝管の拡張

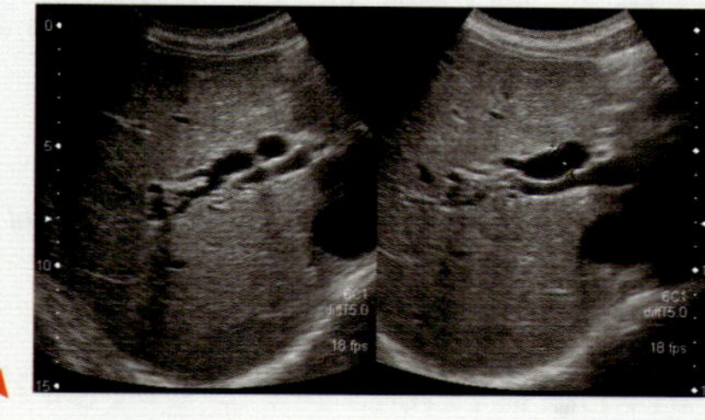

胆嚢の萎縮

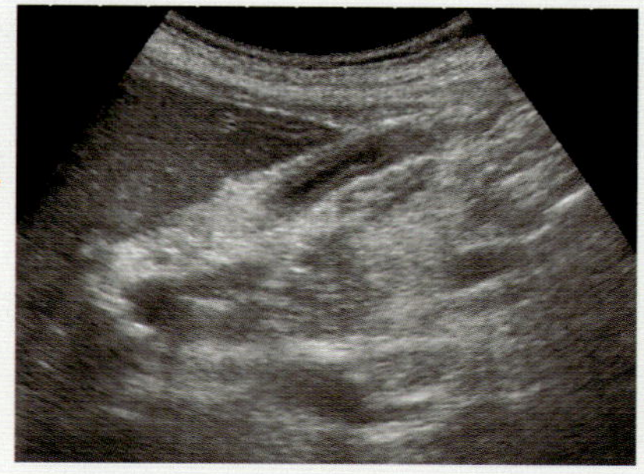

壁肥厚を伴わない胆嚢腫大と胆泥貯留

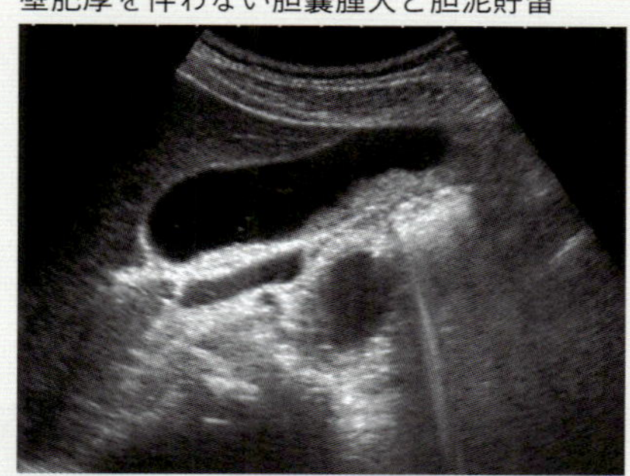

図12 胆管描出不良例で確認すべき所見

5　形態異常（胆管拡張）

肝外胆管径はどうやって測るの？

- 以前は、胆管の内腔を測定するとしていた報告が多かったが、現在は、胆管壁の前壁エコーの立ち上がりから後壁エコーの立ち上がりまでを計測し、8mm 以上を拡張ありとする（小数点以下は四捨五入）（図13）。
- 肝外胆管の一部が嚢腫状あるいは紡錘状に拡張している場合は、膵・胆管合流異常を考慮してカテゴリー4、超音波所見：膵・胆管合流異常疑い、判定区分 D2（要精検）とする。

a　8.4mm

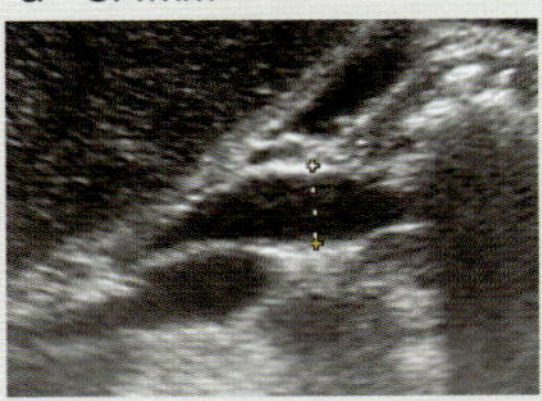

測定部位により測定値が変化する。音響学的に正しい測定法は a。

b　10.2mm

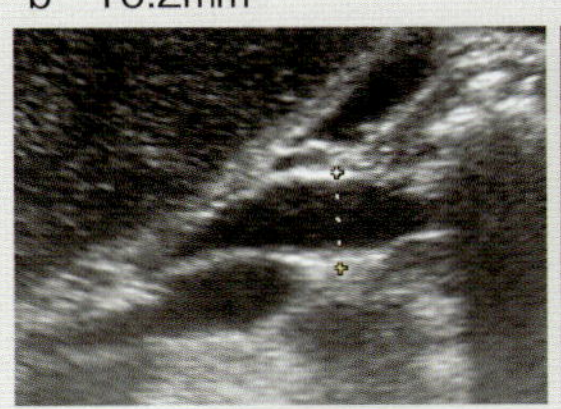

c　6.7mm

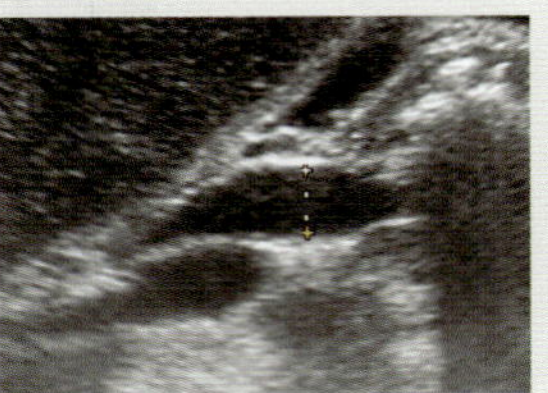

図13 胆外胆管の測定法

●胆嚢管が同定できる例では、胆嚢管の合流部より肝側で測定する（図14）。

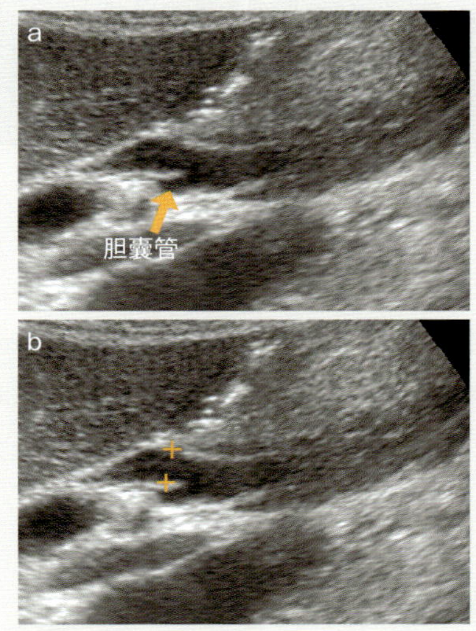

図14 胆嚢管（矢印）（a）が同定できる場合の測定場所（b）

肝門部領域で拡張して下部に拡張がない場合はどうしたらよい？

●肝外胆管の拡張は、胆嚢管の合流する部位より肝側の肝門部領域胆管の径を測定するが、8mm 以上に拡張している場合でも、胆嚢管の合流部より十二指腸側の遠位（膵内）胆管の拡張や閉塞起点がない場合には、カテゴリー2、超音波所見：胆管拡張、判定区分 C（要再検査）と判定する（図15）。

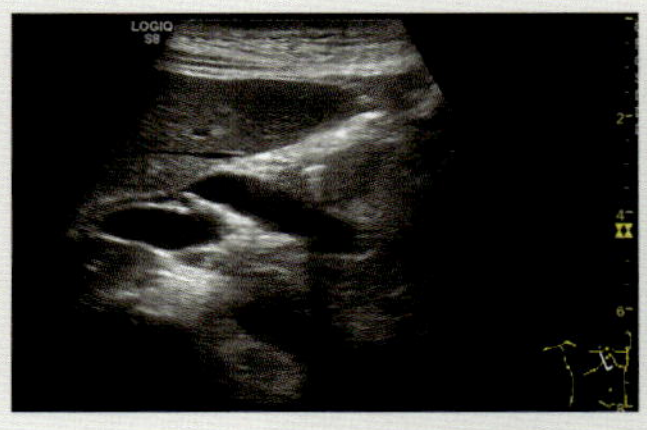

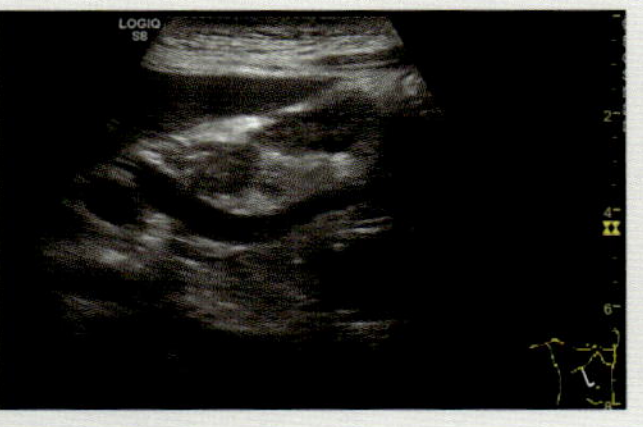

図15 肝外胆管の拡張

● この理由として、肝外胆管は加齢により生理的な拡張をきたすことが知られているからである（表）。高齢者で生理的な拡張を認める場合には、遠位（膵内）胆管には閉塞起点や拡張がなく、胆囊も腫大しておらず、血液検査にも異常を認めない。

表 肝外胆管拡張の年齢別数値（文献 2 より改変）

年齢	基準値	上限値	拡張の診断	拡張の診断*
10 歳	3.2mm	4.5mm	4.6mm ≦	5.0mm ≦
20 代	3.9mm	5.9mm	6.0mm ≦	6.0mm ≦
30 代	3.9mm	6.3mm	6.4mm ≦	6.0mm ≦
40 代	4.3mm	6.7mm	6.8mm ≦	7.0mm ≦
50 代	4.6mm	7.2mm	7.3mm ≦	7.0mm ≦
60 代	4.9mm	7.7mm	7.8mm ≦	8.0mm ≦
70 代以上	5.3mm	8.5mm	8.6mm ≦	9.0mm ≦

＊小数点以下四捨五入

● ただし、十二指腸の乳頭部に腫瘍がある場合には、超音波のみではスクリーニングが困難なことがあるため、遠位（膵内）胆管まで異常を認めなくても事後指導は判定区分 C（要再検査）とする。

6 その他の所見

遠位（膵内）胆管がうまく描出できません

●肝外胆管は解剖学的に、肝門部から門脈のやや左を足側に走行するが、乳頭側の遠位胆管は膵上縁から十二指腸下行部に位置する乳頭に連絡する“逆くの字”走行となる（図16）。

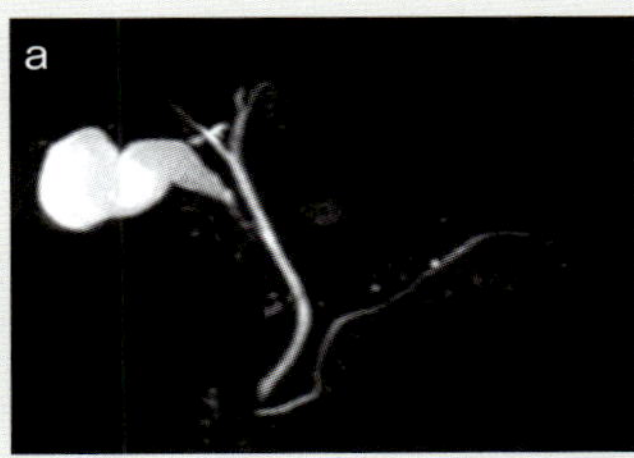

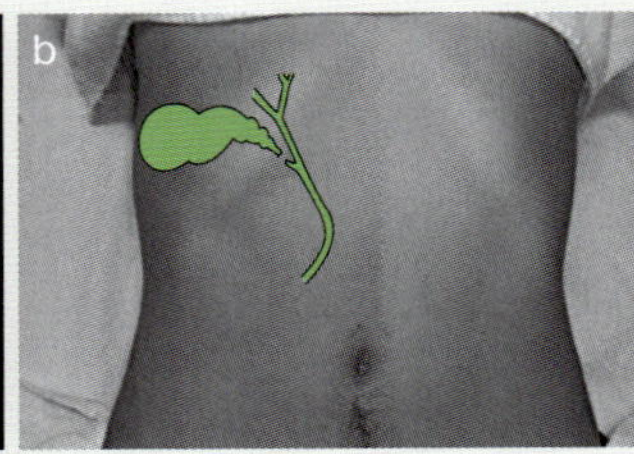

図16 肝外胆管

a MRCP の胆管・膵管像　b 胆管の走行イメージ

●患者を左側臥位にして、右肋骨弓下縦走査でまず肝門部領域胆管の長軸像を描出する。

●その後プローブを徐々に外側に向けながら、乳頭近傍まで遠位（膵内）胆管を描出する（図17）。

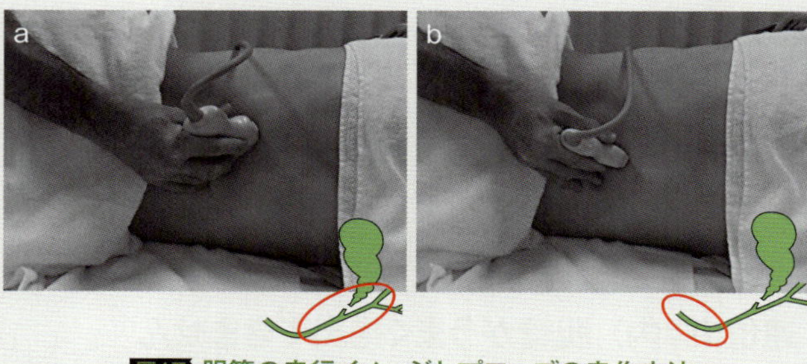

図17 胆管の走行イメージとプローブの走作方法

a 肝門部領域胆管を描出しているプローブの位置　b 遠位（膵内）胆管を描出しているプローブの位置

Memo

引用・参考文献

1）日本消化器がん検診学会 超音波検診委員会．腹部超音波検診判定マニュアルの改訂に関するワーキンググループ．腹部超音波検診判定マニュアル改訂版（2021 年）．日本消化器がん検診学会雑誌．60（1），2022，123-81．

2）濵田吉則ほか．胆管径からみた胆管拡張の定義．胆と膵．35，2014，943-5．

Chapter 4

膵臓

カテゴリーおよび判定区分「膵臓」

超音波画像所見	カテゴリー	超音波所見（結果通知表記載）	判定区分
切除後[注1)]	0	膵臓切除後	B
部分切除後	2	膵臓部分切除後	C
描出不能	0	膵臓描出不能	D2
形態異常			
先天的な変形[注2)]	2	膵臓の変形	B
最大短径　＜ 10mm	2	膵臓萎縮	D2
最大短径　30mm ≦	2	膵臓腫大	D2
限局性腫大[注3)]	2	膵臓の変形	B
エコーレベルの低下・実質の粗造なエコーパターン・主膵管や脈管の不明瞭化のいずれかを認める	4	膵腫瘍疑い	D2
主膵管拡張			
体部にて最大短径　3mm ≦[注4)]	3	膵管拡張	D2
主膵管内に結節を認める	4	膵腫瘍疑い	D2
下流側の狭窄を認める	4	膵腫瘍疑い	D2
充実性病変[注5)]			
高エコー腫瘤像	2	膵腫瘤	C
最大径　15mm ≦	3	膵腫瘤	D2
低（等）エコー腫瘤像または高低混在エコーを呈する腫瘤像	4	膵腫瘍疑い	D2
主膵管・肝外胆管・膵周囲血管のいずれかの途絶を認める	5	膵腫瘍	D1
嚢胞性病変（分枝の拡張を含む）[注5)]			
最大径　＜ 5mm	2	膵嚢胞	B
最大径　5mm ≦	3	膵嚢胞	D2
充実部分（嚢胞内結節・壁肥厚・隔壁肥厚）および内容液の変化（内部の点状エコーなど）を認める[注6)]	4	膵嚢胞性腫瘍疑い	D2
その他の所見			
石灰化像[注7)]	2	膵石または膵内石灰化	C
血管異常[注8)]	2	膵血管異常	D2
異常所見なし	1	膵臓異常所見なし	A

注 1） 部分切除の場合には切除部位が分かれば記載し、残存部分で超音波画像所見を評価する。
注 2） 先天的な変形（膵尾部欠損など）は残存部分で超音波画像所見を評価し、異常が無ければカテゴリー2、判定区分 B とする。
注 3） 輪郭が不整な病変は充実性病変とし、輪郭が平滑な病変のみ限局腫大とする。
注 4） 拡大画像で、主膵管の前壁エコーの立ち上がりから後壁エコーの立ち上がりまでを計測し、小数点以下を四捨五入して mm 表示とする。
注 5） 充実部分と囊胞部分が混合している病変は、占める割合が多い方を主となる病変として、充実性ないし囊胞性病変に含める。
注 6） 内容液の変化（囊胞内出血・感染など）も、腫瘍性病変の可能性が否定できないため要精査の対象とする。また、腫瘍性増殖を示す細胞で覆われた囊胞の総称となる腫瘍性囊胞もこの範疇に含める。
注 7） 主膵管の拡張を認める膵管内の石灰化像はカテゴリー3、判定区分 D2、充実性病変内の石灰化像はカテゴリー4、判定区分 D2 とする。
注 8） 血管異常は、動脈瘤、動脈－静脈シャント（動静脈奇形を含む）、静脈塞栓（血栓）、側副血行路などが含まれる。但し、充実性病変に関連する血管異常は腫瘤性病変の評価に準ずる。

（日本消化器がん検診学会　超音波検診委員会　腹部超音波検診判定マニュアルの改訂に関するワーキンググループ．日本超音波医学会　用語・診断委員会　腹部超音波検診判定マニュアルの改訂に関する小委員会．日本人間ドック学会　健診判定・指導マニュアル作成委員会　腹部超音波ワーキンググループ．腹部超音波検診判定マニュアル改訂版（2021 年）．日本消化器がん検診学会雑誌．60 巻 1 号，154，表 2-3，2022．転載）

1 膵臓の正常解剖

- 膵臓は、胃の背側の後腹膜に存在する長さ約 14〜16cm、厚さ約 2cm のバナナ状の臓器である。
- 膵臓は、頭部、体部、尾部に分けられる。『膵癌取扱い規約 第 7 版』[1] では、上腸間膜静脈・門脈の左側縁より十二指腸側を頭部とし、鉤状突起は頭部に含めるとしている。さらに、体部と尾部の境界は大動脈の左側縁とし、尾側を膵尾部としている（図1）。

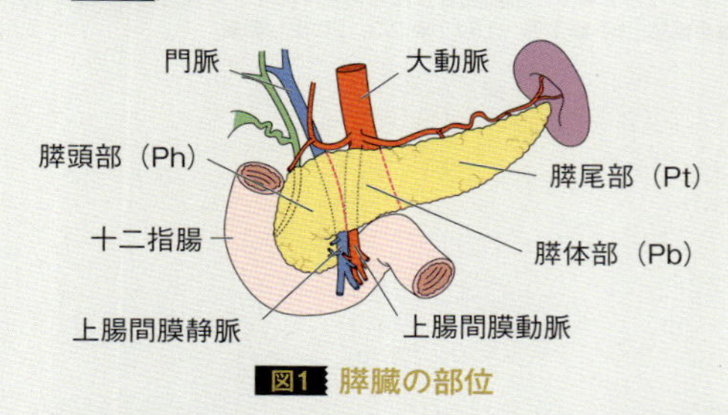

図1 膵臓の部位

- 膵管は膵液を十二指腸に流出する経路であり、主膵管は副膵管を分枝した後、肝外胆管とともに Vater 乳頭に開口する（図2）。

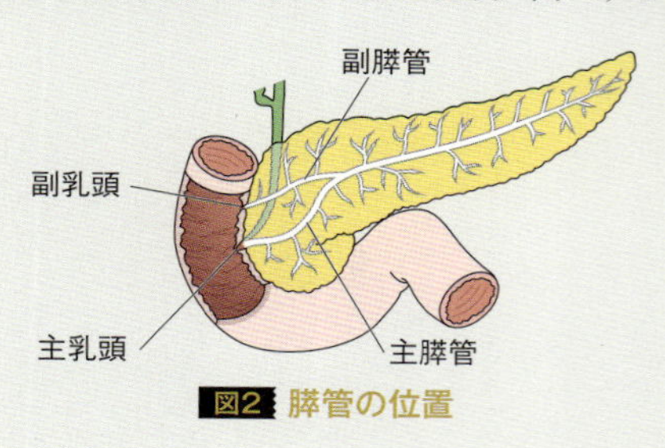

図2 膵管の位置

● 初心者は、指標となる脈管を描出し、膵臓を同定する（図3）。

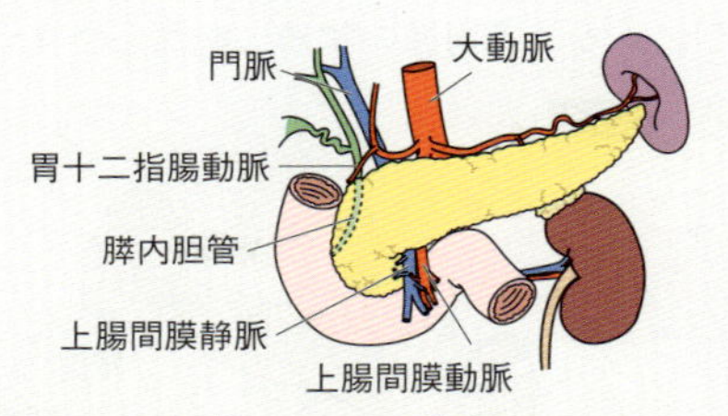

図3 初心者に覚えてほしい指標（メルクマール）

● 中上級者は、膵臓に隣接する臓器を同定し、膵の辺縁までしっかり観察するように心がける（図4）。

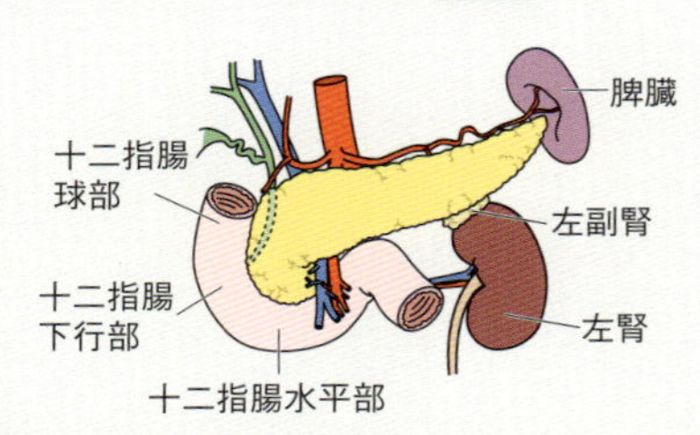

図4 中上級者に覚えてほしい指標（メルクマール）

● 膵臓の見落としやすい部位（ピットフォール）には、消化管ガスの影響を受けやすい膵頭部（特に groove 領域と鉤状突起）と膵尾部がある（図5）。

図5 見落としやすい部位

- これらの部位では、肝外胆管や主膵管の拡張といった間接所見をきたしにくく、膵周囲の臓器に浸潤しやすいため注意が必要である（図6）。

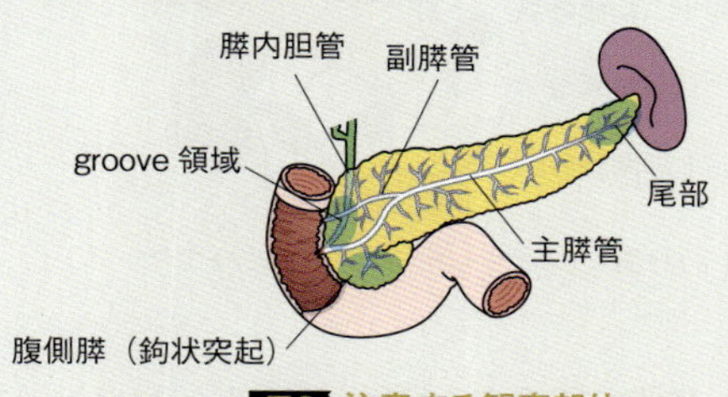

図6 注意する観察部位

Memo

2 膵臓の基本走査

心窩部縦走査

体位とプローブの位置（図7）

- ベッドをギャッジアップすることにより、肝臓が足側に移動してエコーウィンドウとなり膵臓の描出が良好になる。

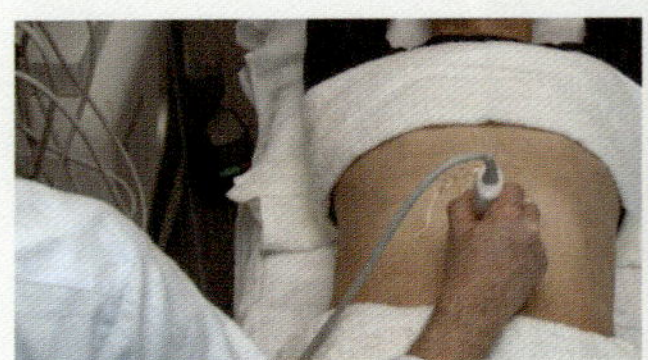
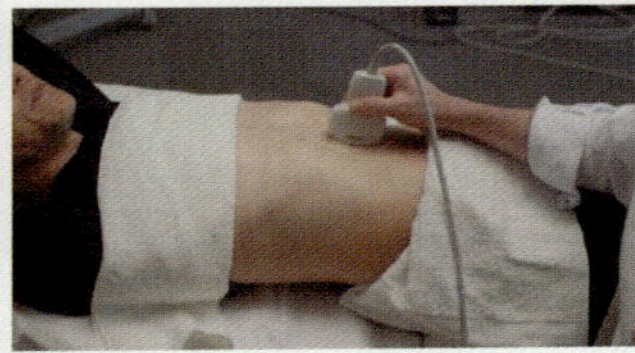

図7 体位とプローブの位置

患者を仰臥位とし、心窩部の剣状突起直下にプローブを置く。

走査法

膵頭体部（図8）

- 腹部大動脈から分岐する腹腔動脈と上腸間膜動脈を描出し（図9-a）、膵体部と大動脈周囲のリンパ節の評価を行う。その後、向かって左側にプローブを移動し上腸間膜静脈の長軸像

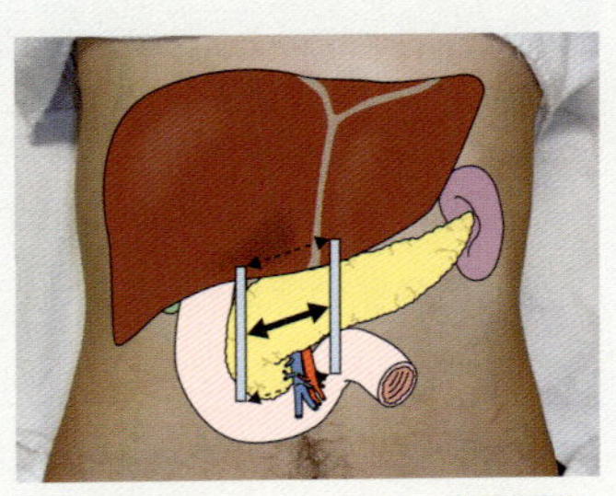

図8 膵頭体部の走査法 Web1

a 大動脈長軸

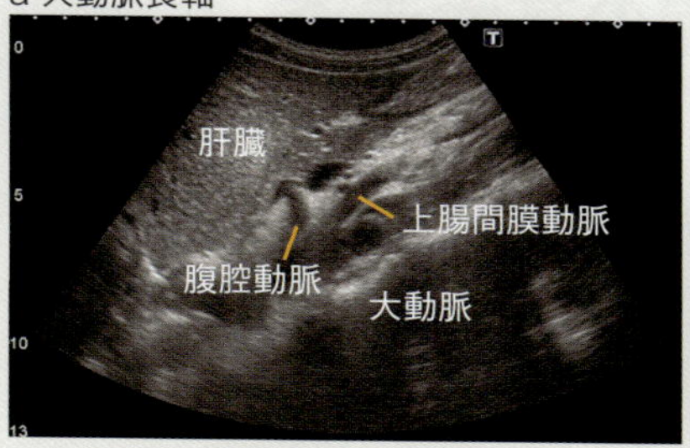

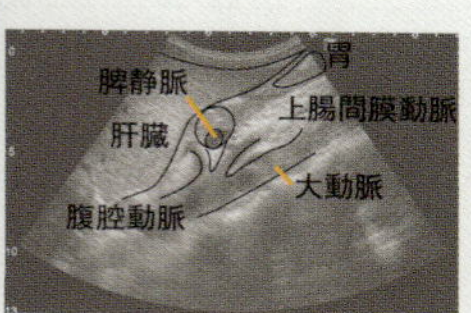

b 上腸間膜静脈長軸

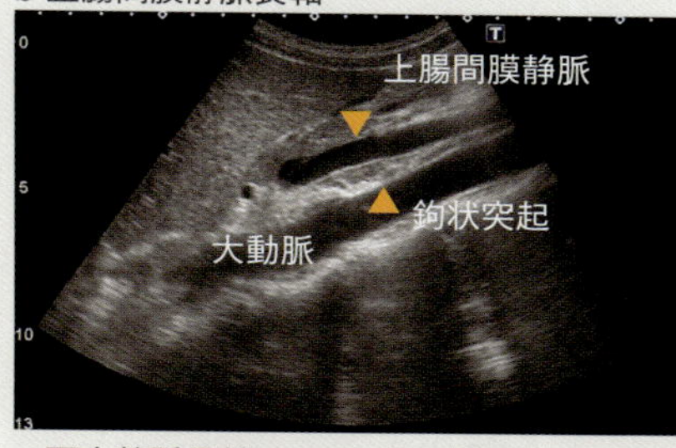

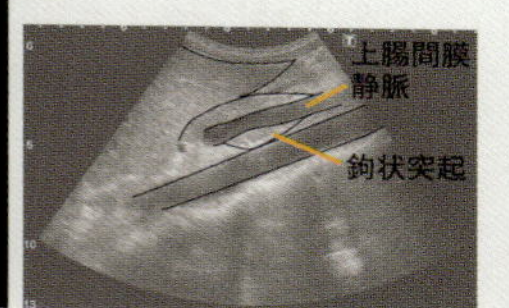

c 下大静脈長軸

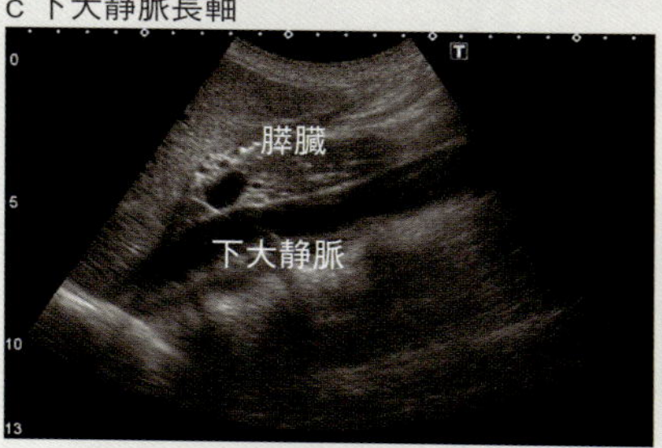

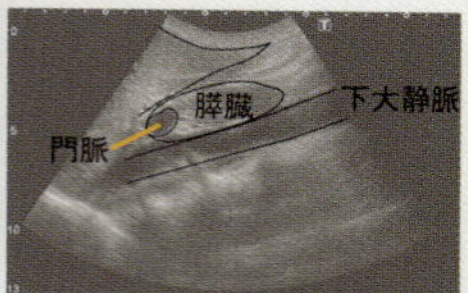

図9 正常例の記録画像（頭体部）

（図9-b）や下大静脈を描出する（図9-c）。この走査では上腸間膜静脈の背側にある鉤状突起の観察がとても重要である（図9-b）。さらに左側にプローブを進め、胆嚢の長軸像あるいは十二指腸のガス像を認める部位まで観察を行う。

膵体尾部（図10）

- 大動脈長軸像（図11-a）から向かって右側にプローブを移動させ、脾動静脈を指標にして膵体尾部の長軸像（図11）と左腎を描出する。

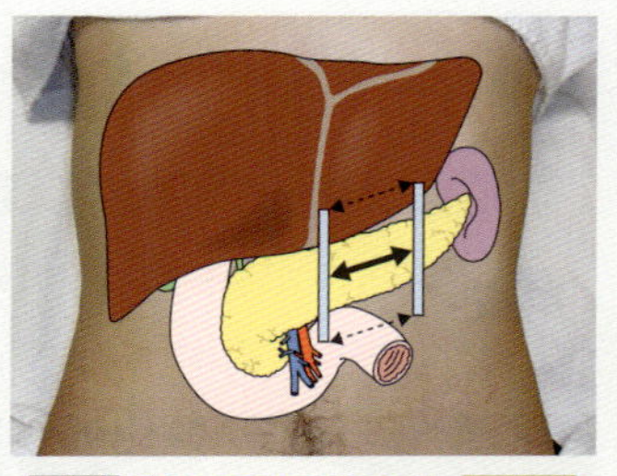

図10 膵体尾部の走査法 Web2

- この走査では、フォーカスを深い位置に移動させることが重要である。消化管のガスで見えにくいときは、患者を左側臥位として同様の走査を行うと消化管のガスの影響を受けなくなることがある。

a 大動脈長軸

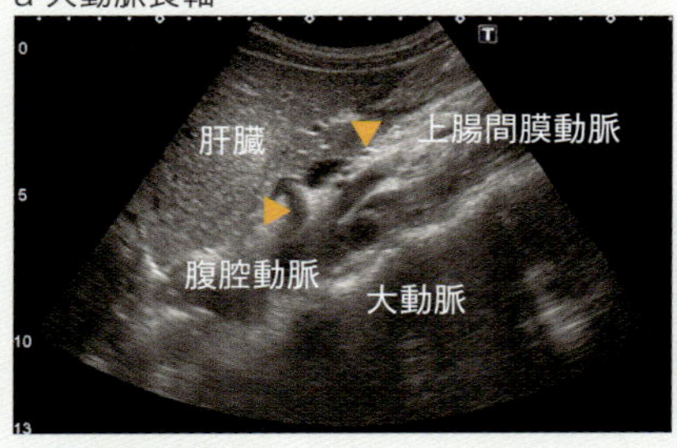

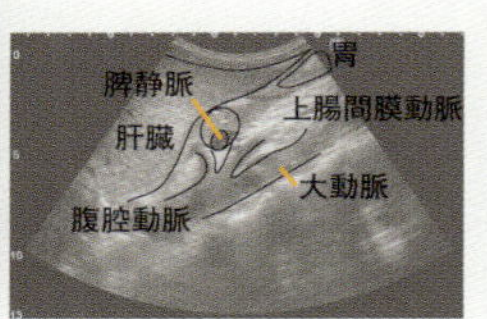

b 膵体尾部長軸

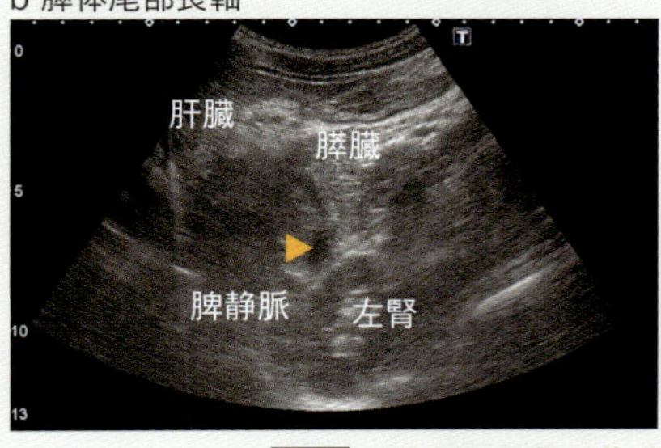

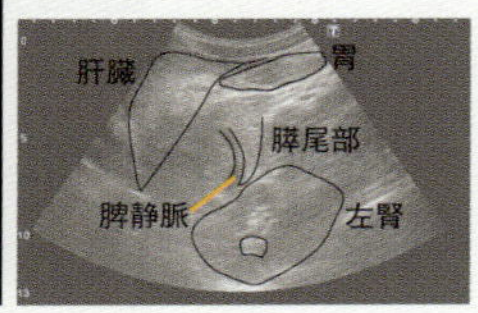

図11 正常例の記録画像（体尾部）

心窩部横走査

体位とプローブの位置（図12）

- 消化管のガスが多い場合や肥満例などでは、ギャッジアップしたり座位にすると、膵臓の描出状況がよくなることがある。

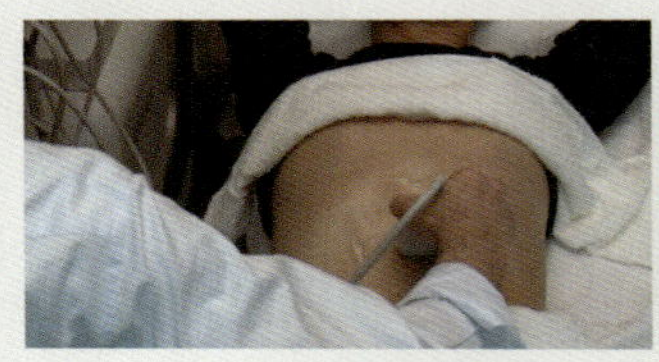
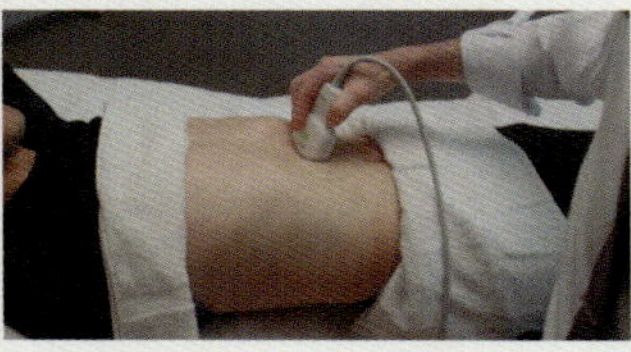

図12 体位とプローブの位置
患者を仰臥位とし、心窩部から左肋骨弓下にプローブを置く。

走査法（図13～図15）

- 消化管のガスの影響を避けるために、肝左葉の外側から足側に向かってプローブを移動させる（図16-a〈図13①→②〉）。膵尾部を確認後（図16-b）、患者に小さく呼吸をさせる、あるいはプローブを頭側から足側に振って尾部を十分観察する。その後、プローブを右肩上がりにする（図13②→③）と、頭体部が見えるようになる（図16-c）。

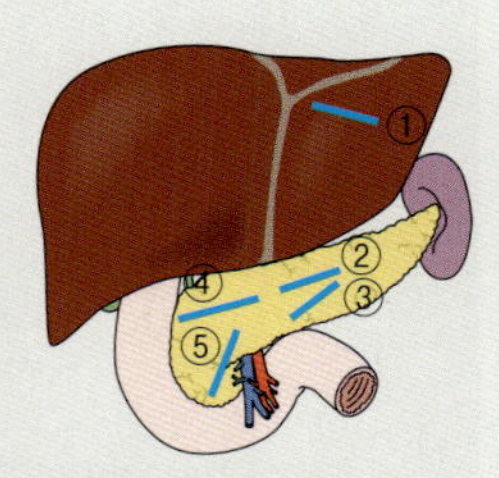

図13 心窩部横走査の走査手順

- 画面を拡大して膵体部を観察した（図16-d）後、プローブを反時計方向に回転して縦軸に近づけていく（図13④→⑤）と膵頭部の描出ができる（図16-e）。プローブをそのまま足側に移動し、十二指腸の水平部まで描出する。

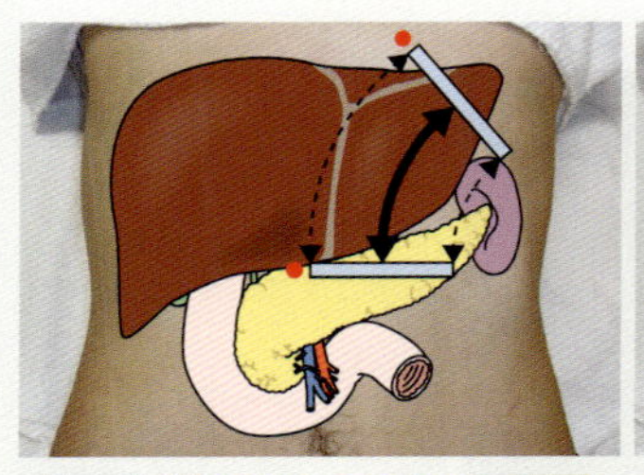

図14 膵体尾部の走査法 Web3

図15 膵頭部の走査法 Web4

a 肝左葉左上縁

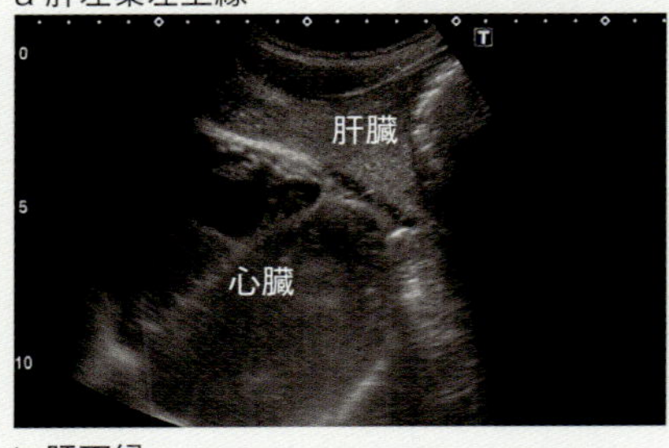

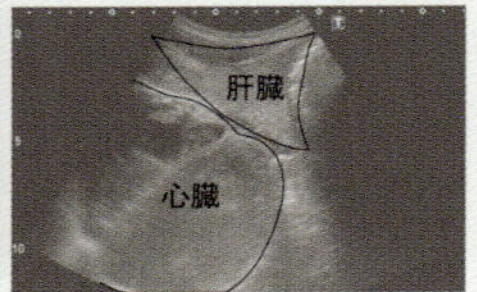

b 肝下縁

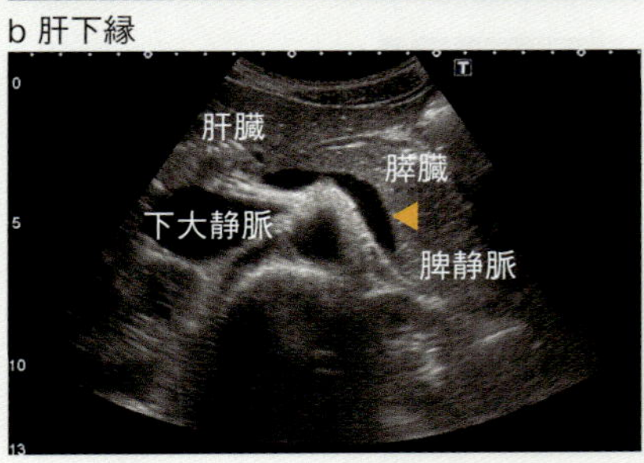

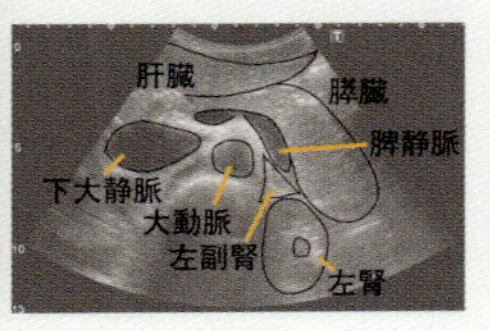

図16 正常例の記録画像

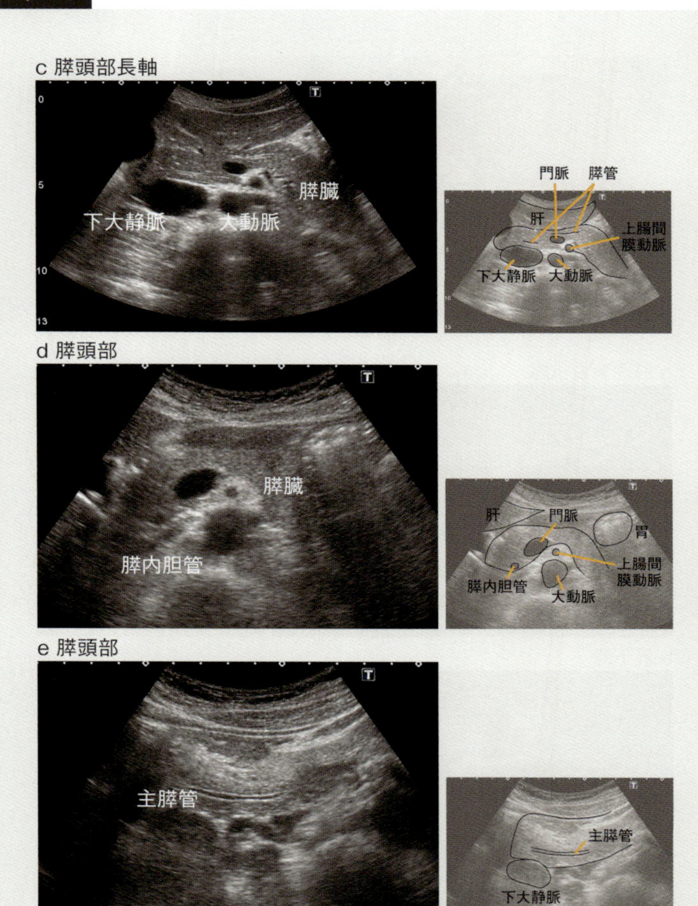

図16 正常例の記録画像（つづき）

左肋間走査

体位とプローブの位置 図17

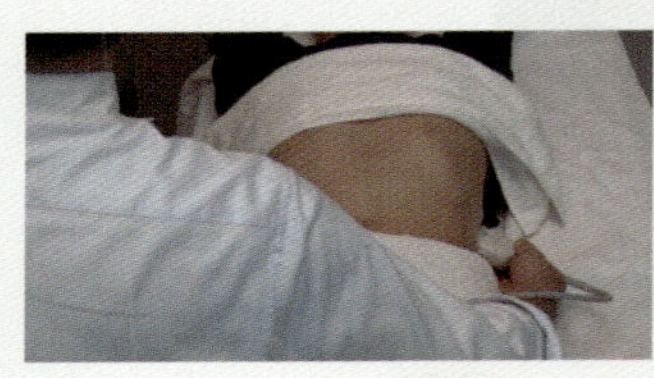
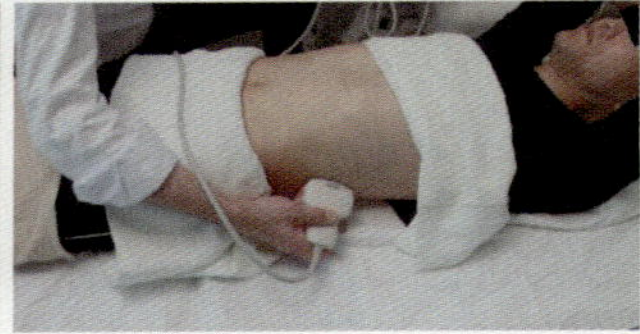

図17 体位とプローブの位置

患者を仰臥位とし、左背部（ベッド上）から左肋間にプローブをあてる。

走査法（図18）

- プローブを持った手を一旦ベッドにつけてから患者の左肋間にプローブをあてると左腎が描出できる（図19-a）。腎臓を観察した後、1-2肋間腹側にプローブを移動して、患者の腹側にプローブを振る（図19-b）と脾門部が見えるようになる（図19-c）。

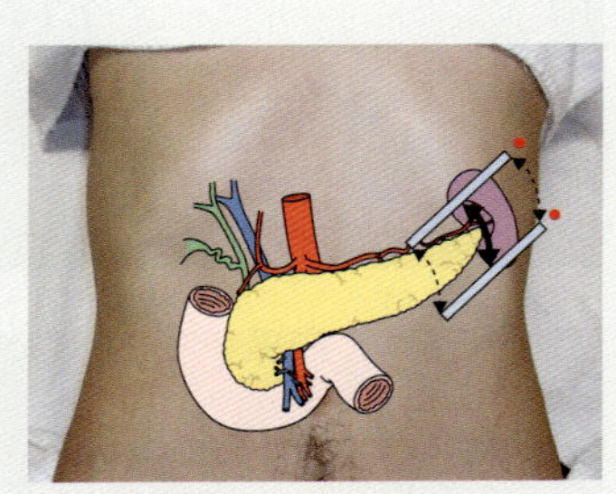

図18 膵尾部の観察

- プローブをしっかり扇動操作した後、脾門部の脾動静脈を描出しドプラで血流を確認する（Web5）。

a 左腎長軸

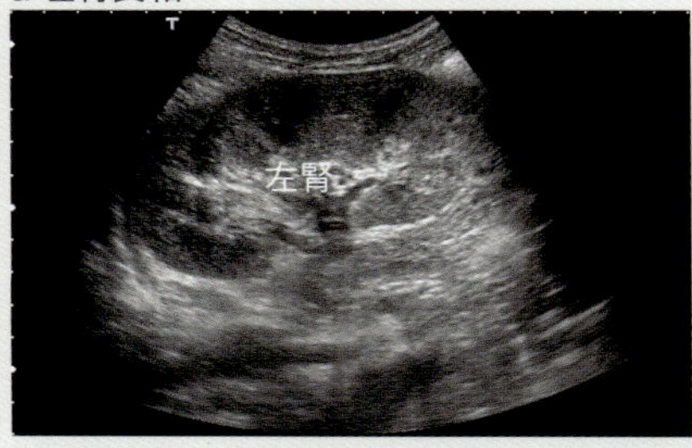

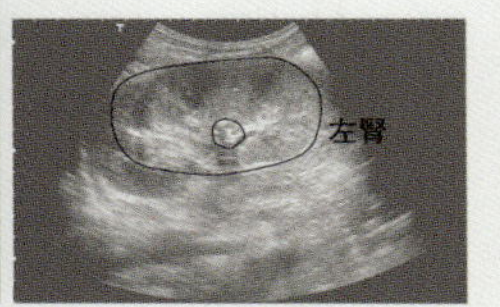

b 脾臓長軸

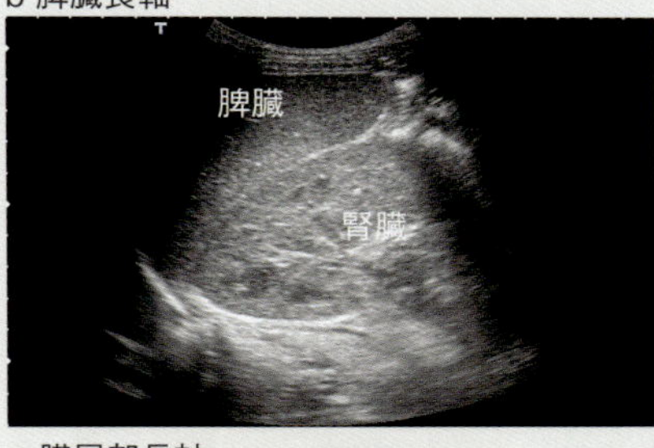

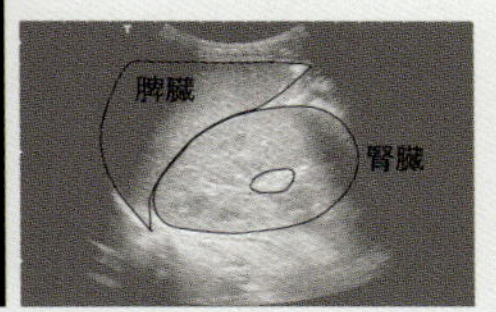

c 膵尾部長軸

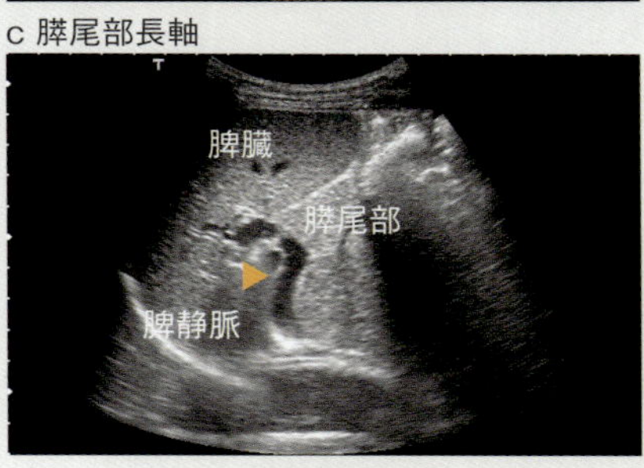

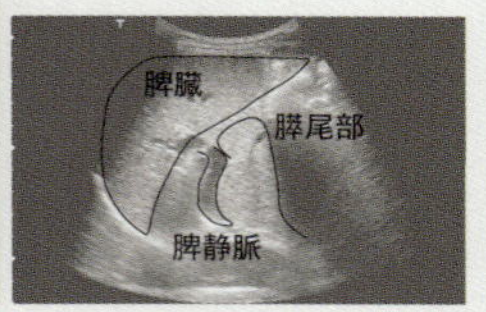

図19 正常例の記録画像

3 描出のコツとピットフォール

描出上の注意点

- 上腸間膜静脈の背側に位置する鉤状突起の病変（図20）を見落とさない。
- 尾部は胃内の空気や結腸内の便塊などにより病変を見落とすことがある。
- 腹側膵は背側膵に比べエコー輝度が低いため腫瘍のように見えることがある。
- 膵管径は画面を拡大して測定し、小数点以下は四捨五入する。
- 総肝動脈、脾動脈、胃後壁の筋層を膵管と誤ることがあるので注意する。

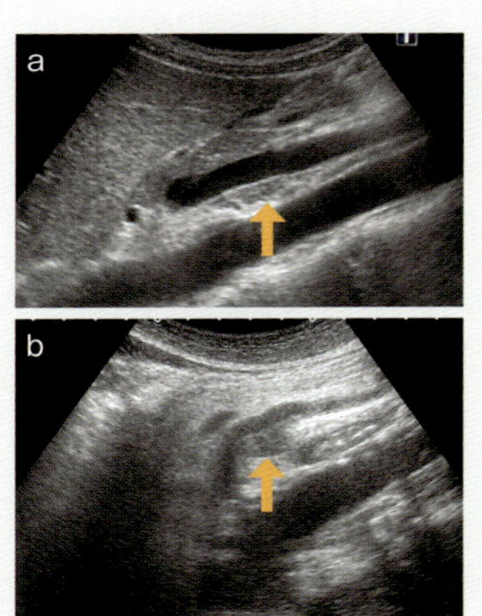

図20 正常者の上腸間膜静脈背側の鉤状突起（a 矢印）、および同部位に発生した膵管がん（b 矢印）

体位変換が必要な場合と有効な体位

Chapter4-4 参照

- 頭部と尾部は消化管のガス像などにより描出困難となることが多く、体位変換が必要である。
- 座位あるいは半座位にて心窩部横走査（吸気位）あるいは左肋間走査を行う。
- 右側臥位の吸気位にて左肋骨弓下からの横走査で体尾部の観察を行う。
- 膵臓からスクリーニングを開始し、すべての臓器を走査した後、もう一度仰臥位あるいは座位で走査する。

描出できない場合の考え方

- 適切な禁食ができているか、食事時間を確認する。
- 少なくとも体部の主膵管拡張の有無を評価する。
- 脂肪置換や慢性膵炎といった疾患を考える。

Memo

4 描出不能

描出不能（カテゴリー0）とはどんなときですか？

- マニュアル[2]では、描出不能（カテゴリー0）を装置の不良、被検者、検者の要因などにより対象臓器がまったく描出できない状態と定義している。
- 膵臓の描出不能は、日本消化器がん検診の2014年度（平成26年度）の全国集計調査では0.53％と報告されている。
- 仰臥位の走査のみで安易に描出不能とするのではなく、体位変換を併用する（図21）、検査の終了時にもう一度膵臓の評価を追加するなどの努力をしてもまったく描出できないときに描出不能とする。
- マニュアル[2]では、膵臓の描出不良例に対して、左側臥位右肋骨弓下斜走査（膵内胆管）、座位（半座位）心窩部横走査（膵頭部・体部）、右側臥位右肋骨弓下横走査（膵頭部・体部）、右側臥位左肋骨弓下横走査（膵尾部）を推奨している。
- 膵体部の主膵管拡張は膵管がんの高危険群（カテゴリー3）を拾い上げる重要な超音波所見であり、比較的早期の膵管がんの発見契機となっていることから、心窩部横走査で膵体部が同定できないときにも、高危険群であるか否かの判定が不可能であると考え、判定不能とすべきと考える。

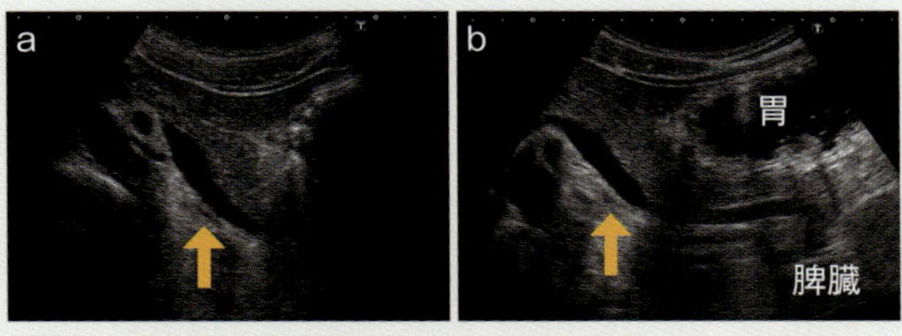

図21 仰臥位では膵尾部の描出が不良（a）であったが、半座位で膵尾部が描出できた例（b）（矢印：左副腎）

膵尾部をうまく描出できません①

- 『膵癌取扱い規約 第7版』[1]では、膵尾部を大動脈の左側縁から尾側としている。
- 一般的に膵尾部の描出は、左肋間走査で脾臓をエコーウィンドウとして描出することが多いと思われるが、大腸内の便塊やガス像により描出困難となることもある（図22）。

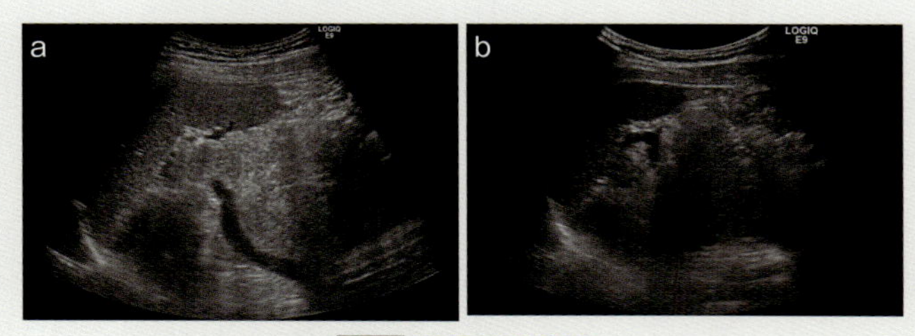

図22 膵尾部の観察

aは左肋間走査で膵尾部がよく見えているが、bは大腸ガスにより膵尾部が描出不良となっている。

- ファントムを用いて膵尾部を描出してみると、心窩部走査でも膵尾部のかなりの領域が描出可能であることがわかる（図23）。

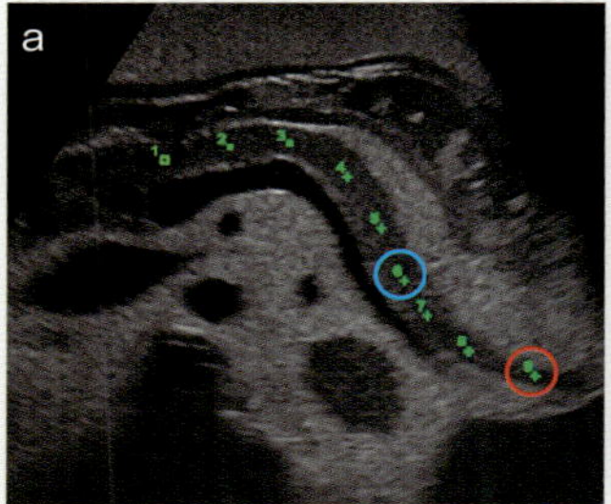

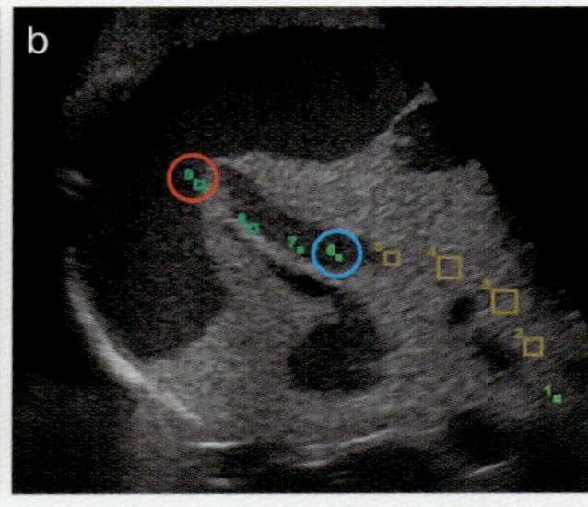

図23 ファントムを用いた心窩部横走査（a）と左肋間走査（b）の比較

心窩部走査でも、膵尾部のかなりの領域が描出できていることがわかる。

膵尾部をうまく描出できません②

- 仰臥位の左肋間走査に固執せず、ギャッジアップして左肋間走査あるいは半座位から座位で心窩部縦走査あるいは横走査を試みる（図24）。

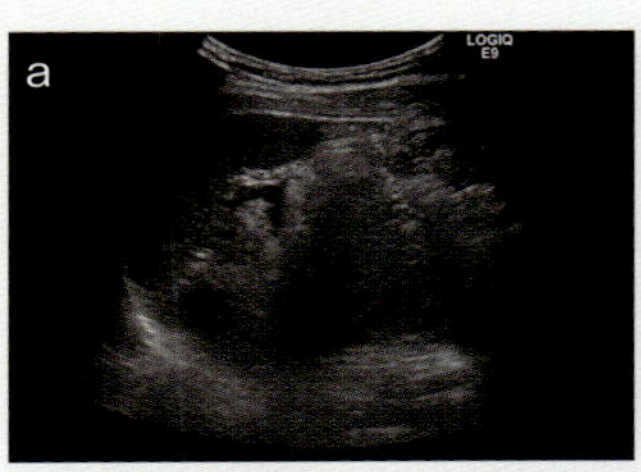

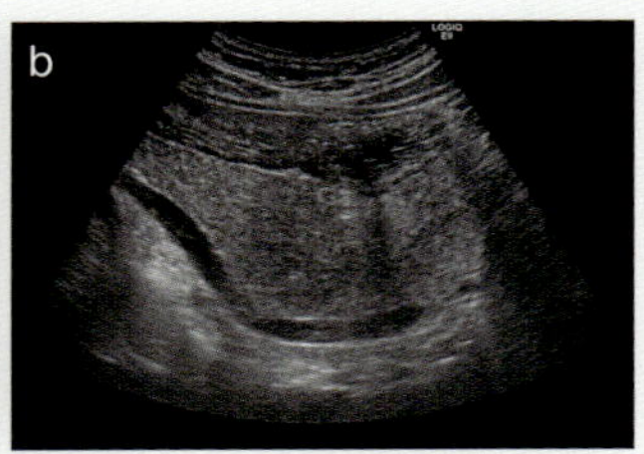

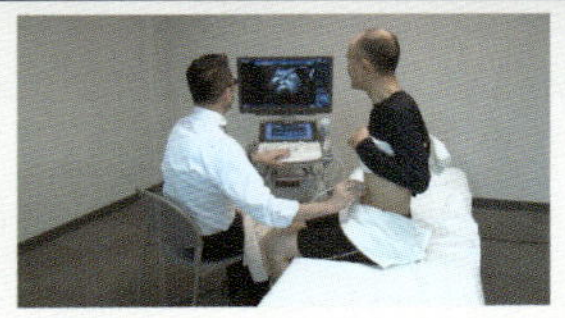

左肋間走査では膵尾部の描出が不良だが（a）、座位の心窩部走査により膵尾部が描出良好となる（b）。

図24 座位での観察

●右側臥位の左肋骨弓下横走査を試みる（図25）。

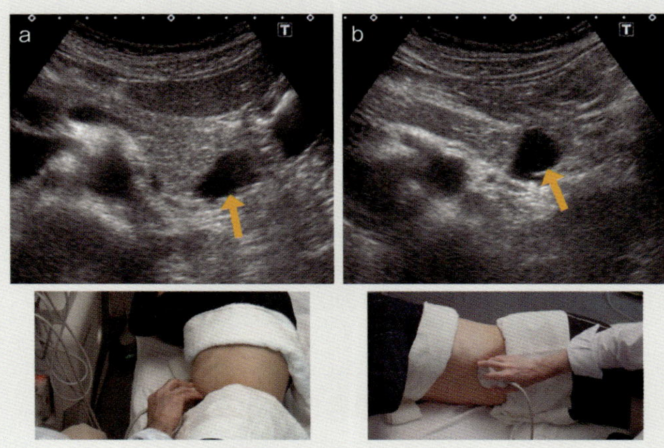

図25 右側臥位での観察

仰臥位の心窩部横走査でも膵尾部の嚢胞（矢印）の描出が可能だが（a）、右側臥位にすると尾部が腹側に近づくため、詳細な観察が可能となる（b）。

●可能であれば、飲水法の併用を試みる（図26）。

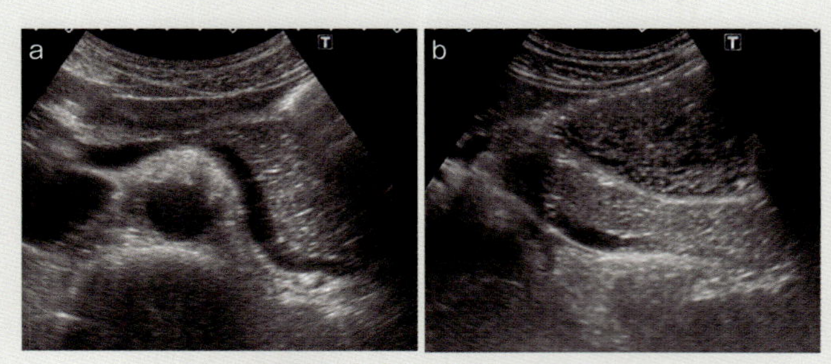

図26 飲水法を併用した観察

飲水前は膵尾部の描出が不良だが（a）、飲水後は脾臓近傍まで膵尾部が明瞭に描出できている（b）。

5 形態異常、限局性腫大

膵臓の大きさはどう測るの？

- 横断走査による正常膵の短径は、頭部 11〜30mm（平均 17mm）、体尾部 7〜28mm（17mm）とされているため（図27）、部位にかかわらず最大短径 30mm 以上を腫大とする。カテゴリー2 だが超音波所見：膵臓腫大、判定区分 D2（要精検）となる。

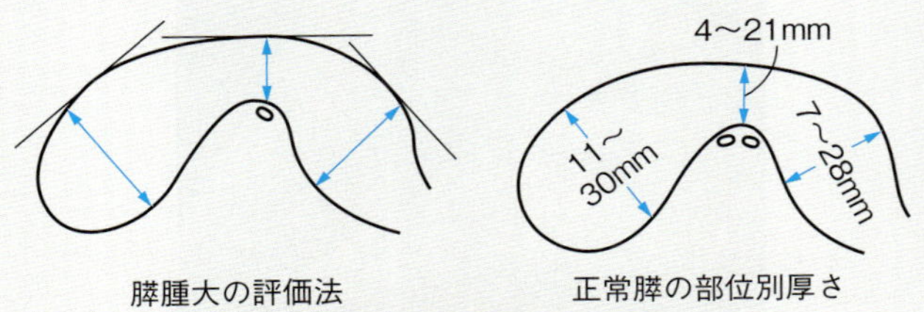

図27 膵臓の測り方（文献 3 より作成）

- 膵腫大をきたす病態には、膵がんなどの腫瘍性病変や膵臓炎（自己免疫性膵炎・急性膵炎など）（図28）などの疾患がある。
- 膵実質は加齢とともに萎縮傾向を示すようになるが、最大短径 10mm 以下を萎縮とする。カテゴリー2 だが、超音波所見：膵臓萎縮、判定区分 D2（要精検）となる。

- 膵の輪郭が平滑で厚みが限局的に増加している場合には、限局性腫大と判定しカテゴリー2とするが、エコーレベルの低下、エコーパターンの不整、主膵管などの内部構造の不明瞭化のいずれかを伴う場合には、カテゴリー4、超音波所見：膵腫瘍疑い、判定区分D2（要精検）とする。

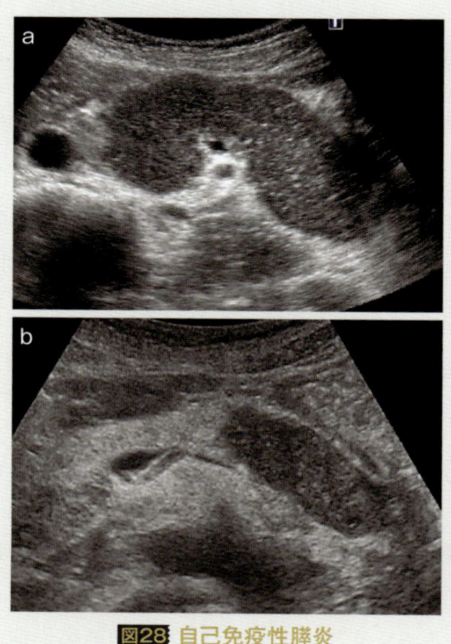

図28 自己免疫性膵炎

a 膵全体の腫大（カテゴリー2）と、b エコーレベルの低下を伴う限局性腫大（カテゴリー4）。

6 主膵管拡張

主膵管径はどう測るの？

- まず、心窩部横走査で膵体部主膵管を描出する（図29）。

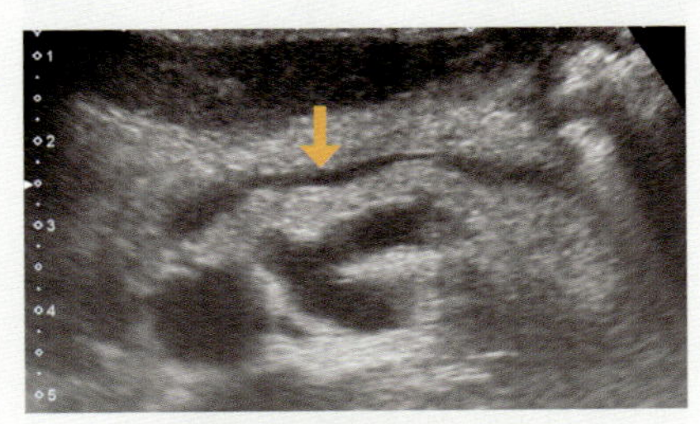

図29 膵体部主膵管の描出

- 画像を拡大して主膵管の前壁エコーの立ち上がりから後壁エコーの立ち上がりまでを計測し、3mm以上を拡張ありとする（図30）（小数点以下は四捨五入して記載）。

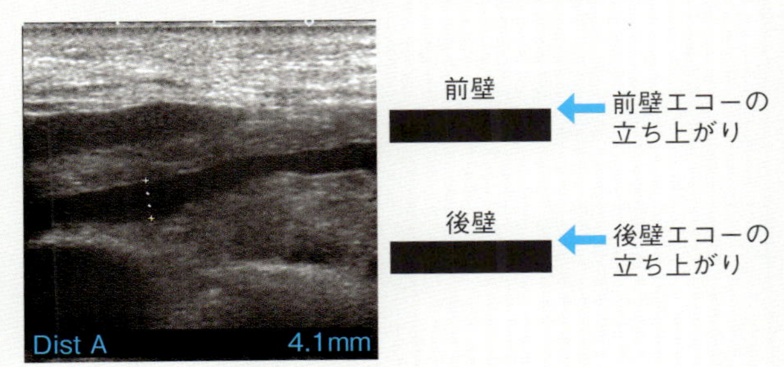

図30 画像を拡大して計測

● 主膵管拡張例では、拡張した膵管内に結節がないか、下流側（十二指腸側）に狭窄がないことを確認することがとても重要である（図31）。

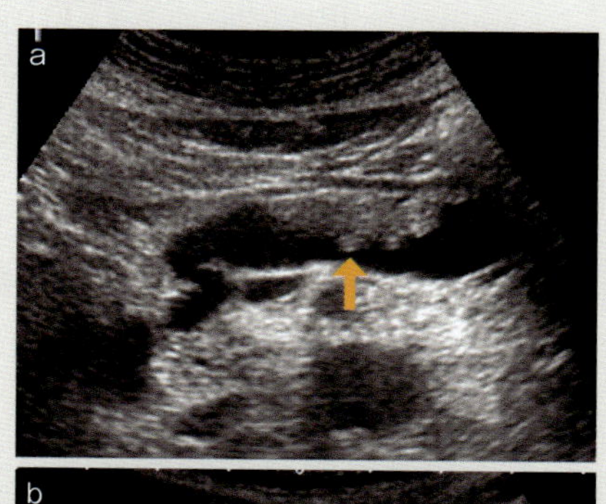

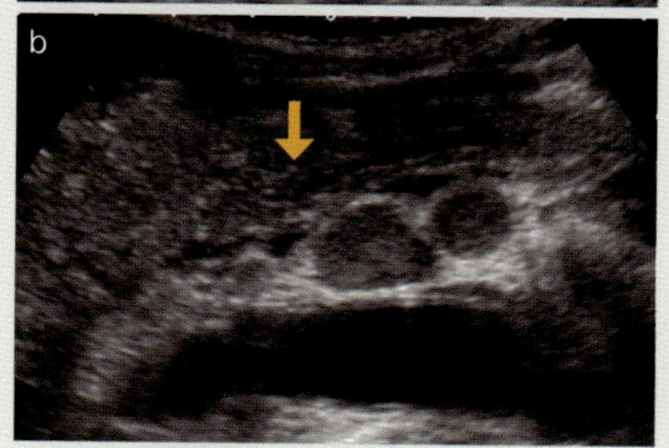

図31 主膵管拡張例の観察

a 拡張した主膵管内に結節隆起（矢印）を認める（IPMN）。
b 下流側に狭窄（矢印）を認める（膵管がん）。

主膵管径が変化したときは？

- 主膵管径は生理的に経時的変化をするため、時間の経過や体位変換により主膵管径が変化することがあり（図32）、一時的に拡張を認めた例を主膵管拡張例とするか判断に悩むことがある。

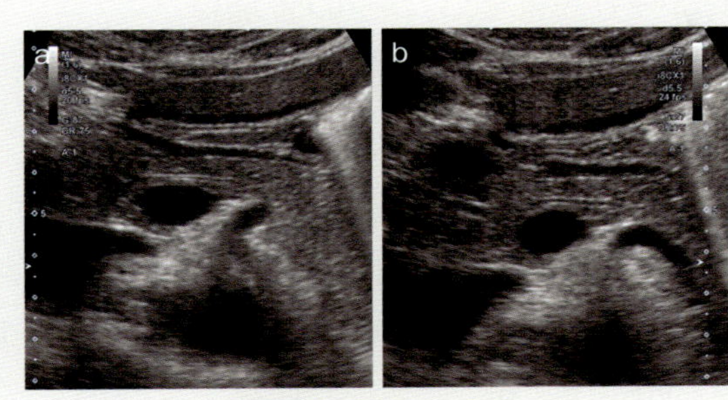

図32 主膵管径の変化

同一検査中に、体位変換（a　仰臥位→b　座位）により主膵管径が変化している。

- 主膵管拡張を認めた場合には、前日の食事内容（高脂肪食）やアルコール摂取などの状況を確認する。
- 主膵管径が変化した場合には、最大膵管径を記載し、どのような状況でどのように変化したのかを記載する。
- 恒常的に主膵管が拡張している例ほどではないが、経時変化を認める主膵管拡張群でも経過観察中に膵嚢胞や IPMN などの出現を認めたとする報告があるため、経過観察が望ましい。

7 充実性病変

高エコーで一部低エコーの腫瘤は？

- 膵臓の充実性病変は、背景膵のエコー輝度と比較して、高エコー腫瘤像と低（等）エコー腫瘤像に分類する。
- 高エコー腫瘤像は、最大径＜15mmであればカテゴリー2、超音波所見：膵腫瘤、判定区分C（要再検査）とするが、15mm≦ではカテゴリー3、超音波所見：膵腫瘤、判定区分D2（要精検）とする。

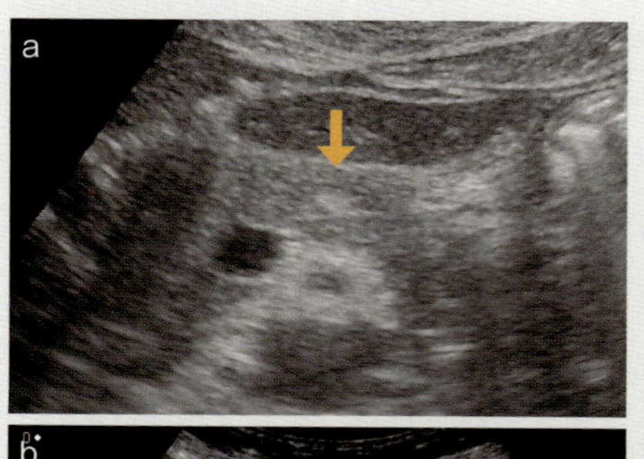

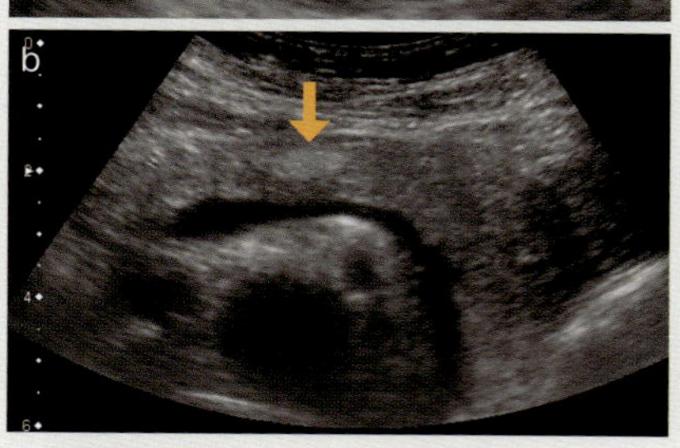

図33 慢性膵炎に伴う線維化（a）と脂肪腫（b）

- 高エコーを呈する充実性腫瘤には、慢性膵炎の線維化、音響陰影（acoustic shadow：AS）を伴わない結石像、脂肪腫などが含まれるが（図33）、15mm ≦では漿液性腫瘍や充実性偽乳頭状腫瘍などの可能性がある。
- 膵管がんのほとんどが低エコー腫瘤像を呈するため、低エコー腫瘤像は、カテゴリー4、超音波所見：膵腫瘍疑い、判定区分 D2（要精検）とする。
- 均一な高エコー腫瘤像以外の低・高の混在している充実性腫瘤像は、低（等）エコー腫瘤像と同様にカテゴリー4、超音波所見：膵腫瘍疑い、判定区分 D2（要精検）とする必要がある（図34）。

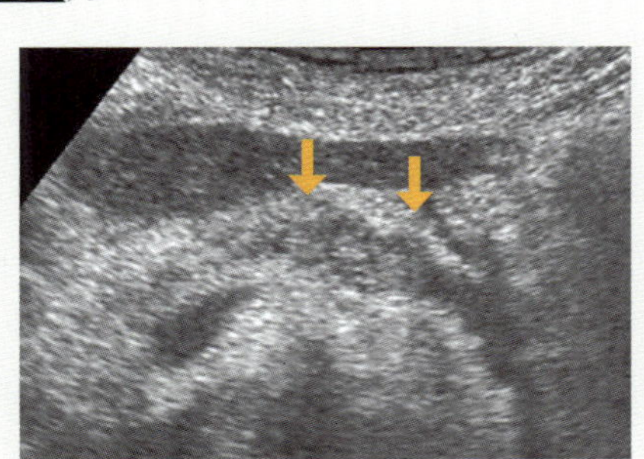

図34 高・低混在エコー様にみえる主膵管型膵管内乳頭粘液性腫瘍（IPMN）

8 嚢胞性病変

どうして5mm以上の嚢胞は精査なの？

- 職場検診での膵の有所見率は約1%、膵臓がん発見率は0.01%以下と低いのが現状である。
- 膵臓がんになりやすいリスクファクターには、膵臓がんの家族歴、糖尿病や慢性膵炎といった疾患、喫煙や大量飲酒といった嗜好などがある。
- 超音波所見においては、膵管拡張（2.5mm ≦）や膵嚢胞（5mm ≦）を伴う1,000例以上の患者の経過観察により、膵臓がんが高頻度に見つかっている。そのため、このような所見がみられた場合には精査を勧めるべきとされている。
- 嚢胞性病変のなかでも膵管内乳頭粘液性腫瘍（intraductal papillary mucinous neoplasm : IPMN）は、IPMNと離れた部位に年間1.1%の膵臓がん発生を認めるとされているため特に注意が必要である（図35）。
- 注意すべき点は、精検の時点で膵臓がんを認めない場合でも、定期的に画像検査を行うことにより膵臓がんの早期検出が可能となる点である。

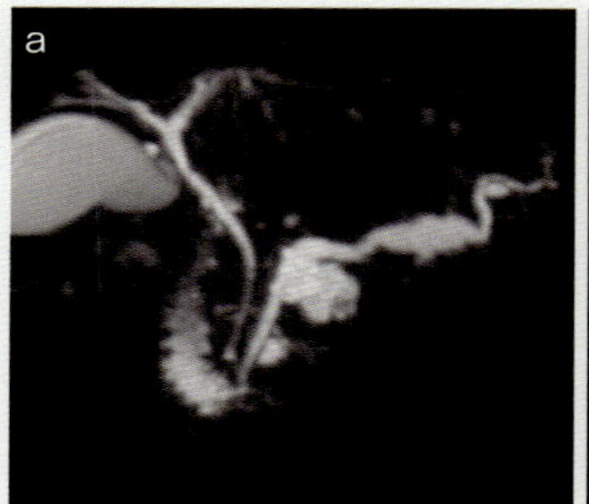

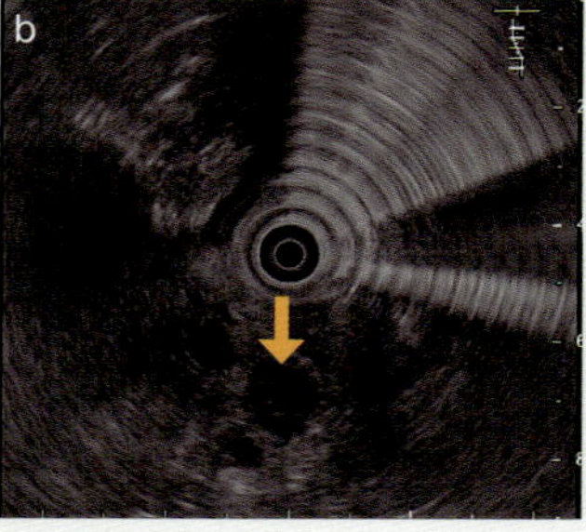

図35 膵管がんの検出

IPMNに対して、6ヵ月ごとにMRI（a）と超音波内視鏡（endoscopic ultrasound：EUS）（b）で経過観察中に、膵頭部に14mmの膵管がん（矢印）が検出できた例。

嚢胞壁の肥厚は何mmなの？

- 悪性の嚢胞性病変を疑う所見である充実部分には、嚢胞内結節、壁肥厚、隔壁肥厚が含まれる。
- 嚢胞内結節はいわゆるポリープであり、嚢胞内に隆起性病変を認める病変は悪性を疑う（図36）。

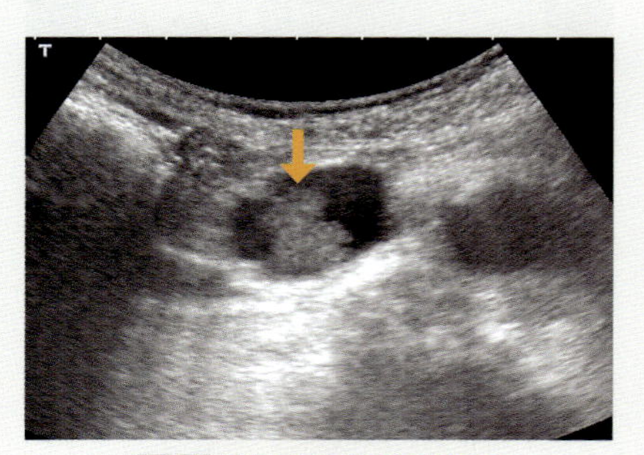

図36 嚢胞内の結節状隆起

嚢胞内に結節状隆起（矢印）を認め、カテゴリー4（悪性疑い）と診断できる。

- 一方、嚢胞の被膜あるいは隔壁の一部が肥厚している状態とは、被膜あるいは隔壁の表層に進展している腫瘍、あるいは充実性病変の嚢胞変性による不整な壁の肥厚を示している。
- 通常の嚢胞壁や隔壁は薄く、厚さもほぼ均一だが、腫瘍進展を伴う隔壁肥厚や充実性腫瘍の嚢胞変性では厚さが不均一であり、内腔面が不整となっている（図37）。
- したがって、何 mm 以上が肥厚とは言えず、隔壁や被膜の厚さが不均一なものを肥厚ありとする。

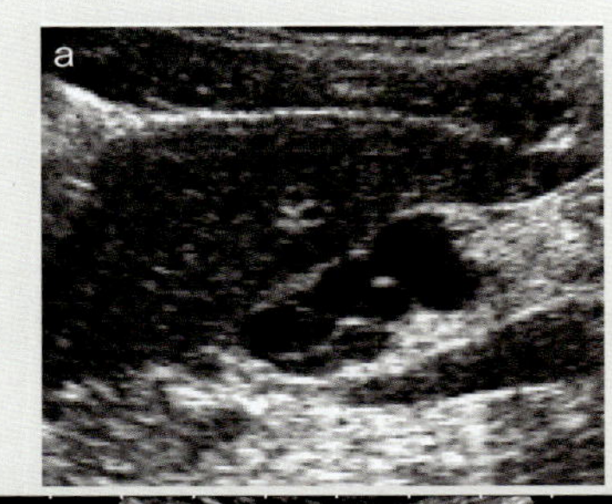

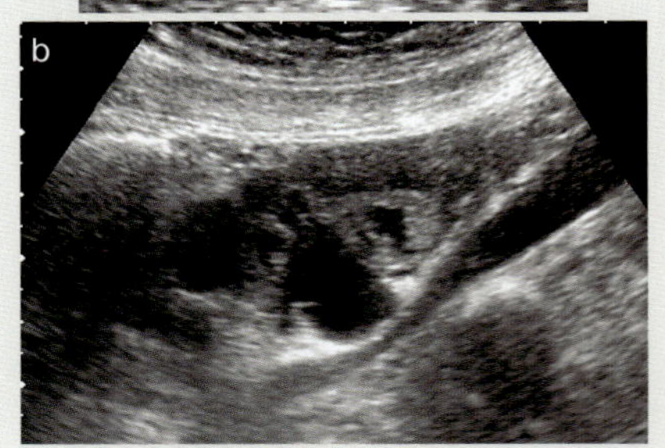

図37 嚢胞性腫瘤

a　隔壁肥厚を伴わない多房性の嚢胞性腫瘤
b　隔壁肥厚を伴う嚢胞性腫瘤

隔壁が複数あっても肥厚がなければカテゴリー3？

- 膵臓の代表的な囊胞性腫瘍には、粘液性囊胞腫瘍（mucinous cystic neoplasm：MCN）、膵管内乳頭粘液性腫瘍（intraductal papillary mucinous neoplasm：IPMN）、漿液性囊胞腫瘍（serous cystic neoplasm：SCN）がある（図38）。
- 悪性度については、MCN は悪性化する可能性が高いため手術治療が勧められている。IPMN は MCN ほどではないが悪

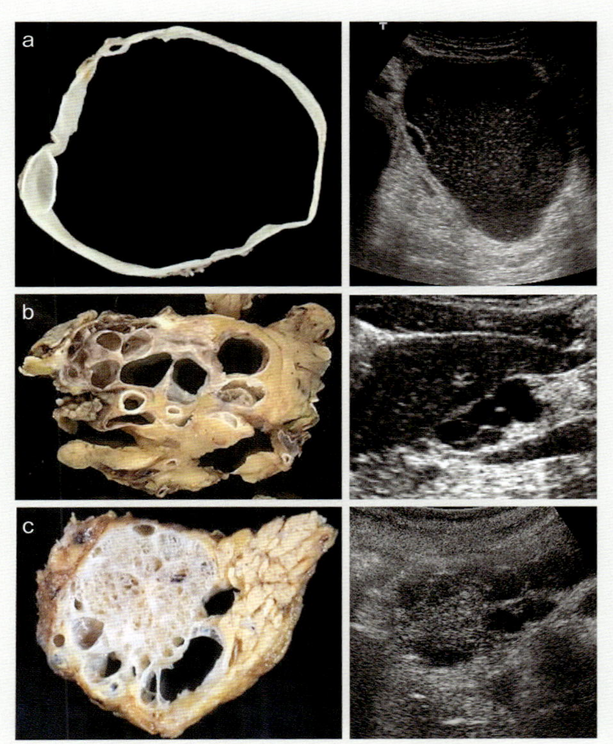

図38 MCN（a）、IPMN（b）、SCN（c）

8 囊胞性病変

性化し得る病変である。SCNの悪性化は非常に稀であり、基本的に経過観察とする。

- 超音波像では、IPMNやSCNがより多房性に描出されやすいため、隔壁が多いことと悪性度には関連性は認められない。
- そのため、嚢胞性病変では嚢胞腔内の結節や、嚢胞壁や隔壁の不均一な肥厚といった充実部分の有無がなければカテゴリー4（悪性疑い）とはしない。この考え方は、肝臓・腎臓・卵巣といった充実性臓器にできた嚢胞にも応用可能である。

嚢胞性病変か充実性病変か悩んだら？

- 充実性病変では腫瘍内部の出血・壊死などにより嚢胞成分が形成されることがあり、嚢胞性腫瘍と区別がつきにくいことがある（図39）。

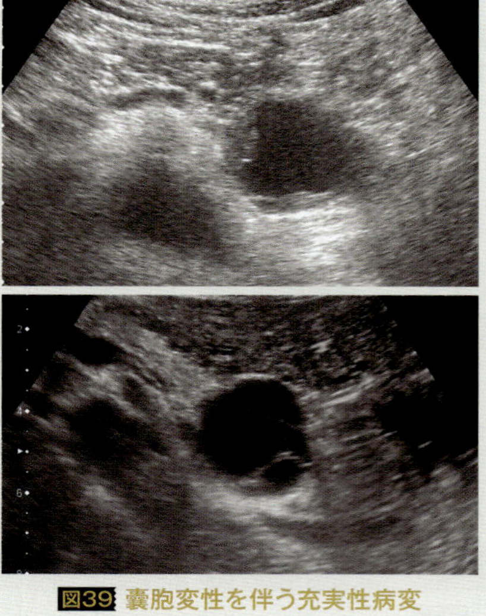

図39 嚢胞変性を伴う充実性病変

いずれも神経内分泌腫瘍。

- 充実部分と嚢胞部分が混合している病変では、占める割合が多いほうを主となる病変として、充実性ないし嚢胞性病変に含める。
- 嚢胞変性を伴う充実性病変、あるいは被膜や隔壁の肥厚を伴う嚢胞性病変のいずれにしても、マニュアル[2)]ではカテゴリー4、超音波所見：膵嚢胞性腫瘍疑い、判定区分D2（要精検）となる（表）。

表 充実性病変嚢胞変性か嚢胞性病変か？

充実性病変	
高エコー腫瘤像	2/3
低（等）エコー腫瘤像	4
主膵管・肝外胆管・膵周囲脈管の途絶	5
嚢胞性病変	**2**
径 5mm ≦	3
充実部分（嚢胞内結節・壁肥厚・隔壁肥厚）	4
※どちらに判定してもカテゴリー4（悪性疑い）	

- ただし、充実性腫瘍の嚢胞変性のほうが充実部分を伴う嚢胞性腫瘍よりも進行が早く、悪性度が高い腫瘍が多いので、悩んだら充実性病変として報告することを勧める。

引用・参考文献

1）日本膵臓学会．膵癌取扱い規約 第7版．東京，金原出版，2016，121p.

2）日本消化器がん検診学会 超音波検診委員会．腹部超音波検診判定マニュアルの改訂に関するワーキンググループ．腹部超音波検診判定マニュアル改訂版（2021年）．日本消化器がん検診学会雑誌．60（1），2022，123-81.

3）Weill, FS. Ultrasonography of Digestive Diseases. St Louis, Mosby, 1982, 551p.

Chapter

5

腎臓

カテゴリーおよび判定区分「腎臓」

超音波画像所見	カテゴリー	超音波所見（結果通知表記載）	判定区分
切除後	0	腎臓切除後	B
部分切除後・腎移植後注1)	2	腎臓部分切除後・腎臓移植後	B
描出不能	0	腎臓描出不能	D2
形態異常			
最大径が両側とも　12cm ≦	3	腎臓腫大	D2
最大径が両側とも　＜ 8cm	2	腎臓萎縮	D2
左右の大小不同・先天的な変形など注2)	2	腎臓の変形	B
輪郭の凹凸あるいは中心部エコーの解離および変形を認める注3)	3	腎腫瘤	D2
充実性病変注4)			
充実性病変を認める	3	腎腫瘤	D2
境界明瞭・輪郭平滑な円形病変	4	腎腫瘍疑い	D2
内部無エコー域・辺縁低エコー帯・側方陰影のいずれかを認める	4	腎腫瘍疑い	D2
中心部エコーの解離および変形を認める	4	腎腫瘍疑い	D2
境界明瞭・輪郭平滑な円形病変で内部無エコー域を認める	5	腎腫瘍	D1
内部無エコー域を認め、辺縁低エコー帯・側方陰影のいずれかを認める	5	腎腫瘍	D1
中心部エコーと同等以上の高輝度で輪郭不整あるいは尾引き像を認める　最大径　＜ 40mm注5) 注6)	2	腎血管筋脂肪腫	C
最大径　40mm ≦	2	腎血管筋脂肪腫	D2
嚢胞性病変			
嚢胞性病変を認める注7)	2	腎嚢胞	B
5個以上の嚢胞を両側性に認める注8)	2	多発性嚢胞腎	D2
複数の薄い隔壁あるいは粗大石灰化像を認める	3	腎嚢胞性腫瘤	C
充実部分（嚢胞内結節・壁肥厚・隔壁肥厚）および内容液の変化（内部の点状エコーなど）を認める注9)	4	腎嚢胞性腫瘍疑い	D2
その他の所見			
石灰化像			
腎実質内注10)	2	腎石灰化	B
腎盂腎杯内　最大径　＜ 10mm	2	腎結石	C

腎盂腎杯内　最大径　10mm ≦	2	腎結石	D2
腎盂拡張（閉塞原因不詳）	3	腎盂拡張・水腎症	D2
軽度腎盂拡張（腎杯拡張を認めない）	2	腎盂拡張	B
拡張部あるいは閉塞部に石灰化像	2	腎盂結石または尿管結石[注11)]	D2
閉塞部に充実性病変	4	腎盂腫瘍または尿管腫瘍[注11)]	D2
血管異常[注12)]	2	腎血管異常	D2
異常所見なし	1	腎臓異常所見なし	A

注1）部分切除の場合には、切除部位が分かれば記載し、残存部分で超音波画像所見を評価する。

注2）先天的な変形（重複腎盂や馬蹄腎など）は、カテゴリー2、判定区分Bとして変形部分以外はほかと同じ評価法とする。

注3）腎実質と同等のエコーレベル、スペックルパターンを呈する腎輪郭の凹凸・変形や中心への限局性膨隆は変形とし、カテゴリー2、判定区分Bとする。カラードプラ法で正常腎実質と同様の血管構築を確認することが望ましい。

注4）10mm未満の充実性病変は判定区分Cとしてもよい（腎がんとの鑑別困難な症例も含まれるが、腫瘍径が小さな症例は腫瘍発育速度が遅いため）。

注5）尾引き像とは、多重反射のため病変の後面エコーは不明瞭となり、深部ではエコーの減衰を認めるコメット様エコーを拡大したような超音波像。

注6）40mm未満の腎血管筋脂肪腫でも増大傾向や症状を認めた場合は破裂の危険があるため判定区分D2としてもよい。

注7）2つ以下の薄い隔壁、微小石灰化を認める嚢胞はカテゴリー2、判定区分Bとする。

注8）いずれかの腎の長径が片方でも9cm以下の場合は、多発性嚢胞腎よりも単純嚢胞の可能性が高く、カテゴリー2、判定区分Cとしてもよい。

注9）内容液の変化（嚢胞内出血・感染など）も、腫瘍性の可能性が否定できないため要精査の対象とする。また、腫瘍性増殖を示す細胞で覆われた嚢胞の総称となる腫瘍性嚢胞もこの範疇に含める。

注10）腎実質内か腎盂腎杯内か判断できない場合は、腎石灰化または腎結石とし、10mm未満は判定区分C、10mm以上は判定区分D2とする。

注11）閉塞部位が分かれば記載する。

注12）血管異常は動脈瘤、動脈－静脈シャント（動静脈奇形を含む）、静脈塞栓（血栓）などが含まれる。但し、腫瘤性病変に関連する血管異常は腫瘤性病変の評価に準ずる。

（日本消化器がん検診学会　超音波検診委員会　腹部超音波検診判定マニュアルの改訂に関するワーキンググループ．日本超音波医学会　用語・診断委員会　腹部超音波検診判定マニュアルの改訂に関する小委員会．日本人間ドック学会　健診判定・指導マニュアル作成委員会　腹部超音波ワーキンググループ．腹部超音波検診判定マニュアル改訂版（2021年）．日本消化器がん検診学会雑誌．60巻1号，164-5，表2-5，2022．転載）

1　腎臓の正常解剖

- 腎臓は長径約10cm、短径4〜5cm大のそら豆状の臓器で、大腰筋の外側縁に沿って左右対称に存在する後腹膜臓器である。左のほうがやや頭側に位置する。
- 『腎癌取扱い規約』[1]では頭側から上極・中央・下極に3等分され、前面（腹面）・後面（背面）、内側・外側に区分される（図1）。

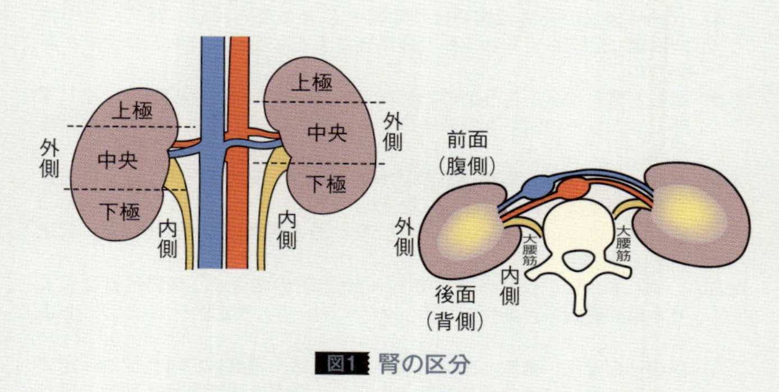

図1 腎の区分

- 右腎上極は肝右葉後区域、左腎上極は胃・膵臓・脾臓と近接する。
- 右腎中央から下極腹側には十二指腸・上行結腸から肝湾曲部、左腎中央から下極腹側には小腸（空腸）・結腸脾湾曲部から下行結腸が存在する（図2）。

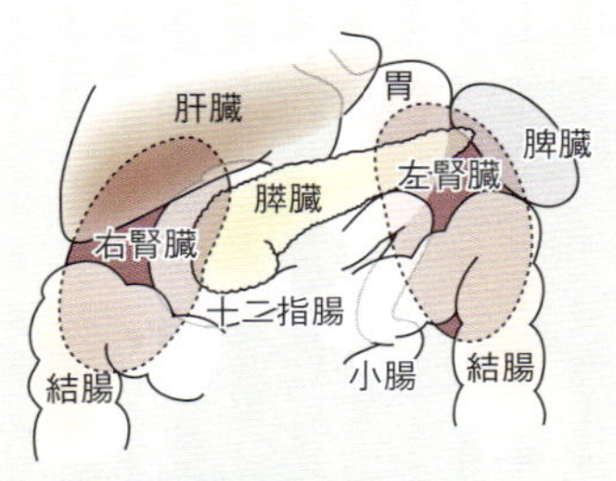

図2 腎の腹側に存在する臓器

- 両腎内側には大腰筋、後面から外側には腰方形筋〜腹壁の筋肉が存在する。

CT 像による腎と周囲臓器の位置関係（図3）

a 腎と周囲臓器の位置関係

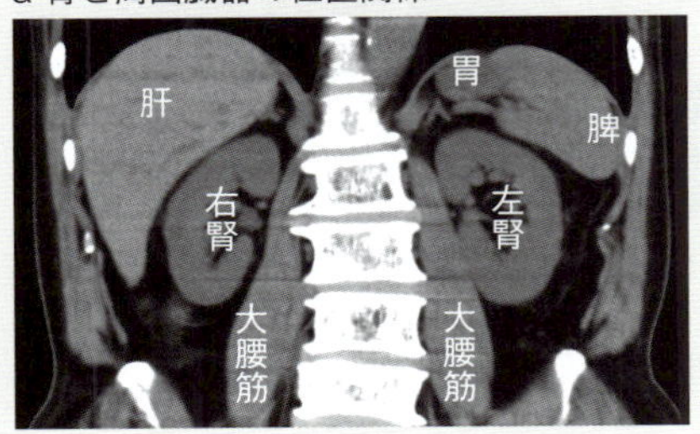

b 腎上極レベルの横断像

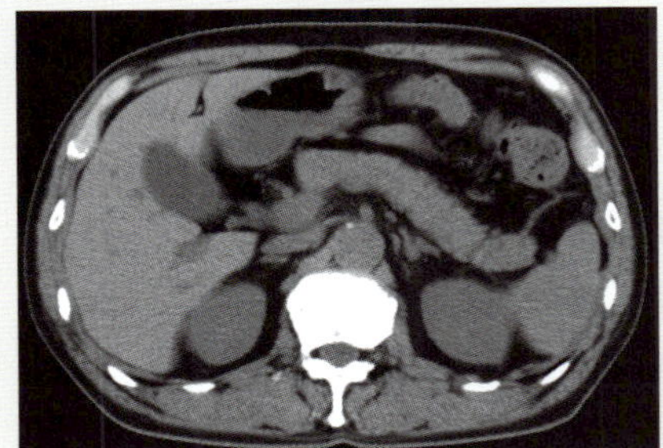

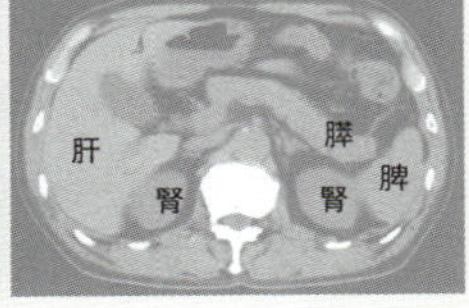

図3 正常の CT 像

c 腎中央レベルの横断像

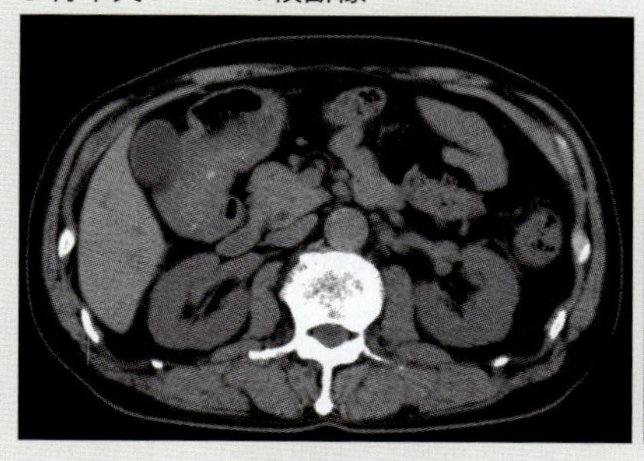

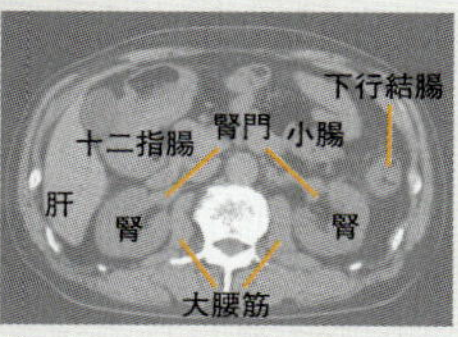

d 腎下極レベルの横断像

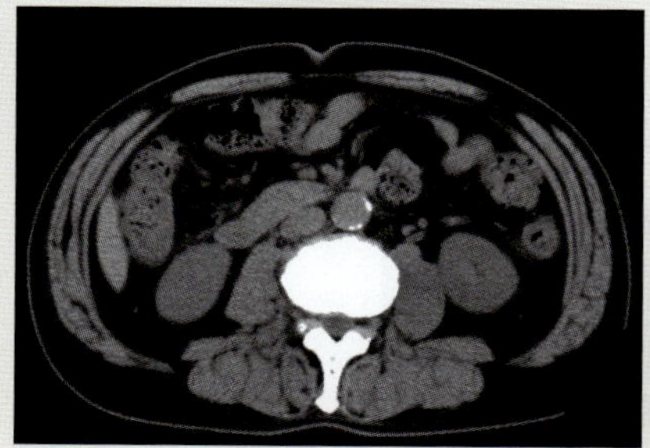

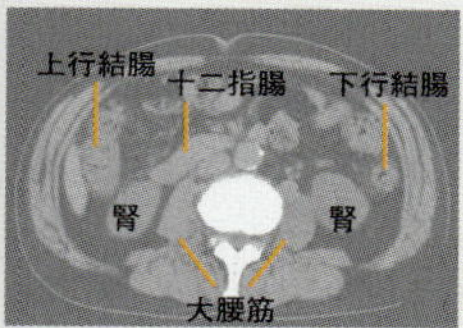

図3 CT 像による正常の記録画像（つづき）

- 腎は腎実質と腎洞からなり、中央内側に腎門がある（図4-a、b）。
- 腎実質は肝臓とほぼ等エコーの皮質とやや低エコーを示す髄質からなる（図4-a）。
- 腎洞には腎動静脈と腎盂腎杯が脂肪組織に囲まれて存在し、高エコーを示す。中心部エコー（central echo complex：CEC）と呼ばれる（図4-a、b）。
- 腎門では前面から腎静脈・腎動脈・尿管が出入りする。
- 腎髄質では集合管が集まって錐体を形成し、先端は腎杯に突出する。この部分は腎乳頭と呼ばれる（図4-c）。

●通常、腎盂腎杯は拡張していないと同定できない。

a 腎実質のエコー画像

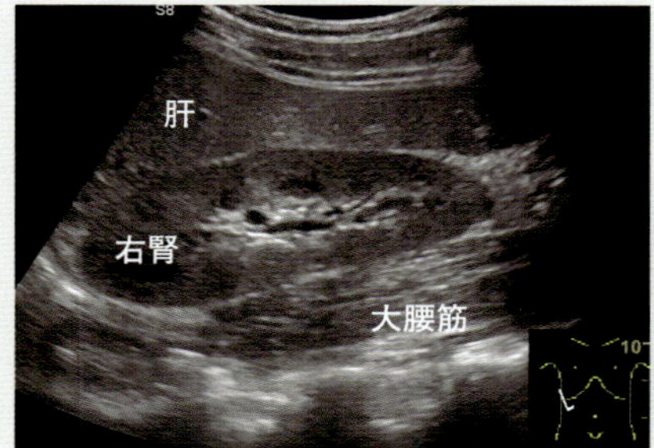

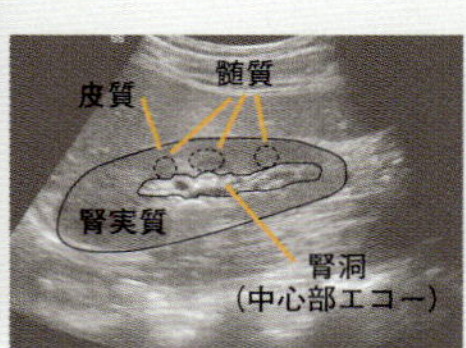

b 中心部エコー

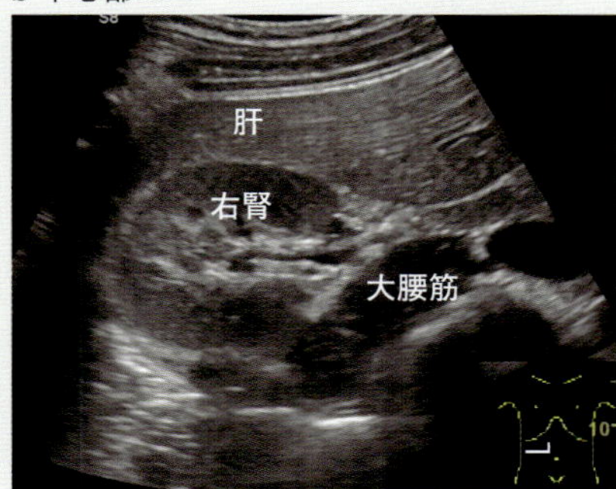

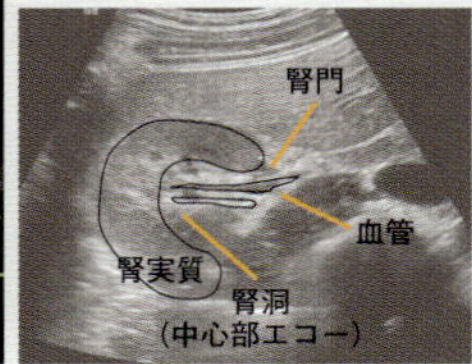

c 腎乳頭

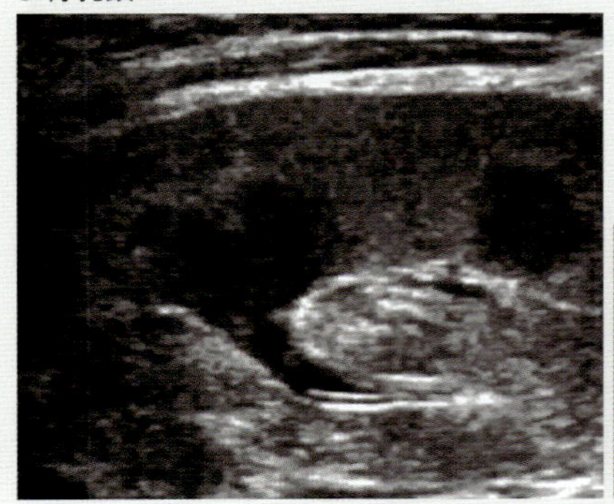

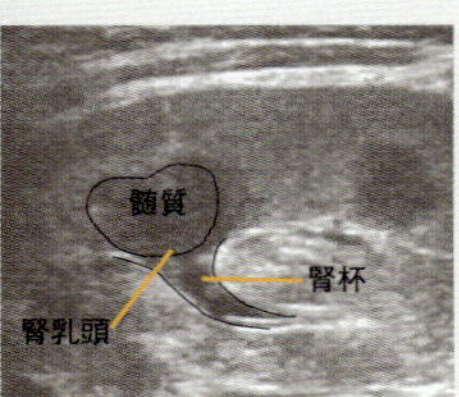

図4 正常のエコー像

2　腎臓の基本走査

側腹部肋間走査

● 腎臓は椎体の両横で、腹部大動脈よりも背側に存在する。腎門部は内側やや腹側に位置するため、腎の最大面を描出するためには、側腹部やや背側からの肋間走査で、tilting により腎臓全体をしっかり観察する（図5）。

a 右側腹部やや背側からの観察 Web1

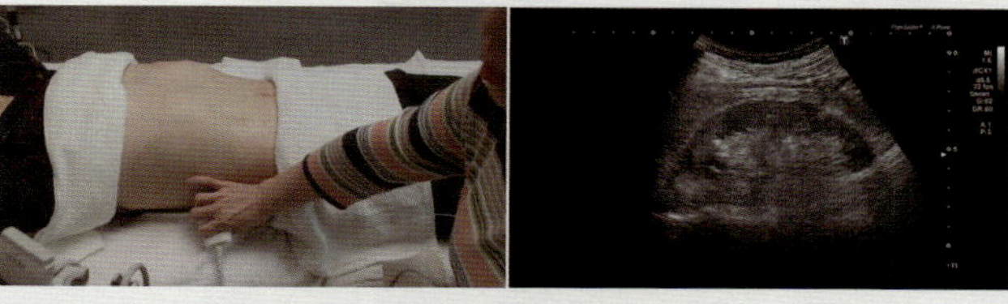

b 左側腹部やや背側からの観察 Web2

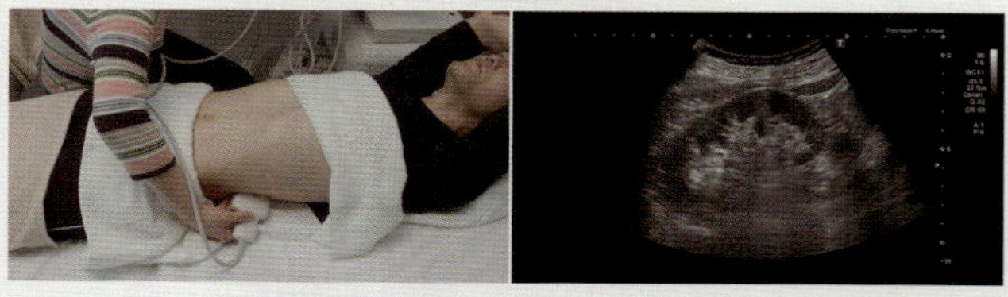

図5 側腹部肋間走査（記録画像）

側臥位肋間走査

●下極は、結腸ガスで観察困難なことが多いため、右腎は左半側臥位（図6-a）、左腎は右半側臥位（図6-b）で、より背側からアプローチすると観察が容易になる。

a 右腎の観察：左半側臥位 Web3

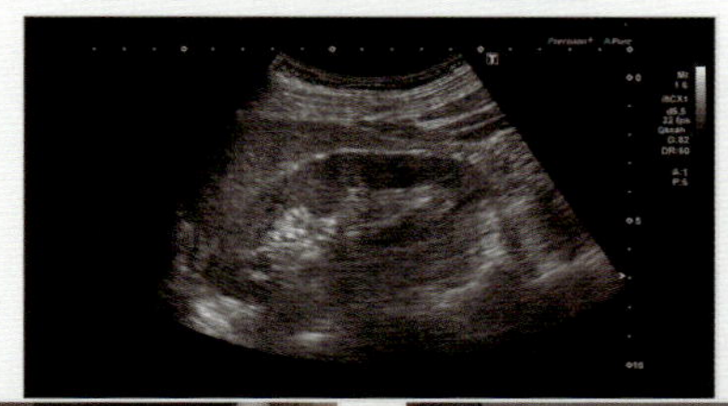

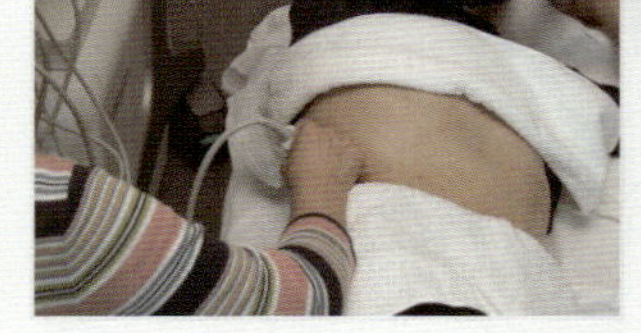

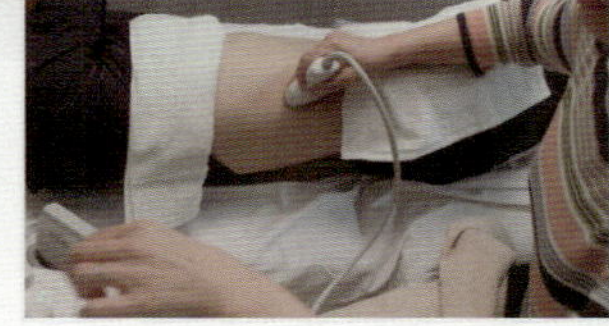

b 左腎の観察：右半側臥位 Web4

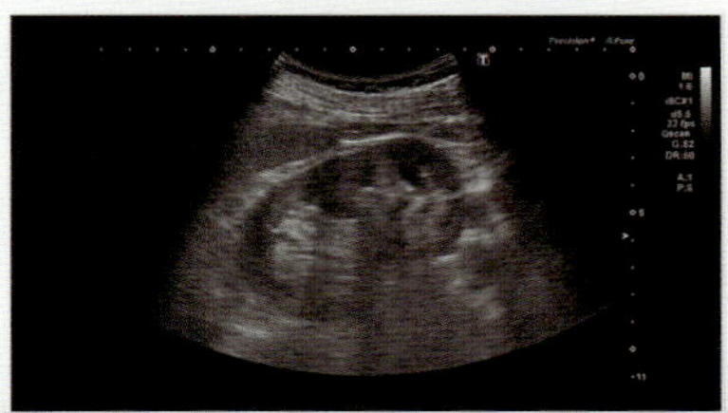

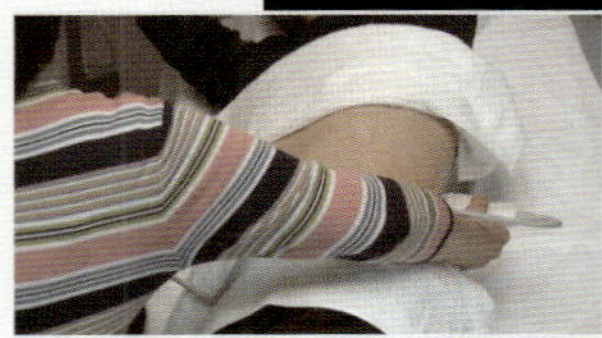

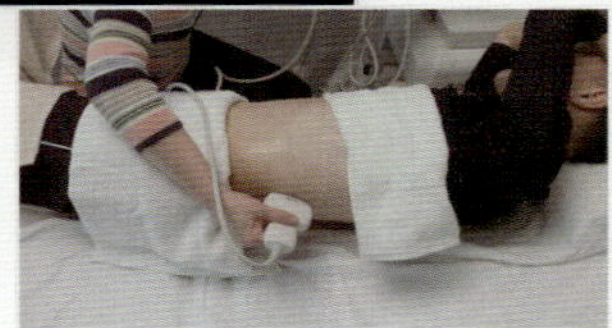

図6 側臥位肋間走査

背側からの走査

- 背側からアプローチすると、消化管ガスの影響を受けずに観察できるが、背筋の影響を受けるため筋肉が厚いと良好な画像が得られない場合もある。腎後面の観察に適している（図7）。

a 右腎の観察

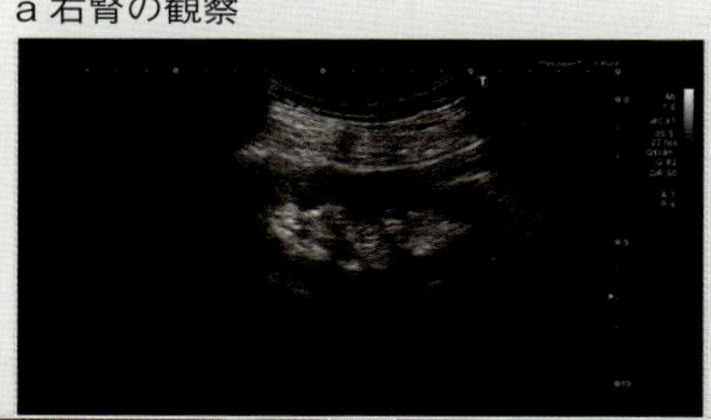

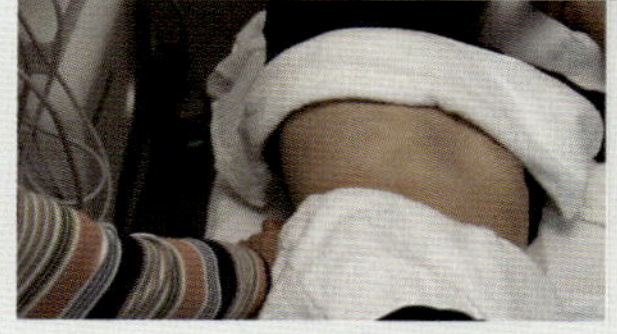

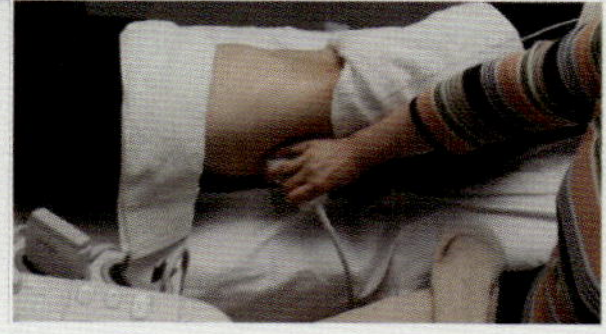

b 左腎の観察

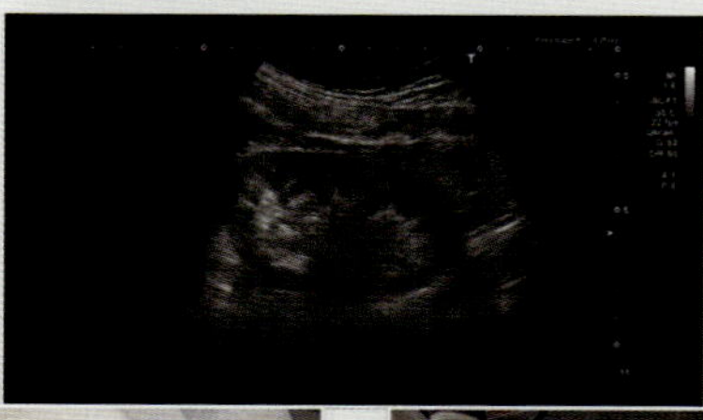

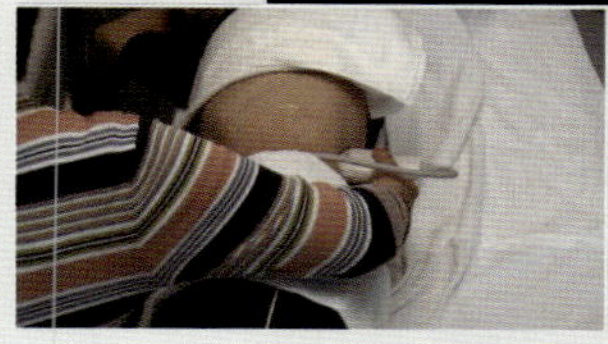

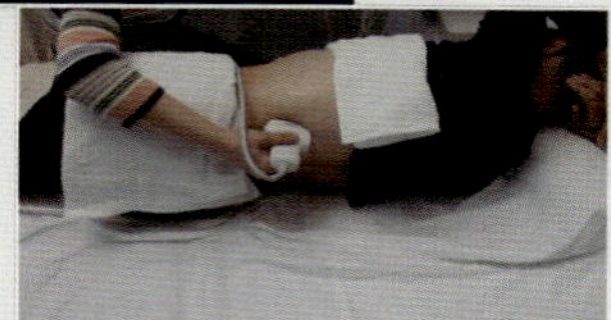

図7 背側からの走査

腹側からの走査

●肝右葉が大きく右腎を覆っている症例では、肝右葉後区域をエコーウィンドウとして腹側からの縦横走査で右腎全体を観察できる。特に腎前面や腎門部の観察に有用である（図8）。

●半座位で深吸気にすると、肝臓が腎下極まで下垂してより観察が容易になる。

a 右腎縦走査

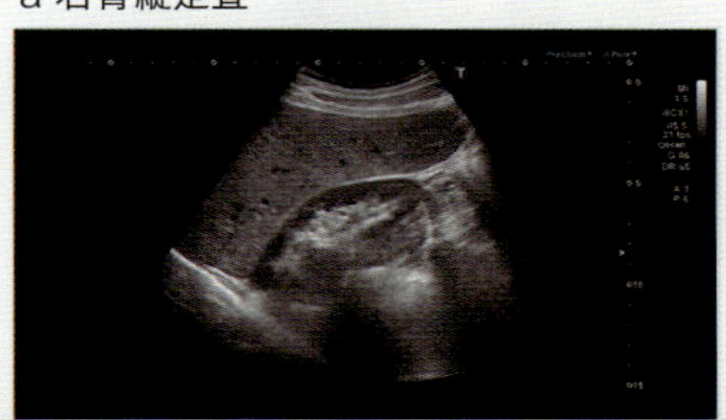

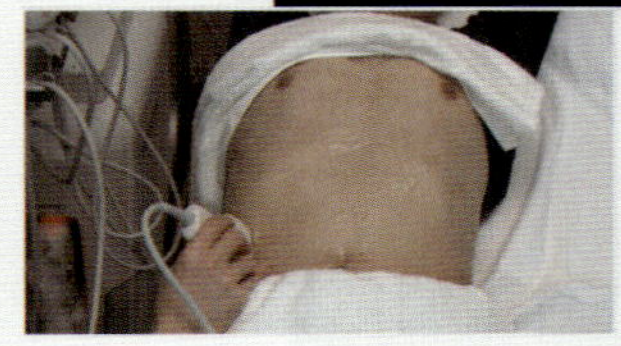

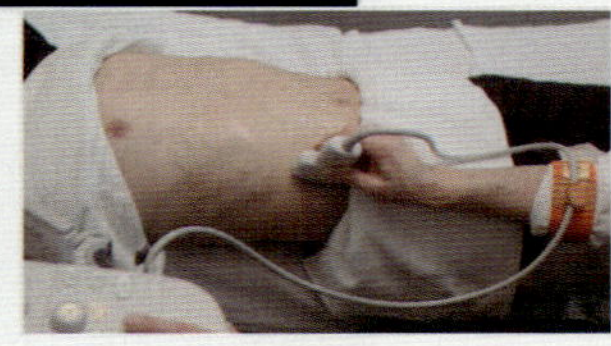

b 右腎横走査

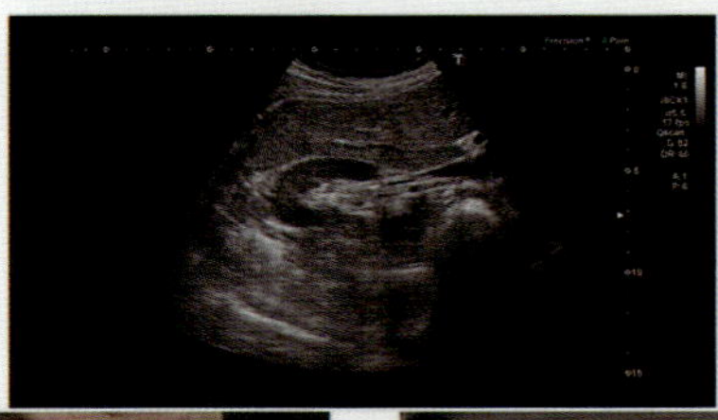

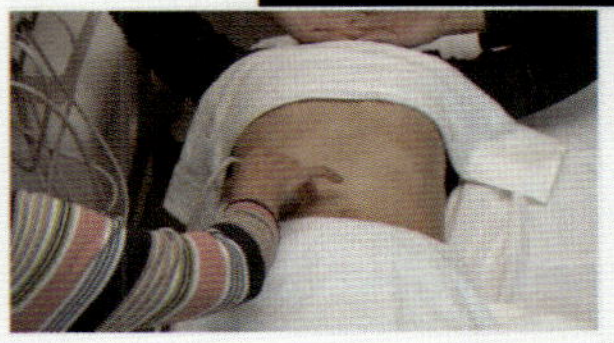

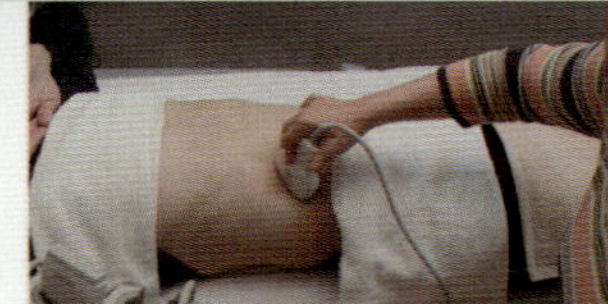

図8 腹側からの走査

左腹部横走査

- 左腎内側の観察は最も難しいが、上肢を下垂し半座位や膝を立てて腹壁の緊張を除き（腎動脈の観察と同じ体位）（図9-a）、腹側から強く圧迫することで左腎腹側〜内側や腎門部が観察しやすくなる（図9-b）。

a 膝を立てた体位

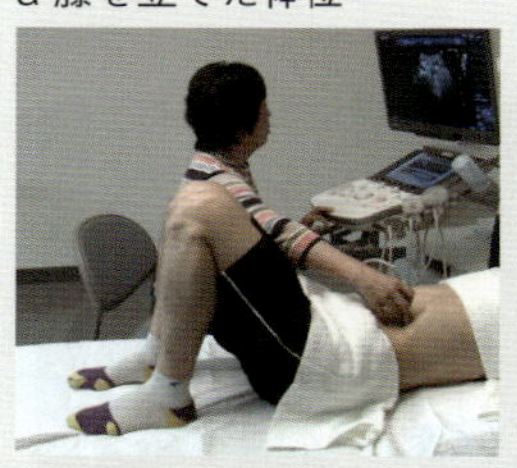

b 左腎内側の観察

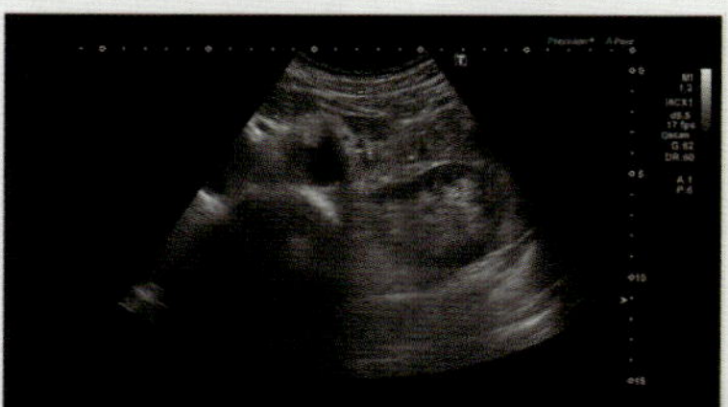

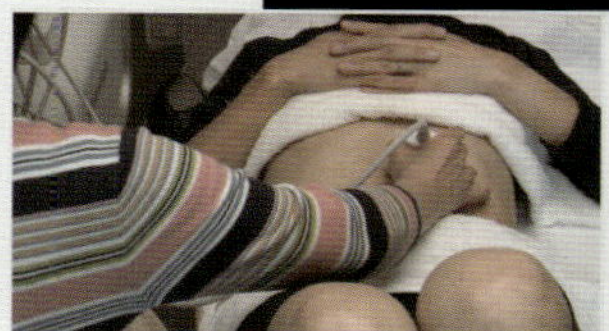

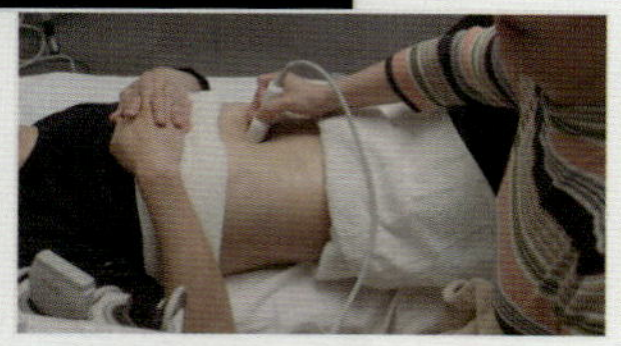

図9 腹部横走査

3 描出のコツとピットフォール

描出上の注意点

- 腎臓は、腫大がなければ全体を1断面で描出可能であるため、側腹部からのtiltingで全体を観察すれば十分と思いがちであるが、1ヵ所からのアプローチでは接線になる部分や中心部エコーより深部は十分観察できていないことが多い。以下の部位に注意して、できるだけ多くのアプローチで観察することが重要である。

①超音波ビームの接線になる部分（上極端、下極端）（図10、図11）。

②通常、側腹部からの扇状操作では、超音波ビームの接線になる部分（前面、後面）は病変を見落としやすい（図12、図13）。

③腹壁直下（外側）の病変は多重反射の影響を受ける。

④中心部エコーより深部（内側から後面）は病変が不明瞭になり、ピットフォールとなりやすい（図14）。

- 上極、下極が視野の中心になるようにプローブの位置を頭側、足側にずらして観察する。右腎上極は肝右葉後区域を、左腎上極は脾臓をエコーウィンドウとして観察する。

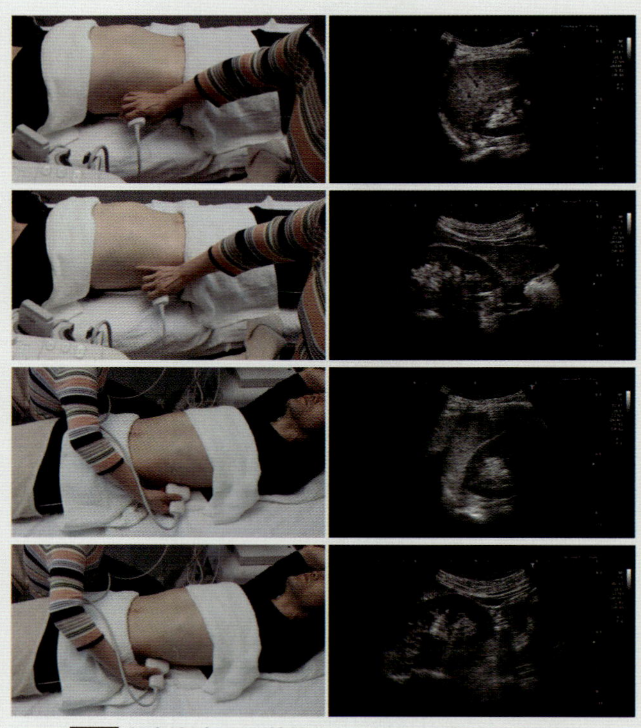

図10 超音波ビームの接線になる部分（上極端、下極端）

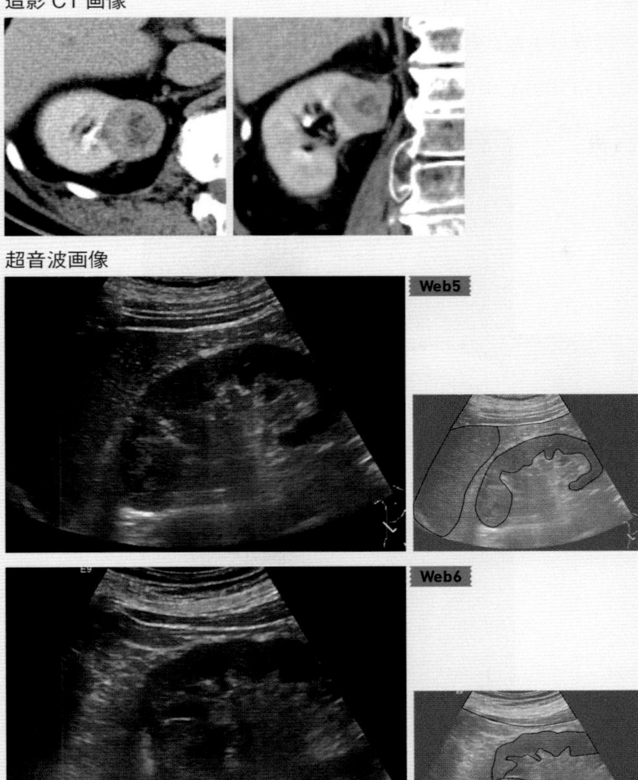

図11 右腎上極から内側に突出する 3cm の腎細胞がん

上極や下極内側の病変は通常走査で見落としやすい。上極を視野の中央に描出して観察すると明瞭に描出される。

● 通常側腹部からの tilting では、超音波ビームの接線になる部分（前面、後面）は病変を見落としやすい。一つの肋間からの tilting だけではなく、異なる肋間からも観察する。

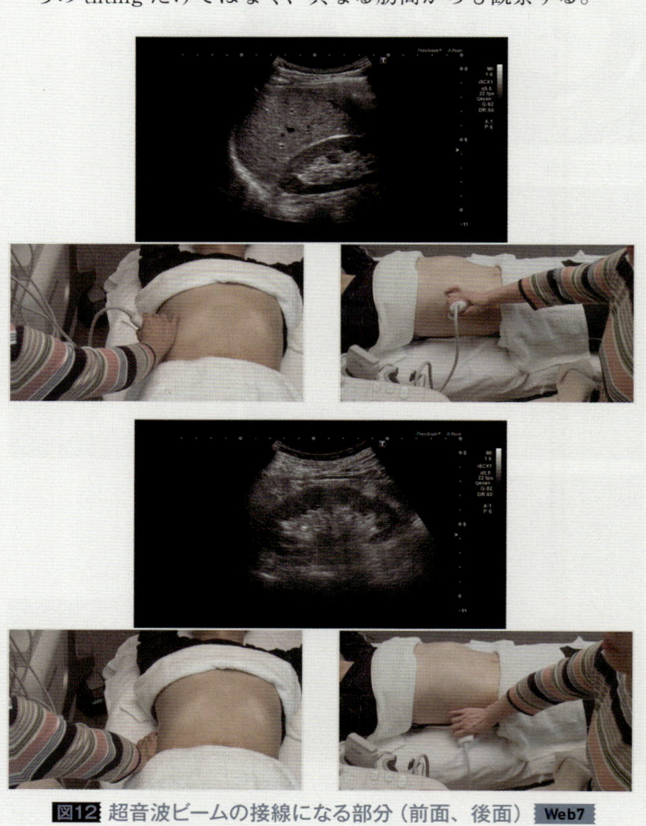

図12 超音波ビームの接線になる部分（前面、後面） Web7

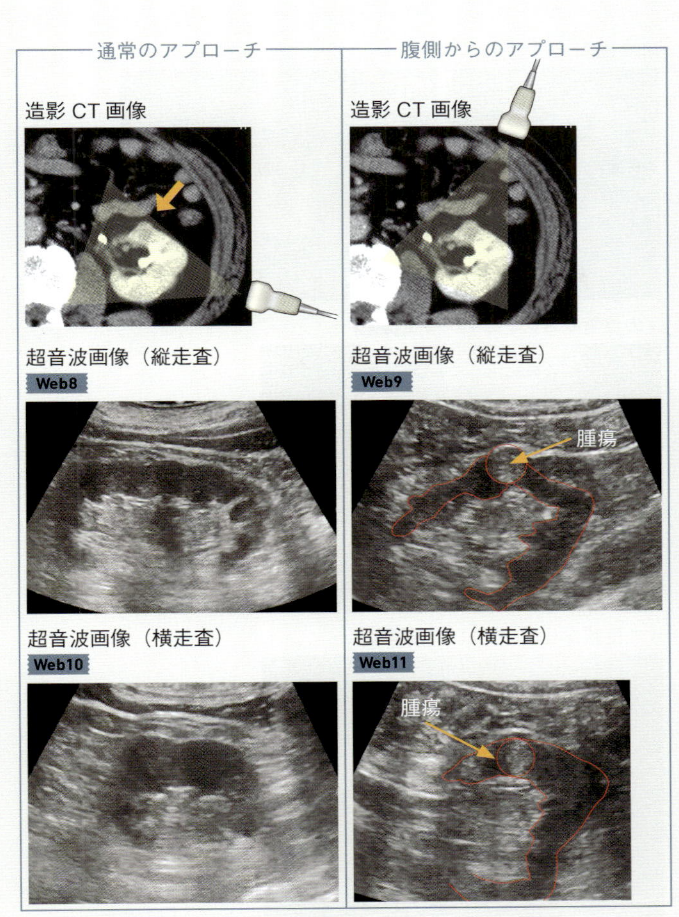

図13 左腎中央部腹側に突出する1.5cmの腎細胞がん

通常のアプローチでは前面や後面の病変は接線になり見落としやすい。前面の病変は、腹側からプローブで圧迫して走査すると病変が明瞭に観察できた。

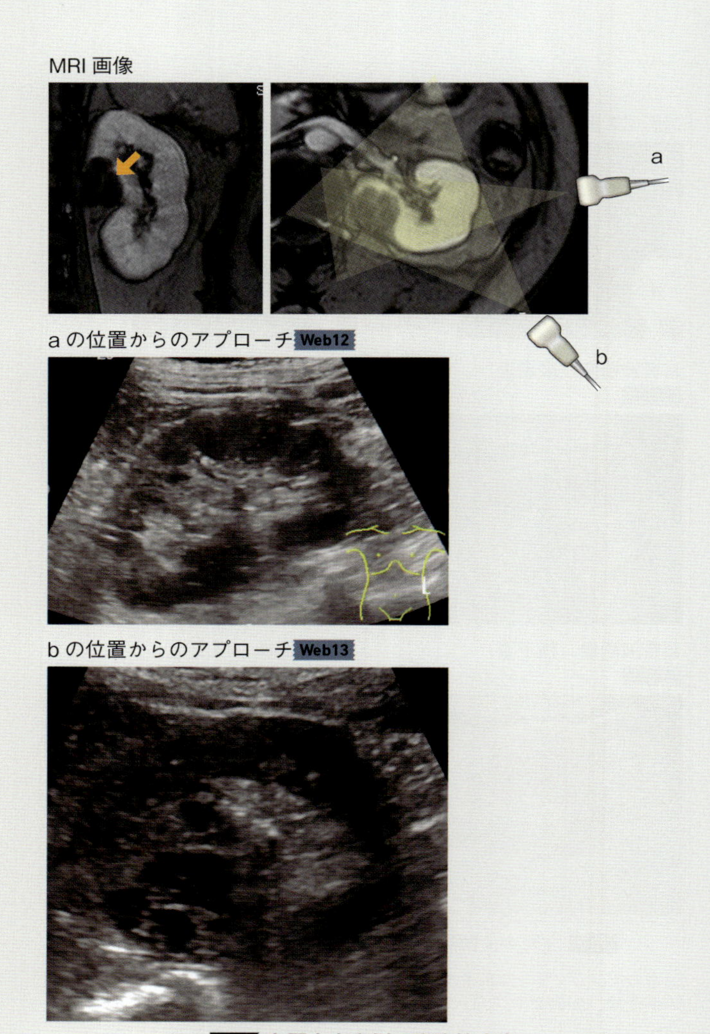

図14 左腎中央内側の嚢胞性病変

左腎中央内側に MRI で多房性嚢胞性病変を認める（矢印）。内側の病変は、中心部エコーの深部になるため不明瞭であることが多い。この症例ではより背側からアプローチすることで中心部エコーを通さずに描出され、多房性の嚢胞性病変が明瞭になった。

描出できない場合の考え方

- 手術の既往があれば、片方は術後のため描出不能とし、もう一方についてカテゴリーを判断する。
- 部分切除後は、切除部位がわかれば記載し、残存部分で超音波画像所見を評価する。
- もう一方の腎臓に異常がなければカテゴリー2、超音波所見：腎臓部分切除後・腎臓移植後、判定区分B（軽度異常）。
- 手術の既往がないのに片方の腎臓が描出されない場合は、先天的な形成異常などが疑われ、カテゴリー0、超音波所見：腎臓描出不能、判定区分D2（要精検）とする。
- 両方の腎臓が摘出されている場合は、腎移植後や透析中であることが想定され、自己腎についてはカテゴリー0、超音波所見：腎臓切除後、判定区分Bとなる。移植腎を認める場合、移植腎に異常がなければカテゴリー2、超音波所見：腎臓部分切除後・腎臓移植後、判定区分B（軽度異常）。

4 形態異常

中心部エコーの変形とはどのような画像ですか?

- 中心部エコーは、通常腎実質に囲まれてほぼ楕円形の高エコー域として描出される(図15)が、以下の場合に中心部の変形を認める。

  ①腎実質から発生した腫瘍が中心部に向かって発育する(図16、図17)

  ②腎腫瘍が腎静脈内に進展する(図18)

  ③腎盂腎杯に腫瘍がある(図19、図20)

  ④ベルタン腎柱・重複腎盂(図21)

- 水腎症や腎盂腫瘍などで中心部エコーが分離して見える場合は、中心部エコーの解離と表現される。重複腎盂やベルタン腎柱と判断できれば正常変異でカテゴリー2であるが、それ以外の場合はカテゴリー3、超音波所見:腎腫瘤、判定区分D2(要精検)となる。

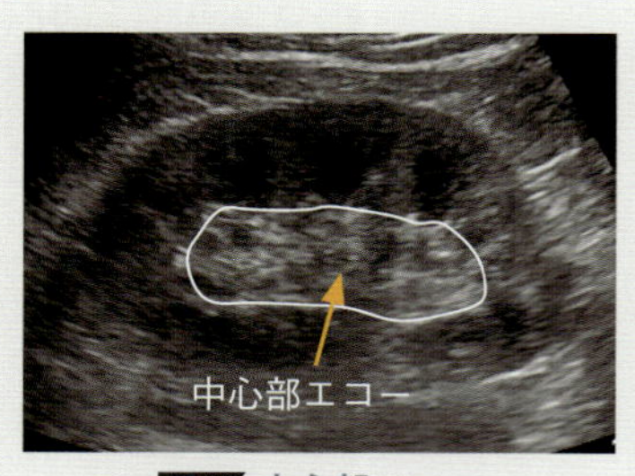

図15 中心部エコー

①腎実質から発生した腫瘍が中心部に向かって発育する

Web17

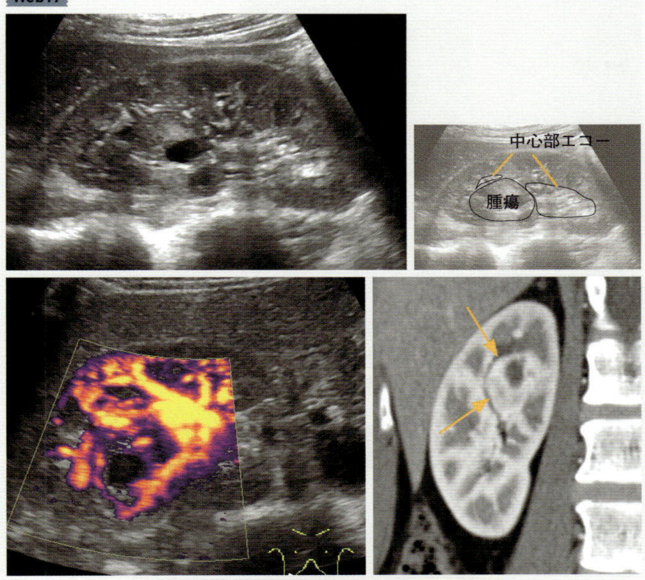

図16 腎細胞がん

腎外へ突出する腎腫瘍は認識しやすいが、腎洞部に向かって発育することもある。

Web18

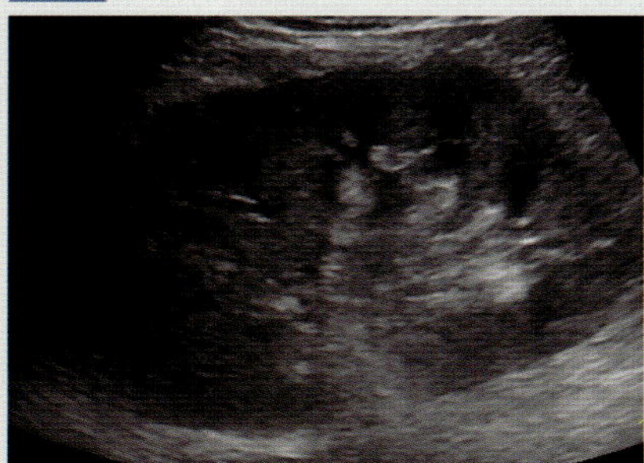

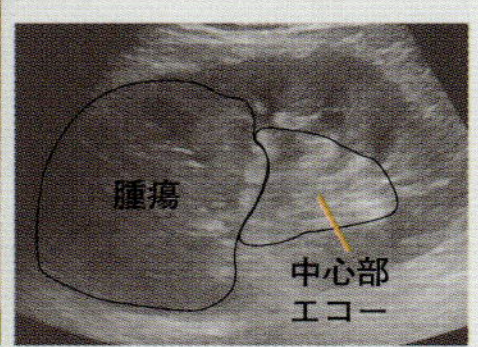

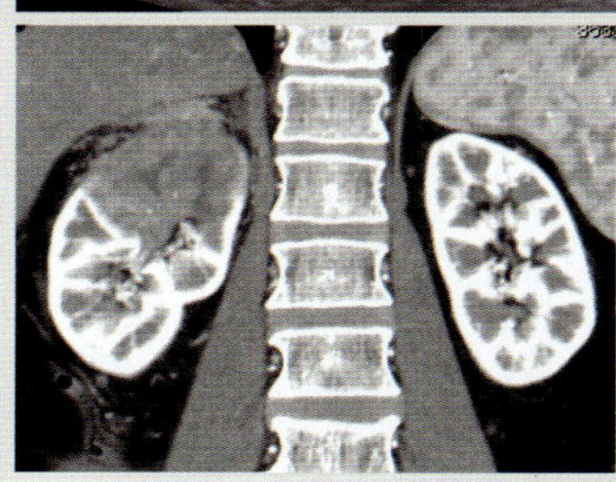

図17 ベリニ氏管がん

腎集合管から発生する特殊な腎がん。浸潤性に発育して中心部エコーが変形している。

Memo

②腎腫瘍が腎静脈内に進展する

Web19

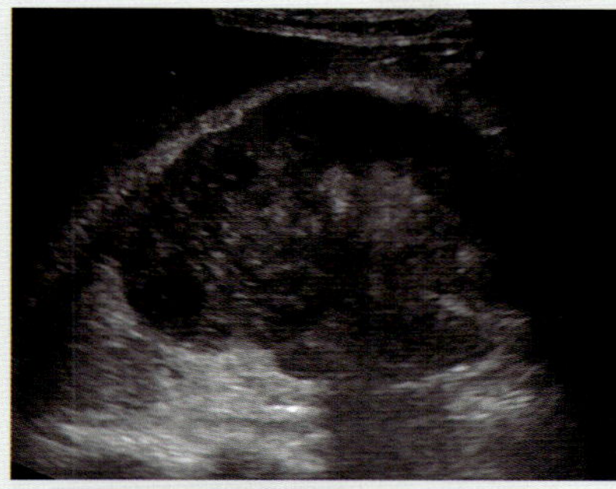

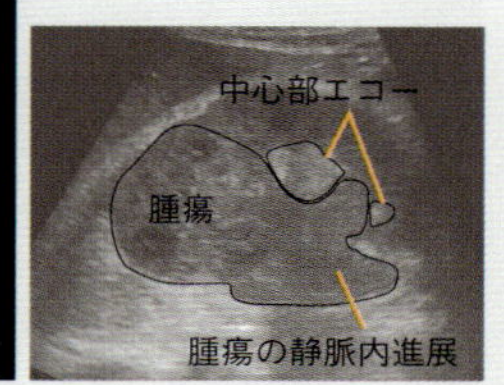

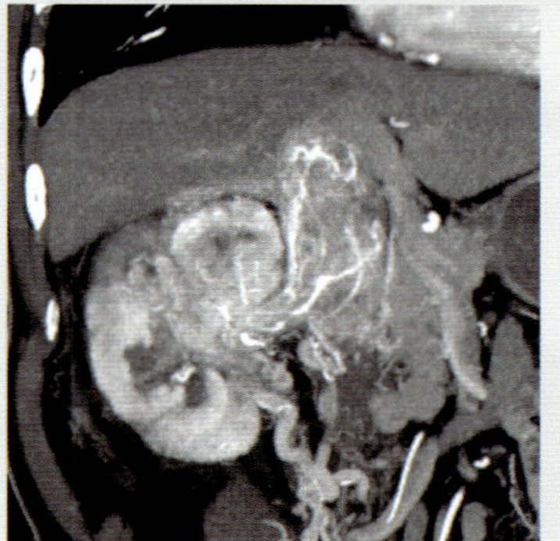

図18 腎細胞がん（淡明細胞がん）

腎細胞がんのなかには、腎の輪郭には影響を与えず、腎洞部や腎静脈内に進展する症例がある。

③腎盂腎杯に腫瘍がある

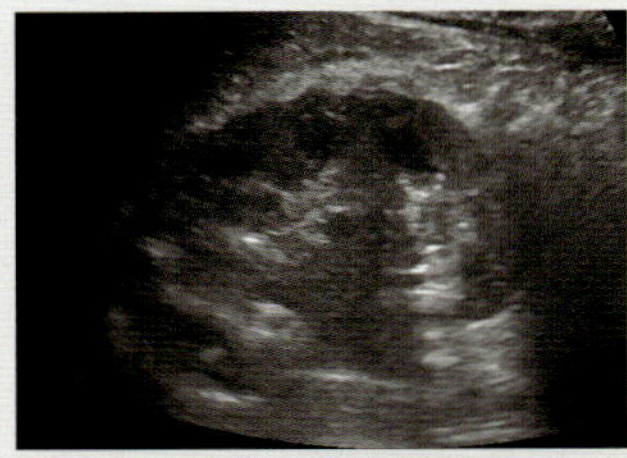

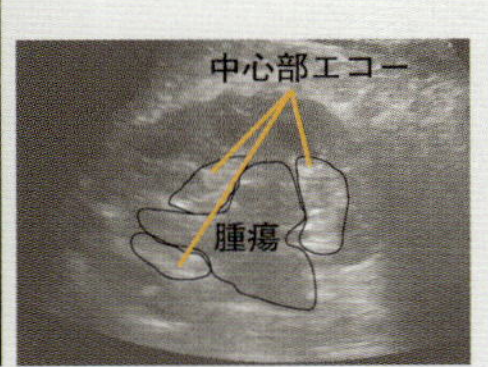

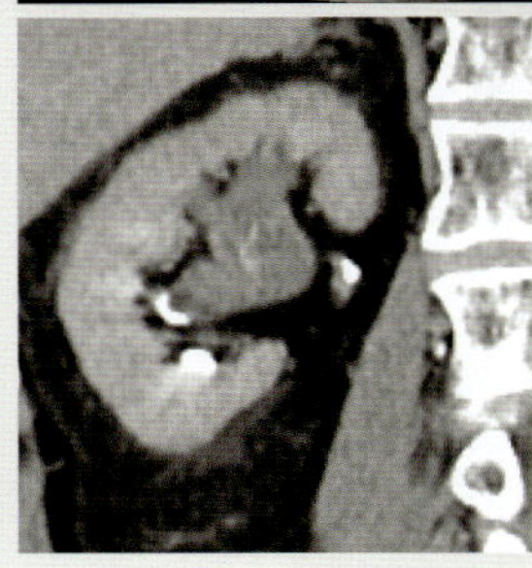

図19 腎盂腫瘍

腎洞部に不整形低エコー腫瘤が認められる。中心部エコーは解離している。

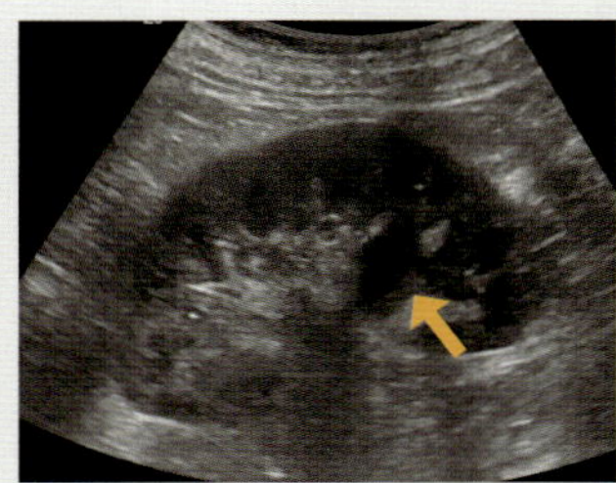

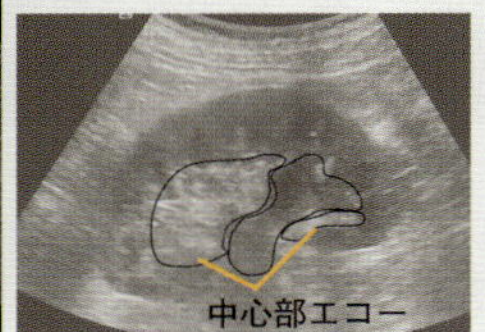

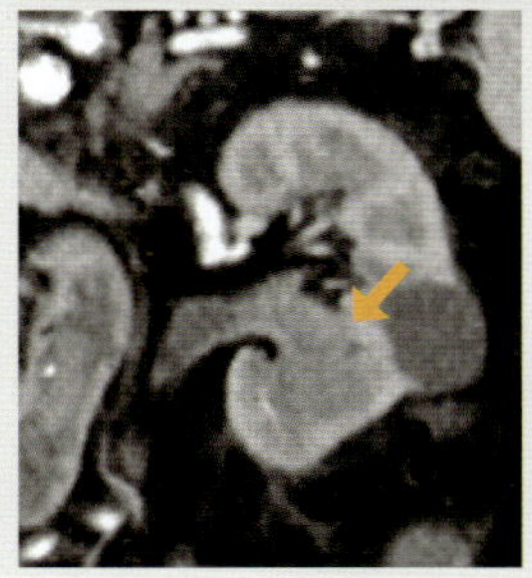

図20 腎盂がん

下腎杯から腎盂の一部に腫瘍を認め（矢印）、中心部エコーは解離している。

④ベルタン腎柱・重複腎盂

Web20

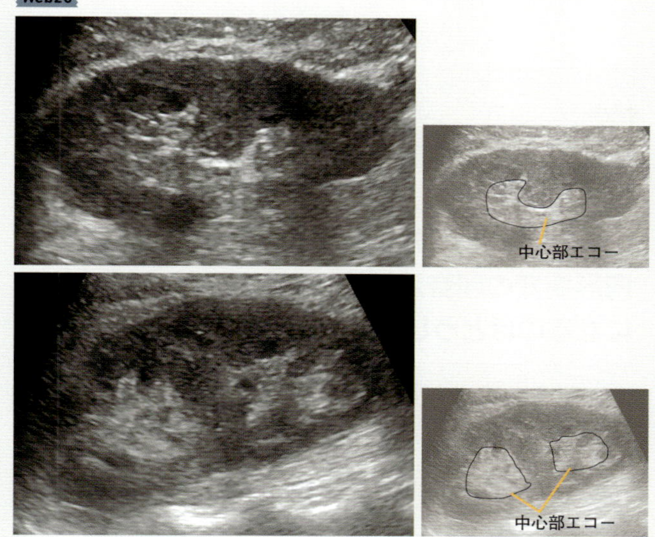

図21 ベルタン腎柱・重複腎盂

ベルタン腎柱は、一見腫瘍のように見えるが、連続する腎実質との境界が不明瞭で、走査面を変えると腫瘤様に見えなくなる。

5　充実性病変

腎充実性病変に、辺縁低エコー帯、内部無エコー域、側方（外側）陰影、輪郭明瞭平滑な円形病変の超音波所見があれば、カテゴリー4になるのはどうしてですか？

- 腎細胞がんは、膨張性発育のため周囲の腎実質を圧排しながら増大して球形になり、周囲に線維性被膜を持つようになる。
- 圧排された周囲の腎組織や線維性被膜が辺縁低エコー帯として描出される。そのため、側方陰影や輪郭明瞭平滑な円形病変が腎細胞がんを疑う超音波所見として入っている（図22-a）。しかし、非常に薄く不完全なこともあるため辺縁低エコー帯を認識できない場合もある。
- 腎細胞がんは、内部に出血や壊死を伴うことが多いため、内部エコーが不均一となり無エコー域を伴うことが多い（図22-a、b）。
- 10mm 未満の腎充実性病変は鑑別診断困難なことが多く、腎細胞がんであっても発育速度が遅いためカテゴリー3、超音波所見：腎腫瘤、判定区分C（要再検査）としてよい。

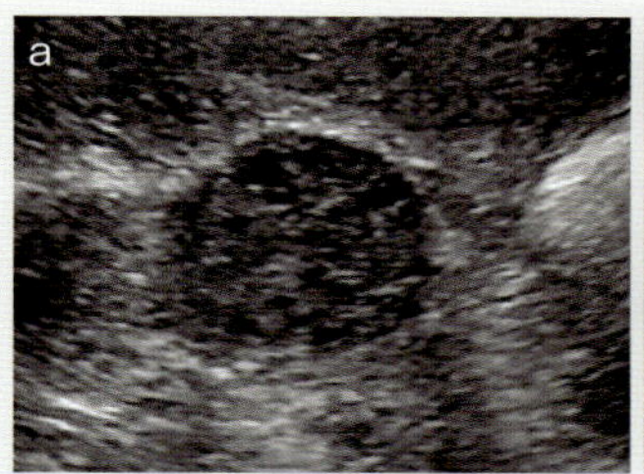

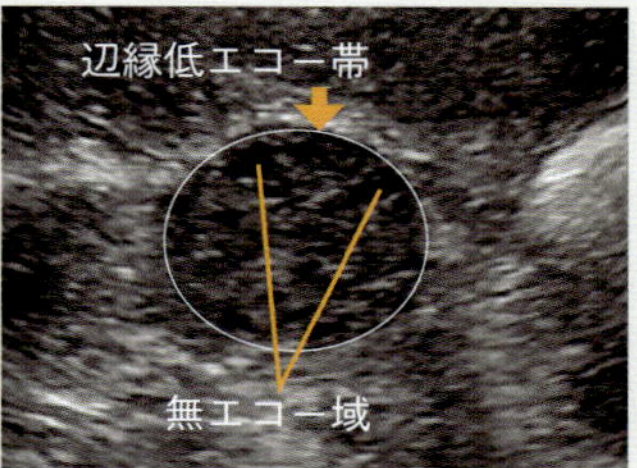

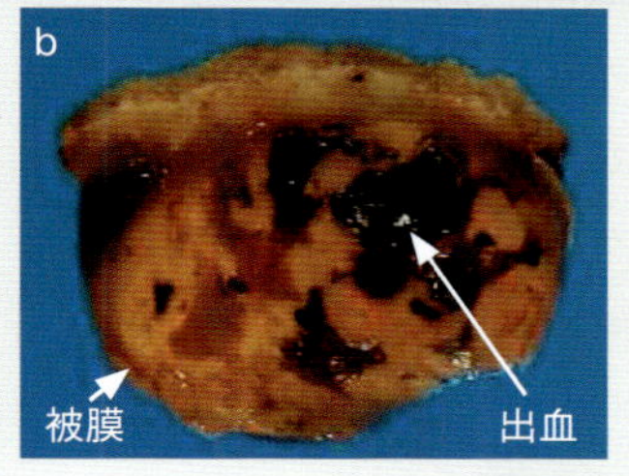

図22 腎細胞がん

a　エコー画像　b　病理画像

● 表1 は、日本超音波医学会の用語・診断基準委員会から出ている『腎細胞癌と他の腎腫瘤性病変の鑑別』[2]から、腎細胞がんと腎血管筋脂肪腫（angiomyolipoma：AML）のBモード所見を抜粋したもの。赤字は両者を鑑別するために有効な所見である。

表1 腎細胞がんと腎血管筋脂肪腫のBモード所見（文献2より抜粋）

	形状	境界・輪郭	輝度	内部性状	付加所見
腎細胞がん	円形、類円形	明瞭、整 境界内側に辺縁低エコー帯（ハロー）	低～高	不均一、嚢胞変性、石灰化	腎静脈腫瘍栓を形成することがある
腎血管筋脂肪腫	類円形、分葉状	やや不明瞭、不整、ギザギザと細かく不整	CECと同等の高、混在～低	均一、時に混在	深部エコー減弱、尾引き像

中心部エコーの解離あるいは変形を伴うと、カテゴリー4 になるのはどうしてですか？

- 腎細胞がんの進展度分類は図23のように、腎内に限局していれば7cmでもT1であるが、腫瘍径が小さくても腎盂周囲の脂肪組織への浸潤や腎静脈に腫瘍栓を形成するとT3になる。そのため中心部エコーの解離や変形を伴う場合は、より進行した病変の可能性がある（図24、図25）。
- 腎盂腎杯は中心部エコー内に存在するため、ここに発生した充実性病変は中心部エコーの解離や変形を伴う。

T1：最大径 7cm 以下で腎に限局する
　T1a　最大径 4cm 以下
　T1b　最大径 4cm を超えるが 7cm 以下
T2：最大径が 7cm を超えるが腎に限局する
　T2a　最大径 7cm を超えるが 10cm 以下
　T2b　最大径 10cm を超える
T3：主静脈または腎周囲（腎盂周囲）脂肪組織に浸潤するが、同側副腎や Gerota 筋膜を超えない
T4：Gerota 筋膜を超えて浸潤（同側副腎浸潤を含む）

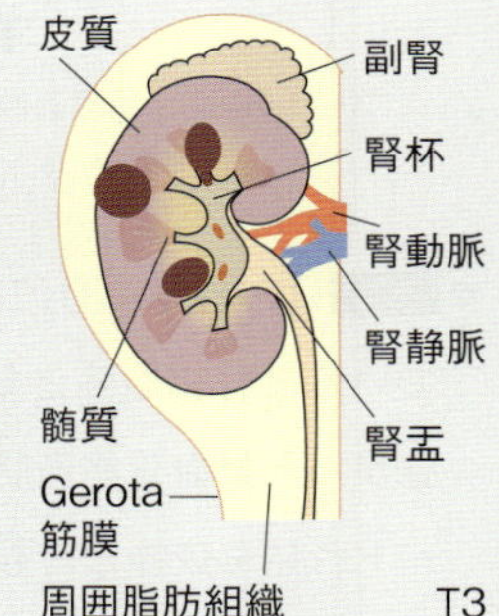

図23 腎細胞がんの進展度分類

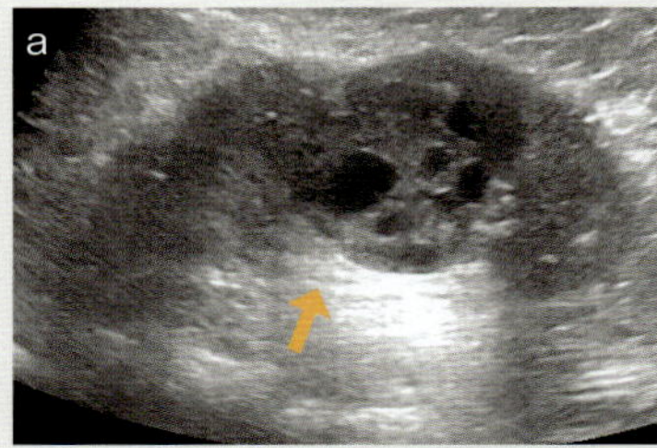

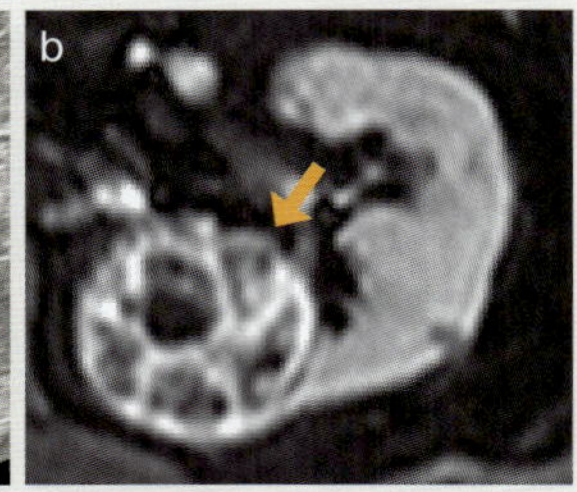

図24 腎細胞がん Web14

中心部エコーの変形を認める（矢印）。a　エコー画像　b　造影 CT

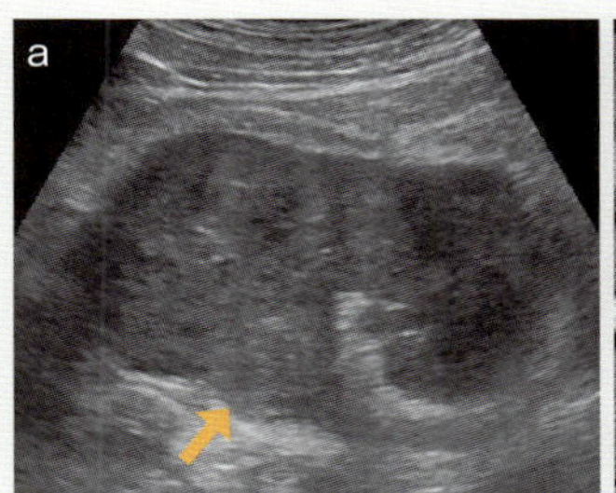

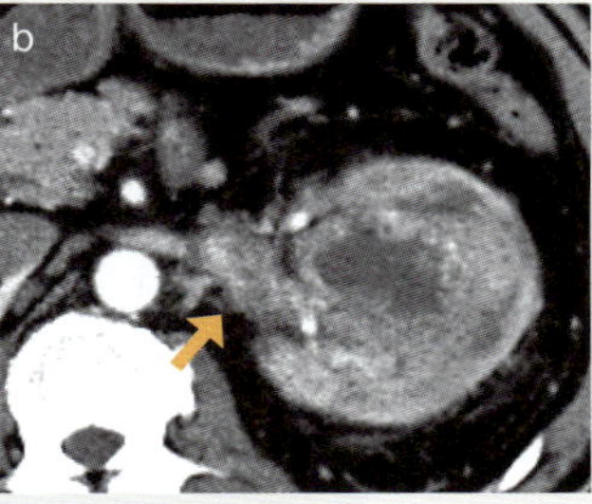

図25 腎細胞がん Web15

腎静脈内腫瘍栓（矢印）により中心部エコーの解離を認める。
a　エコー画像　b　造影CT

中心部エコーと同程度に高輝度でも、輪郭不整がなければどうしてカテゴリー2にならないの？

● 前述の『腎細胞癌と他の腎腫瘤性病変の鑑別』[2] に、腎細胞がんと腎血管筋脂肪腫のBモード所見注意点が以下のように記載されている。

> 注1）高輝度を呈する腎細胞がんは、26.9〜30%である。3cm以下の腎細胞がんに限定すると、50〜54%と高率に高エコーを呈し、輝度に注目した鑑別は困難である。
>
> 注2）中心部エコー（central echo complex：CEC）と比較して高エコー、辺縁低エコー帯の欠如、境界不整や深部エコーの減衰は、腎血管筋脂肪腫の特徴的所見として鑑別診断に有効である。

● 以上より、CECと同程度の高エコーで輪郭不整の場合にのみカテゴリー2、超音波所見：腎血管筋脂肪腫、判定区分C（要再検査）とする（図26〜図30）。

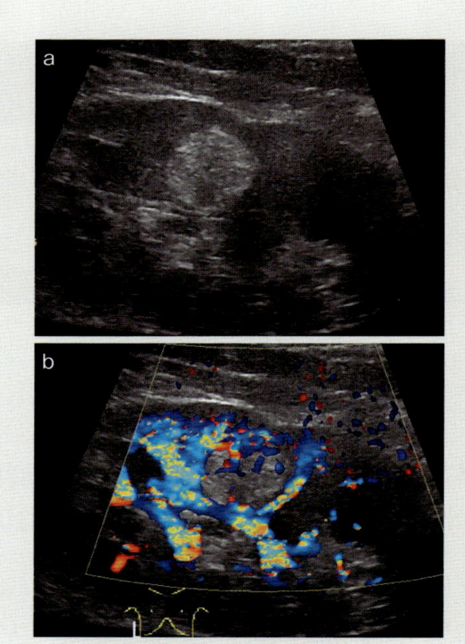

図26 高輝度の腎細胞がん

a　中心部エコーと同等の高エコーを示すが、円形で境界明瞭・整である。
b　カラードプラ法では、辺縁から内部に流入するカラー表示を認める。

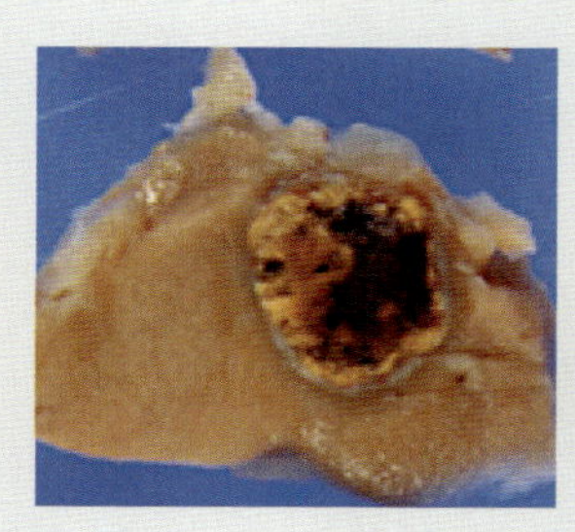

図27 腎細胞がんの病理所見

手術により、線維性被膜を有し、内部に出血を伴う腎細胞がんと診断された。

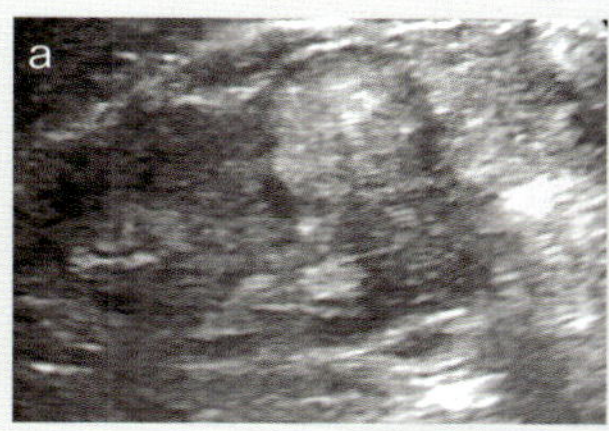

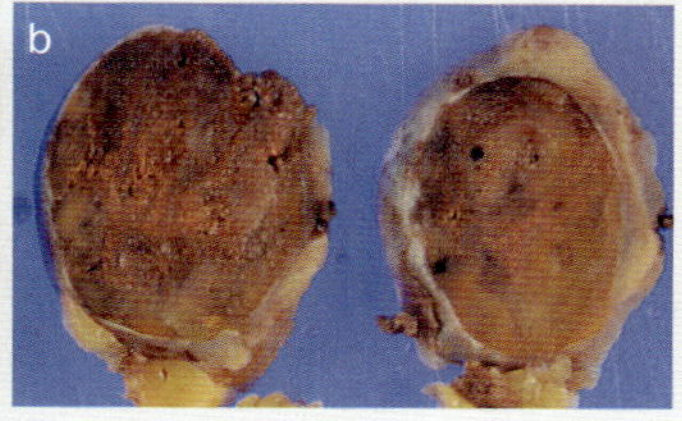

図28 腎細胞がん（乳頭がん）

a 中心部エコーと同等の高エコーを示すが、円形で境界明瞭・整で辺縁低エコー帯を認める。b 手術により、線維性被膜を有する腎細胞がん（乳頭がん）と診断された。

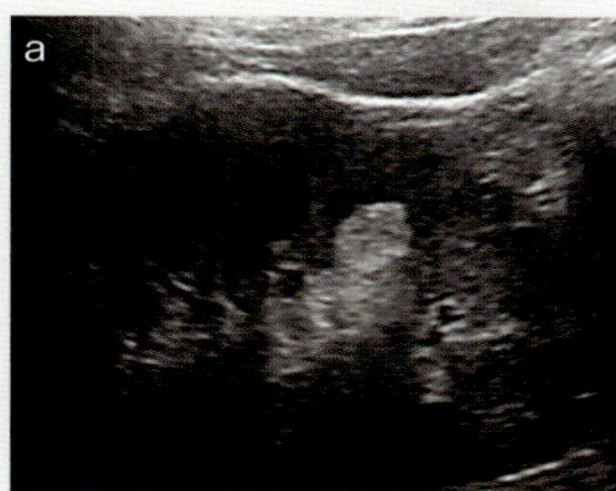

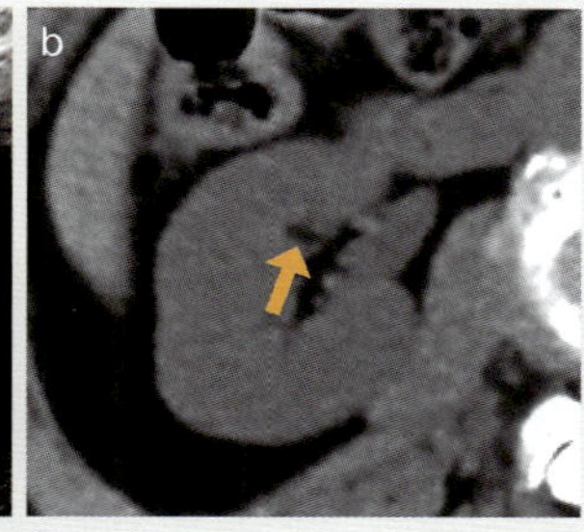

図29 腎血管筋脂肪腫（AML）

a 高輝度で境界は明瞭であるが、輪郭は不整である。b CT で、病変は周囲脂肪組織と等吸収で、AML と診断された。

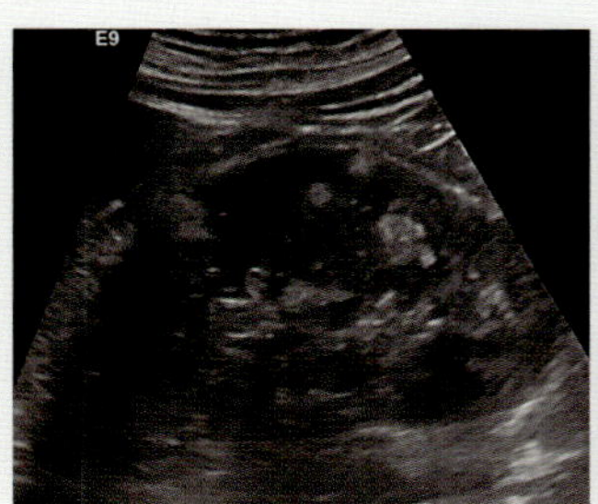

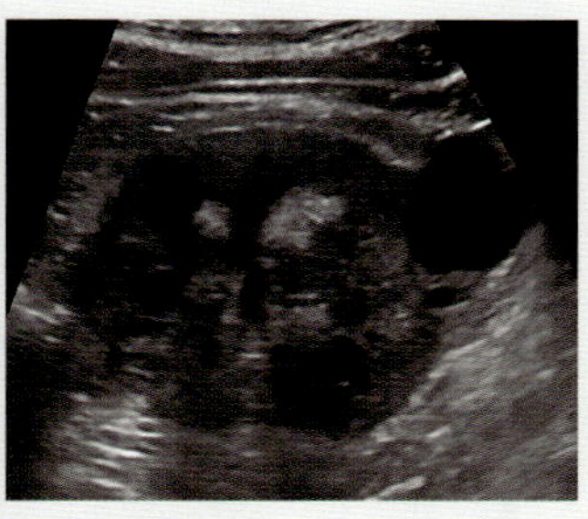

図30 腎血管筋脂肪腫（AML）

高輝度で境界明瞭・不整な病変が多発している。結節性硬化症では両側に多発する AML を認めることがある。

尾引き像とはどんな画像ですか？（図31～図33）

- 病変は高輝度で、多重反射により病変の後面の境界は不明となり、徐々に後方エコーが減衰している。このような所見を「尾引き像」と呼ぶ。
- 腎血管筋脂肪腫の特徴所見を呈する40mm以上の病変は、破裂の危険性があるためカテゴリー2、超音波所見：腎血管筋脂肪腫、判定区分D2（要精検）とする。40mm未満でも増大傾向や症状があればカテゴリー2、超音波所見：腎血管筋脂肪腫、判定区分D2（要精検）とする。

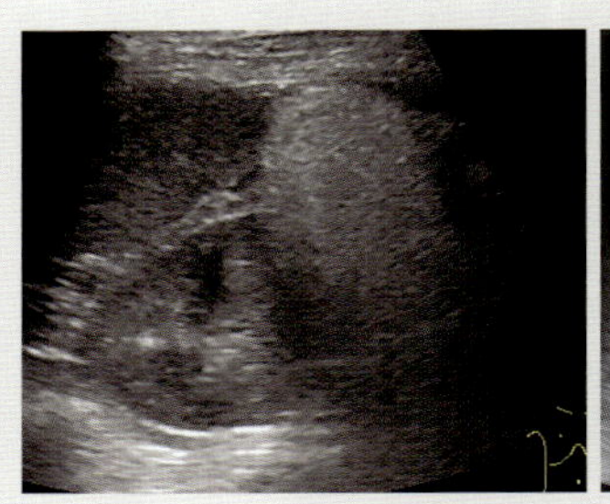
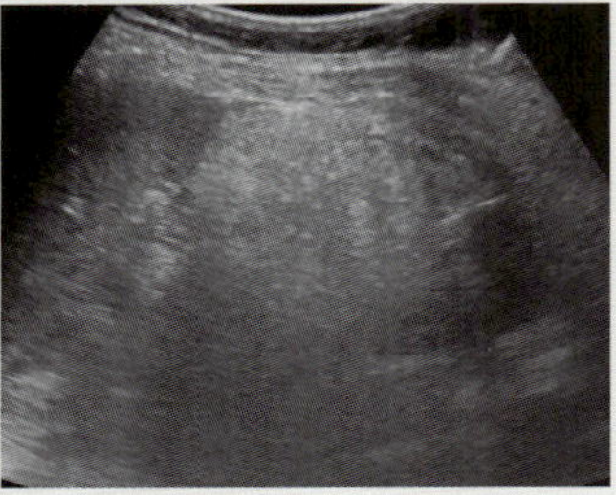

図31 尾引き像 Web16

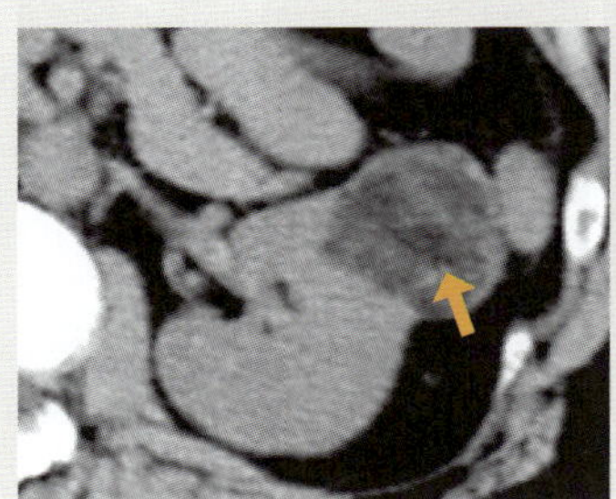

CTでみると病変は、脂肪組織と等吸収の部分と、血管や筋成分と思われる軟部組織と等吸収の部分が混在している（矢印）。
脂肪組織と血管や筋組織とのインピーダンスの差が大きいことによりエコーの反射が強く高輝度を示すとともに、多重反射や深部エコーの減衰を伴ってこのような画像を呈していると思われる。

図32 尾引き像を認める症例のCT画像

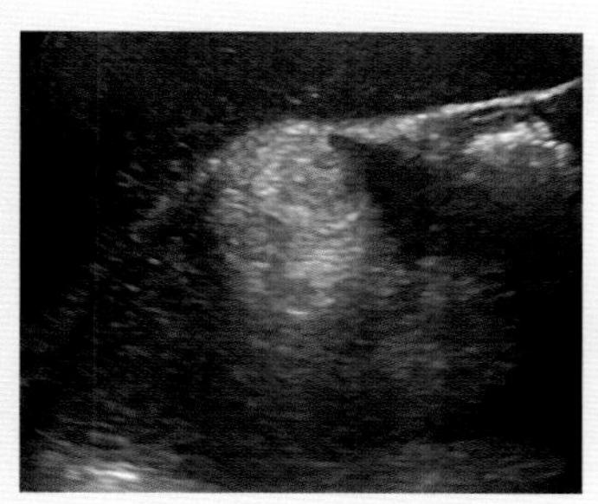

図33 尾引き像

高輝度で病変の後面の境界が不明となり、徐々に後方エコーが減衰している。

Memo

6 嚢胞性病変

どんな病変がカテゴリー3になるの？ 隔壁や点状石灰化があればすべてカテゴリー3ですか？

- 嚢胞性病変のカテゴリーは、2つ以下の薄い隔壁や点状の石灰化はカテゴリー2、超音波所見：腎嚢胞、判定区分B（軽度異常）（図34）、隔壁や被膜の不整・肥厚、充実部分があればカテゴリー4、超音波所見：腎嚢胞性腫瘍疑い、判定区分D2（要精検）である（図35）。
- 腎では嚢胞性病変が多く、3つ以上の薄い隔壁を有する嚢胞（図36）、粗大石灰化像（5mm以上が目安）を認める嚢胞（図42〈p192参照〉）、悪性を疑うほどの所見ではないが、経過観察が必要な場合をカテゴリー3、超音波所見：腎嚢胞性腫瘍、判定区分C（要再検査）としている。

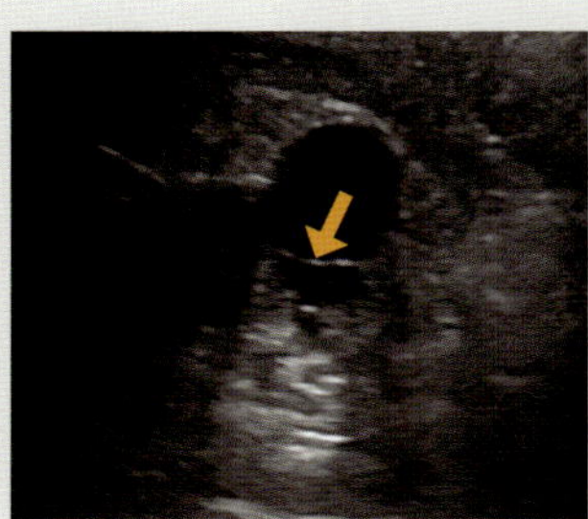
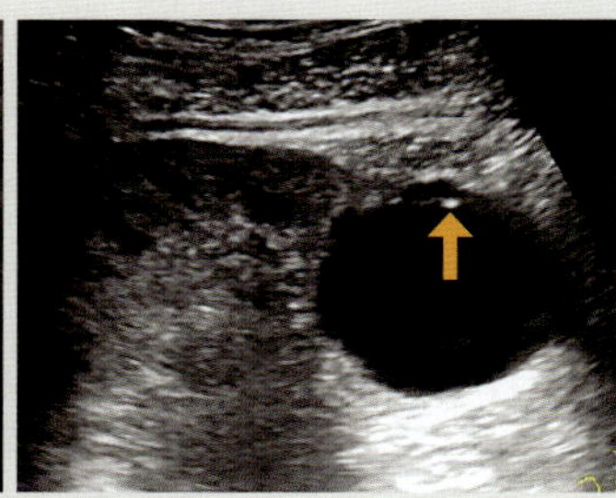

図34 カテゴリー2：薄い隔壁と点状石灰化を認めるが、肥厚や充実部分は認めない例

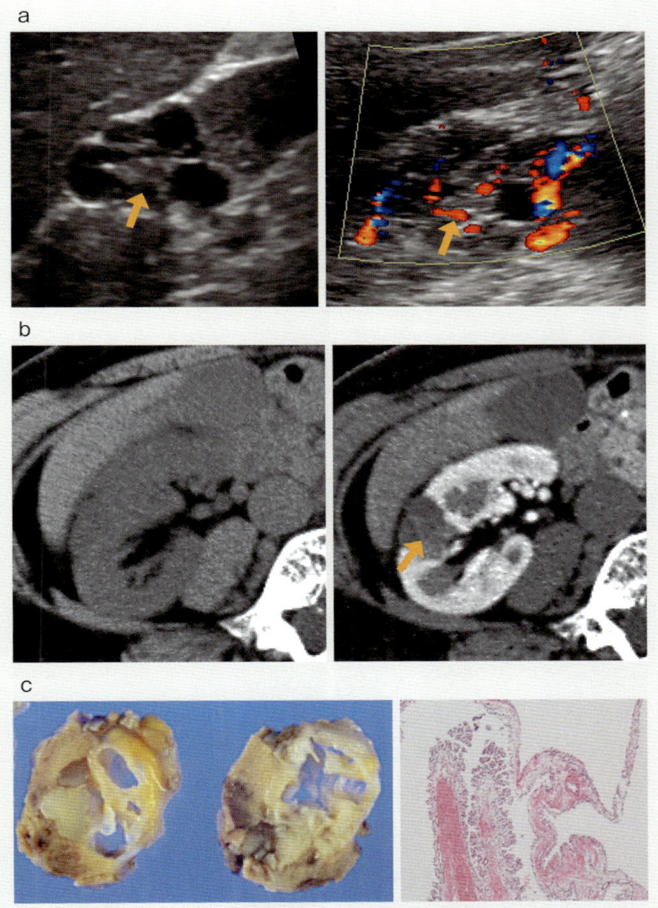

図35 カテゴリー4：嚢胞内に隔壁と充実部分を認める例

a　カラードプラ法で充実部分にカラー表示を認める（矢印）。
b　造影 CT で充実部分にわずかに淡い濃染を認める（矢印）。
c　手術を施行したところ、嚢胞性腎細胞がんであった。

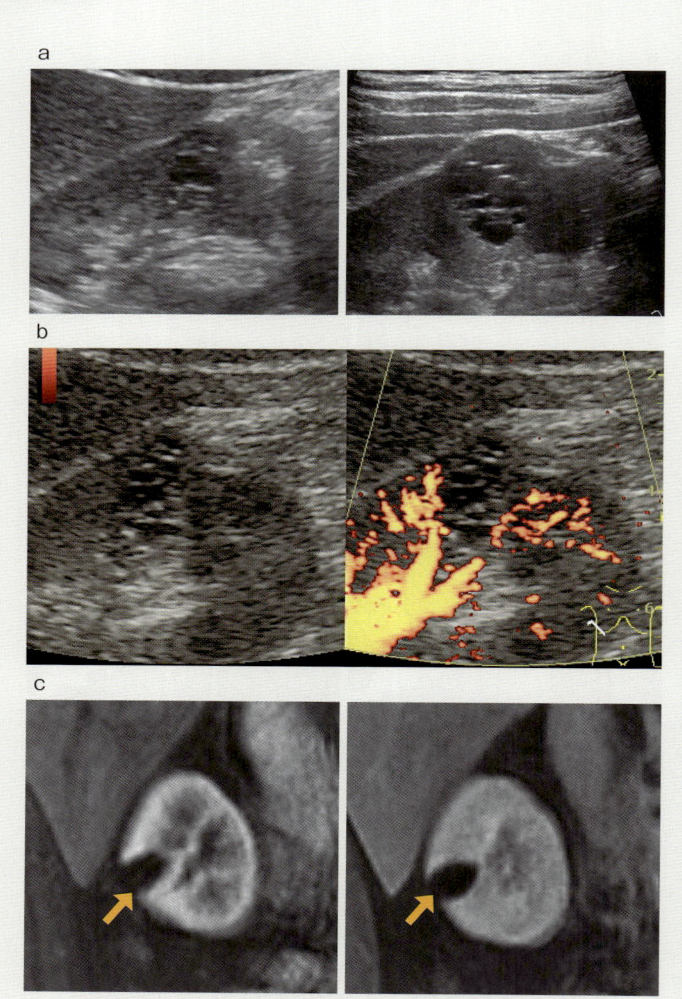

図36 カテゴリー3：囊胞内に多数の隔壁を認める例

a　高周波プローブで観察したが、隔壁の肥厚は認めない。
b　パワードプラ法で病変にカラー表示を認めない。
c　1年半後、経過観察のエコーでは変化を認めなかったが、造影MRIを施行。病変には明らかな造影効果を認めず、良性病変と判断して経過観察となった。

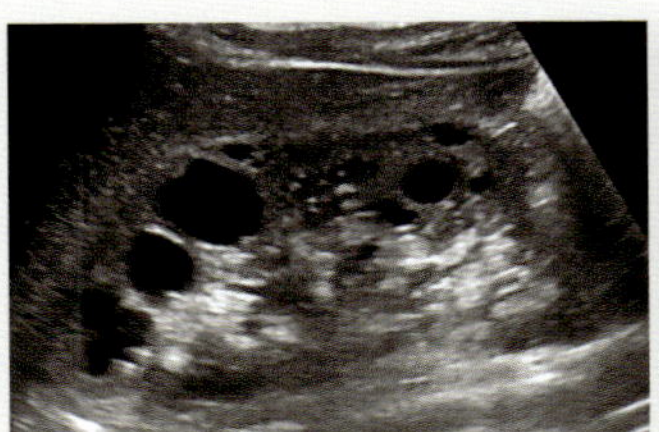
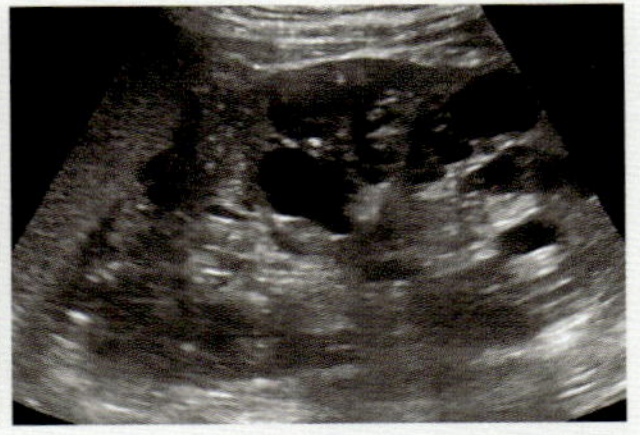

図37 カテゴリー2：両腎に５つ以上の嚢胞を認める例

- 5 個以上の嚢胞を両側性に認める場合はカテゴリー2、超音波所見：多発性嚢胞腎、判定区分 D2（要精検）である（図38〈p189 参照〉）。
- 常染色体優性多発性嚢胞腎（図37）は、加齢とともに腎機能の悪化を認める疾患である。2014 年から腎機能低下を抑制する治療薬が保険適用となっているので、このような所見があれば、精密検査をすることが望ましい。
- 表2 は、造影 CT で腎の嚢胞性病変の取り扱いについて広く用いられている Bosniak 分類とカテゴリーを対応したものである。Bosniak 分類ではカテゴリーⅠ、Ⅱは軽度の異常、カテゴリーⅡ F は経過観察、カテゴリーⅢ、Ⅳは要治療とする。
- カテゴリー3 は、経過観察が必要であるとされる Bosniak 分類のカテゴリーⅡ F に対応している。

表2 腎囊胞性病変のBosniak分類とカテゴリー〔(　　) 内〕(文献3より改変)

カテゴリー	特徴
カテゴリーⅠ (カテゴリー2)	・単純囊胞
カテゴリーⅡ (カテゴリー2)	・少数の薄い隔壁を有する囊胞。 ・囊胞壁や隔壁に明瞭な石灰化や薄く短い石灰化を伴う。 ・境界明瞭で造影効果を認めない3 cm未満の均一な高濃度囊胞。
カテゴリーⅡF (カテゴリー3)	・より多くの薄い隔壁を有する囊胞。 ・または囊胞壁や隔壁にわずかな造影効果や若干の肥厚がみられる囊胞。 ・または厚い、あるいは結節状の石灰化を認める囊胞。 ・いずれの場合も造影される軟部組織がない。 ・3cm以上の高濃度囊胞。造影効果はなく、腎から突出しない。
カテゴリーⅢ (カテゴリー4)	・造影される厚い不整な囊胞壁や隔壁を有する囊胞。
カテゴリーⅣ (カテゴリー4)	・カテゴリーⅢの条件を満たし、さらに囊胞壁や隔壁に接して造影される軟部組織を認める囊胞。

Memo

カラードプラ法で血管性病変だとわかったらどうしたらよいですか？

- 腎門部やCEC内に嚢胞性病変を認めた場合、カラードプラ法で観察すると嚢胞性病変全体にカラー表示を認め、血管性病変と診断できることがある（図38）。
- カラードプラ法で血管性病変と診断できれば、良性病変であるためカテゴリー2であるが、増大すると出血の危険があるため超音波所見：腎血管異常、判定区分D2（要精検）とする必要がある。
- 動脈瘤は、2cm以上の病変や急速に増大傾向がある場合は治療の対象となるため、最大径の計測（外膜－外膜間で計測）が重要である。

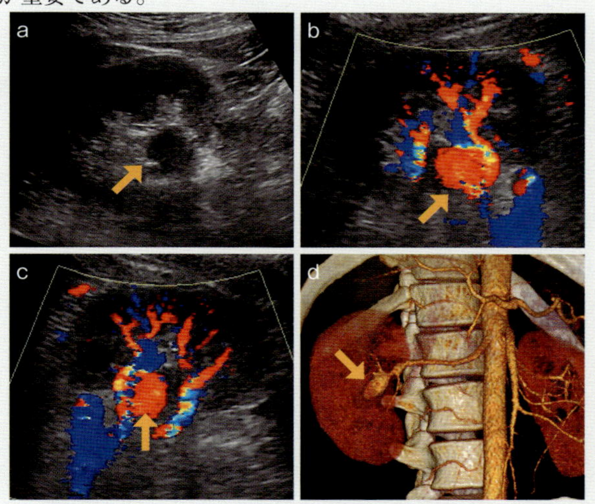

図38 カラードプラ法による腎洞部嚢胞性病変の観察

a　腎洞部に嚢胞性病変を認める。
b・c　カラードプラ法で観察したところ、病変全体が拍動性カラー表示され、動脈瘤が疑われた。最大径は17mmであった。
d　造影CTにより腎動脈瘤と診断し、経過観察となった。

6 嚢胞性病変

7 その他の所見（石灰化像、腎盂拡張）

なぜ 10mm 以上とそれ以下の石灰化を分けるの？

● 『尿路結石症診療ガイドライン 2013 年版』[4] では、「長径 10mm 未満の尿管結石の多くは、自然排石が期待できる」「10mm 以上の結石は何らかの加療が必要となることが多い」と記載されている。そのため腎盂腎杯内の石灰化像はカテゴリー2 であるが、10mm 未満では超音波所見：腎結石、判定区分 C（要再検査）、10mm 以上の結石は超音波所見：腎結石、判定区分 D2（要精検）として区別している（図39）。腎実質内の石灰化像は大きさにかかわらずカテゴリー2、超音波所見：腎石灰化、判定区分 B（軽度異常）。腎実質内か腎盂腎杯内か区別できない場合は、腎盂腎杯内の石灰化像として判断する。

判定区分 B（軽度異常）

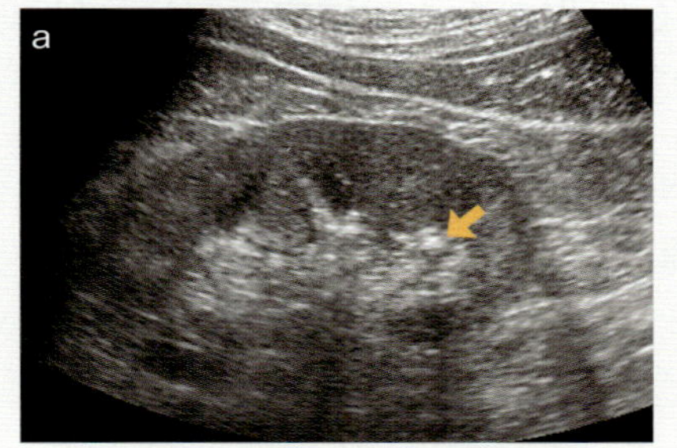

10mm 以上　判定区分 C（要再検査）

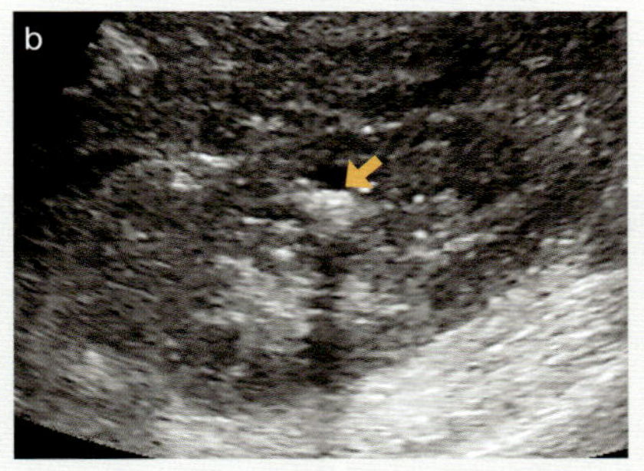

腎盂拡張あり　判定区分 D2（要精検）

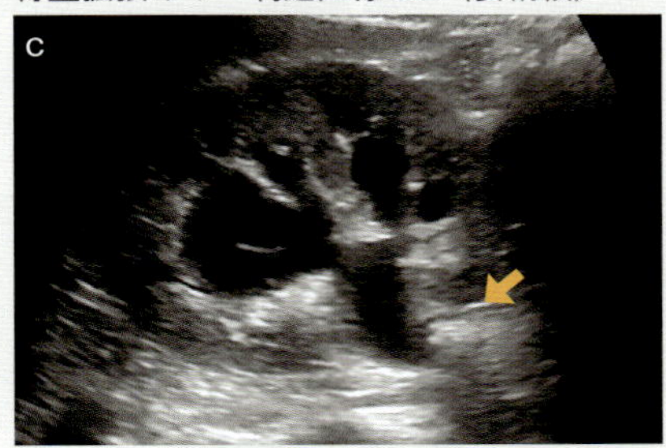

図39 カテゴリー2

どこに石灰化があるかはカテゴリー分類に関係ないの？

- 腎実質内や腎盂腎杯に石灰化が認められる場合はカテゴリー2（図40）。
- 充実性腫瘤内に石灰化がある場合は充実性病変のカテゴリーに従って判断する（図41）。
- 嚢胞性病変に石灰化を認める場合は嚢胞性病変のカテゴリーに従って判断する（図42）。

弓状動脈の石灰化

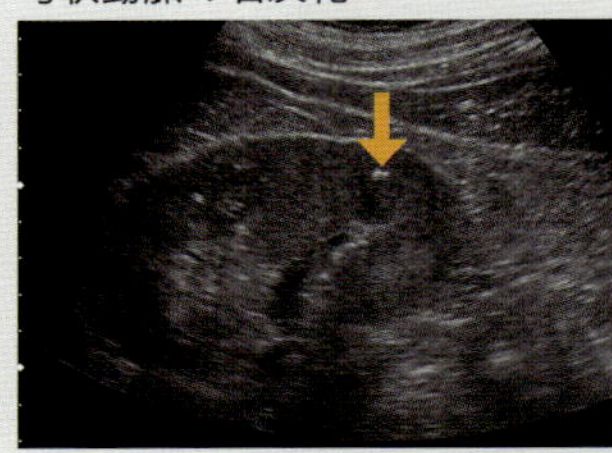

腎髄質の石灰化

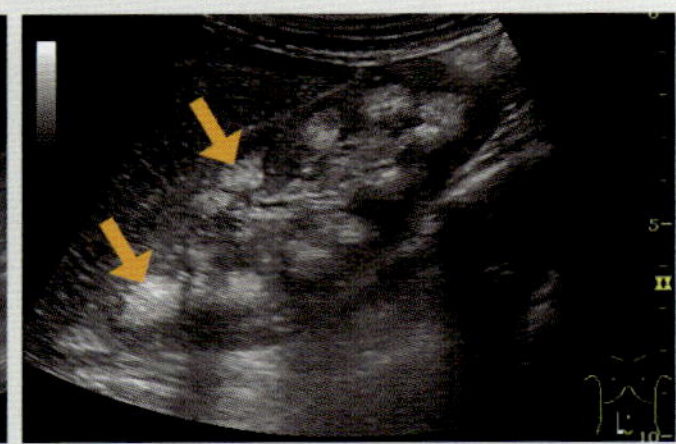

図40 カテゴリー2

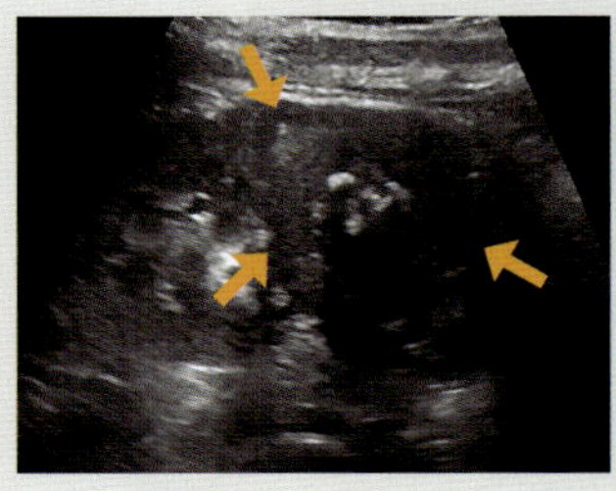

図41 カテゴリー4

中心部エコーの変形を伴う充実性病変（矢印）の石灰化。

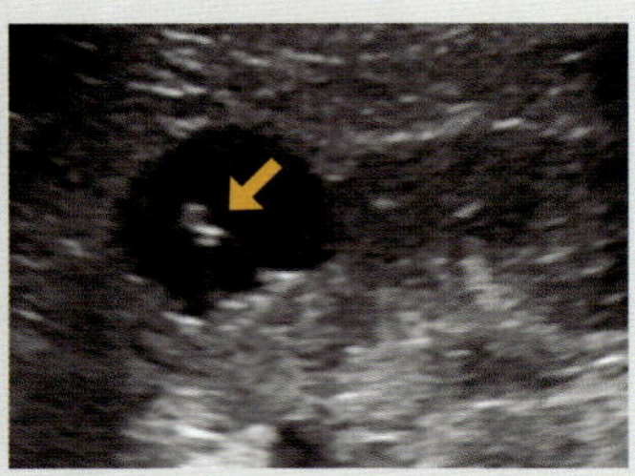

図42 カテゴリー3：嚢胞内に粗大石灰化像を認める例

嚢胞性病変の粗大石灰化（矢印）。

軽度腎盂拡張とはどのようなものですか？

- 通常、腎盂腎杯はエコーでは検出することができないが、腎杯は集合管が集まる髄質の腎乳頭を被うように存在する。数個の腎杯が集まって腎盂となる（図43）。
- 腎盂から膀胱に至る尿路に閉塞する病変があれば、腎盂腎杯は拡張してエコーで確認できる。CEC の解離と表現されることもある（図44、図45）。

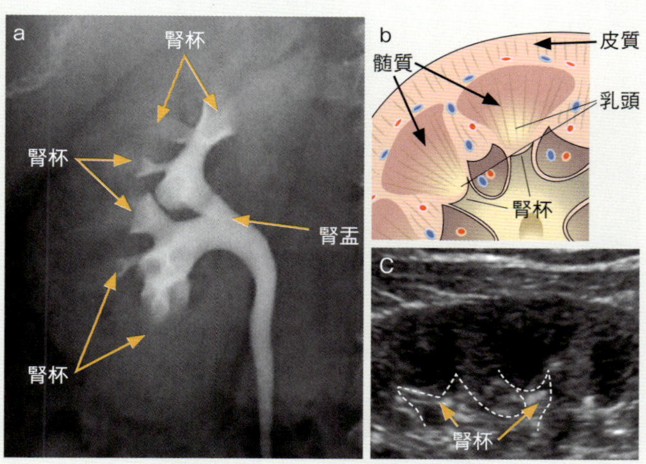

図43 正常像（腎盂腎杯の拡張がない）

a　排泄性尿路造影像　b　シェーマ　c　エコー画像

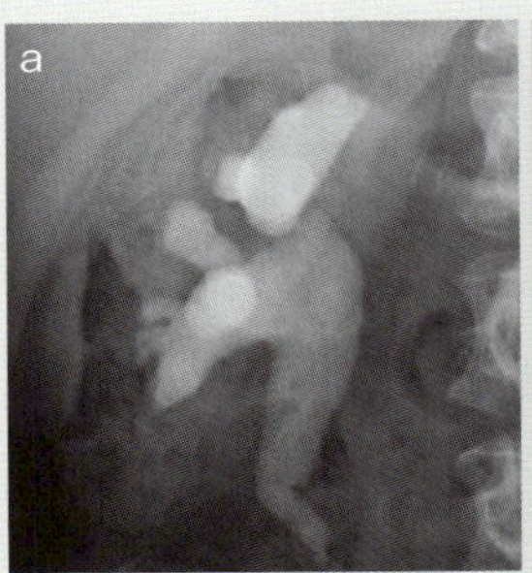

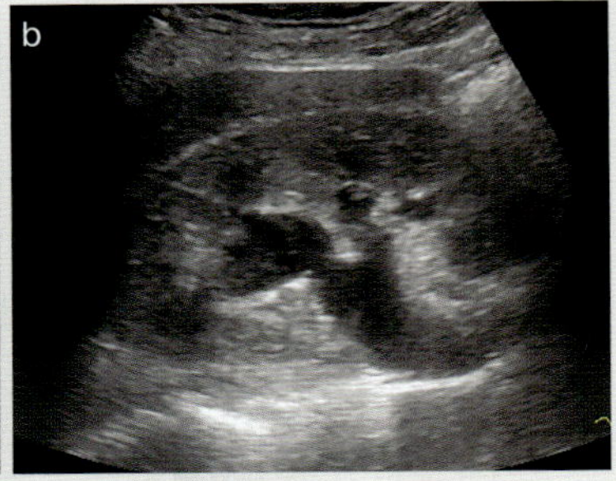

図44 腎盂腎杯の拡張

腎髄質と接するいくつかの拡張した腎杯が拡張した腎盂と連続する場合は、腎盂尿路の閉塞性病変を疑う。 a 排泄性尿路造影像 b エコー画像

エコー像

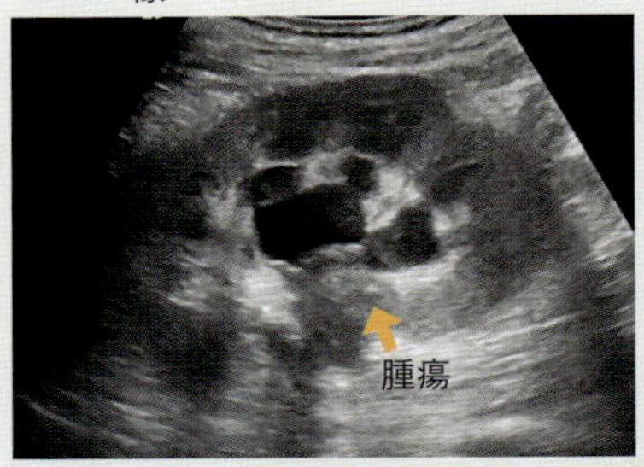

腎盂尿管移行部に腫瘍（矢印）が存在するため、腎臓側の腎盂腎杯が拡張している。

造影 CT

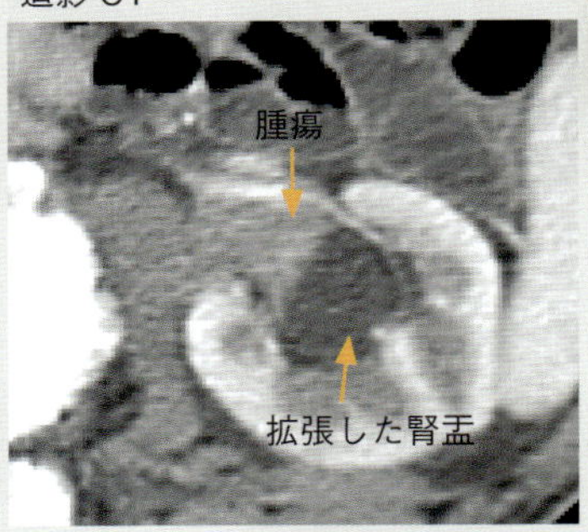

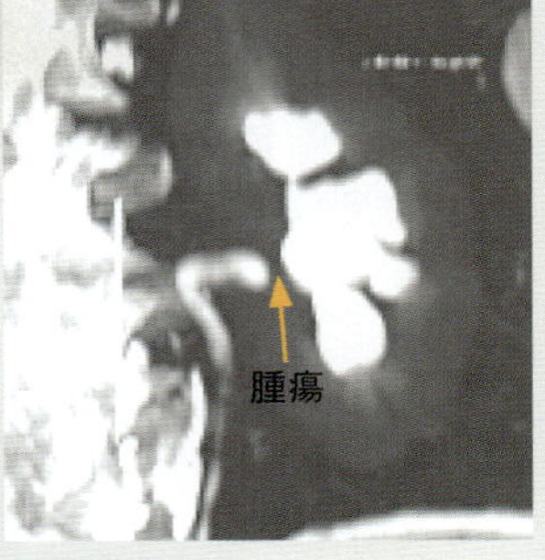

図45 腎盂腫瘍による腎盂腎杯拡張

●腎盂が腎洞部ではなく腎門部にある場合（腎外腎盂）など、閉塞の原因がなくても腎盂が少し拡張することがある。腎杯には明らかな拡張を認めず、腎盂に軽度拡張を認める場合はカテゴリー2、超音波所見：腎盂拡張、判定区分B（軽度異常）（図46、図47）。

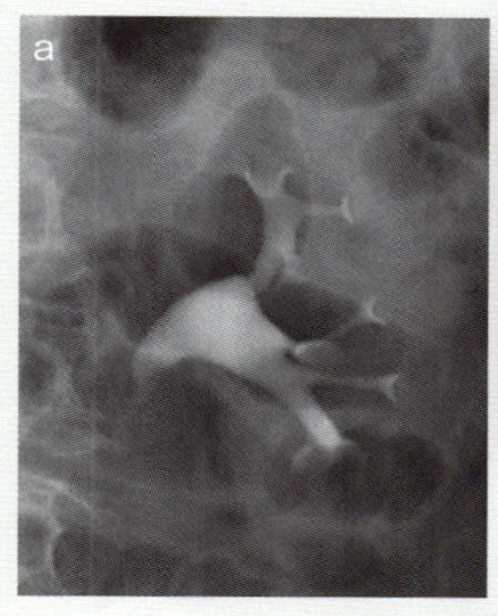

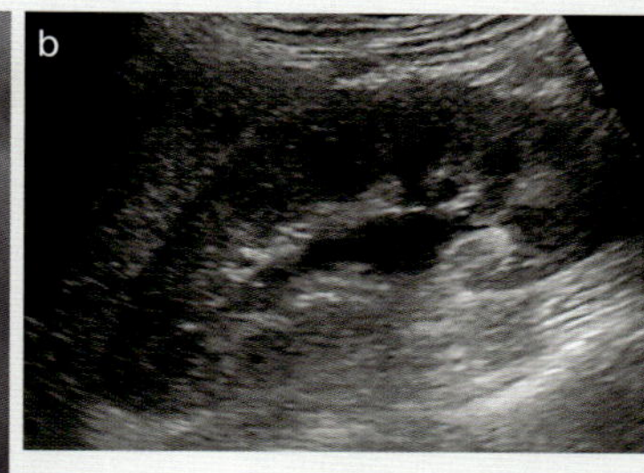

図46 軽度腎盂拡張

腎盂の軽度拡張では腎杯の拡張がないため、腎髄質と拡張した腎盂との間に距離がある。a 排泄性尿路造影像 b エコー画像

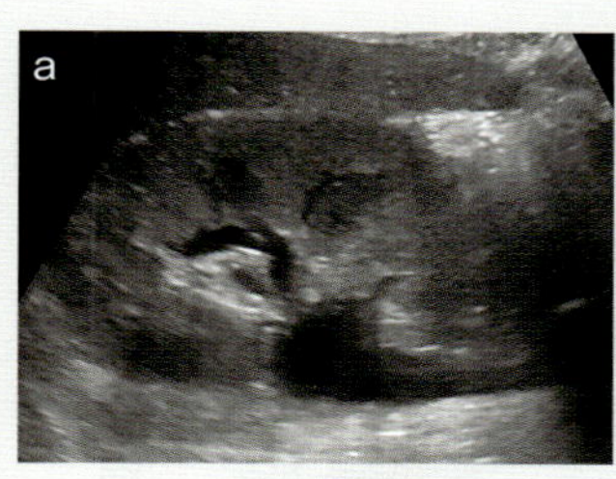

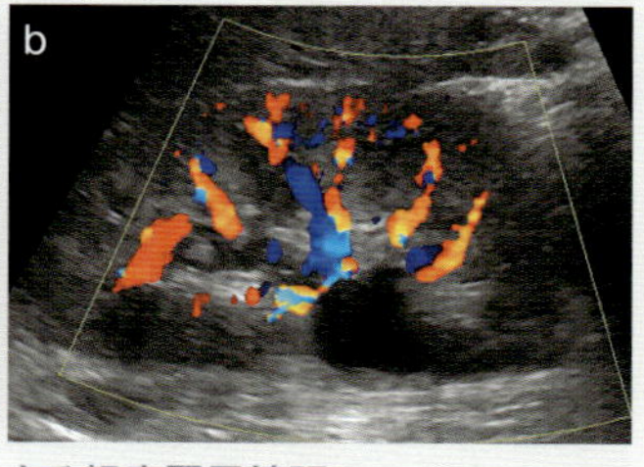

図47 腎外腎盂による軽度腎盂拡張

a 腎盂拡張と連続して腎髄質近傍に管腔構造を認める。
b カラードプラ法では腎内動静脈であることがわかる。

- 腎盂腎杯拡張を鑑別すべき疾患として、傍腎盂嚢胞が多発する場合(図48)と、腎動脈奇形などの血管病変がある(図49、図50)。
- 傍腎盂嚢胞が多発している場合には、それぞれの嚢胞壁が確認できて連続性のないことがわかれば鑑別できる。一見連続性があるように見える場合、それぞれの嚢胞が髄質の部位に一致していないときは、傍腎盂嚢胞の可能性が高い。

a　右腎

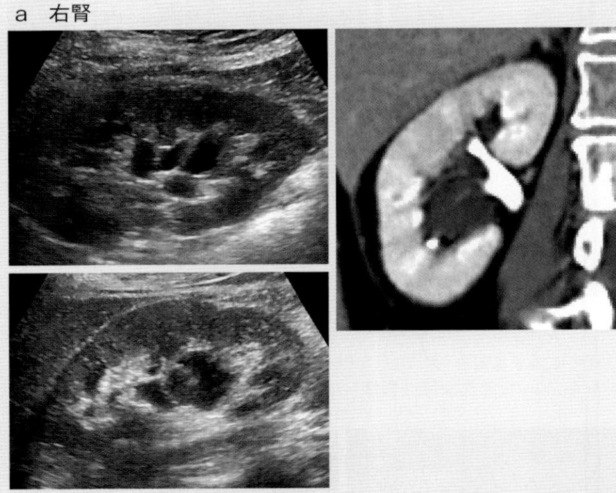

b　左腎

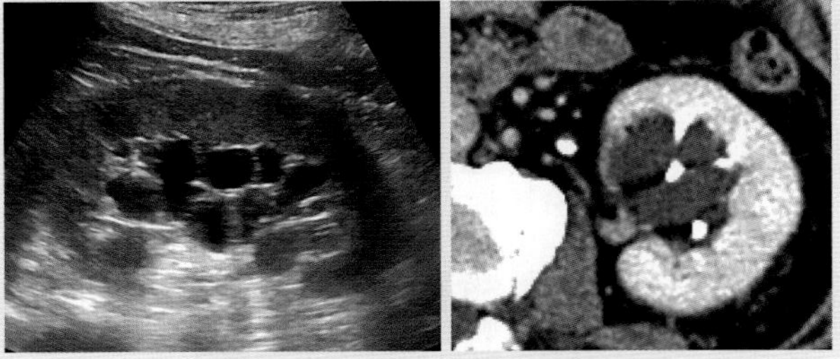

図48 両腎に傍腎盂嚢胞が多発する症例

本症例は、両側水腎症が疑われ、造影 CT が施行された。腎盂腎杯の拡張を認めず、両側ともに傍腎盂嚢胞と診断された。

● カラー表示されれば血管病変で、カテゴリー2、超音波所見：腎血管異常、判定区分 D2（要精検）である。

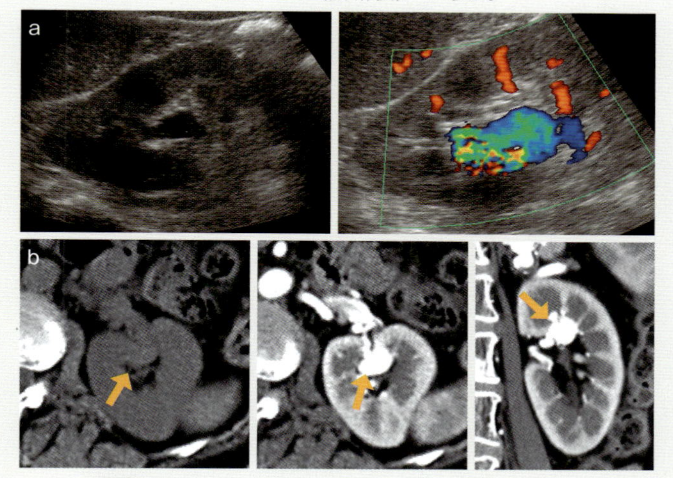

図49 腎盂腎杯の拡張のように描出される動静脈奇形

a 左腎洞部に腎盂の軽度拡張または傍腎盂囊胞を疑う病変を認める。カラードプラ法では全体がカラー表示され、血管病変であることがわかる。

b CT では、左腎洞部に腎実質や血管と等吸収の病変を認める（矢印）。造影により大動脈や腎動脈と同様に強い濃染を認める（矢印）。動静脈奇形と診断された。

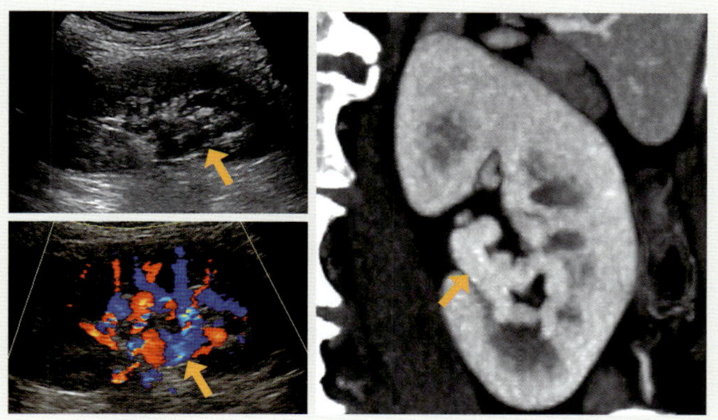

図50 腎盂腎杯の拡張のように描出される腎静脈

この症例は、拡張し屈曲蛇行する静脈が腎盂腎杯の拡張のように描出されていた（矢印）。

引用・参考文献

1) 日本泌尿器科学会ほか．腎癌取扱い規約．第４版．東京，金原出版，2011，121p.

2) 日本超音波医学会用語・診断基準委員会．腎細胞癌と他の腎腫瘤性病変の鑑別．Jpn J Med Ultrasonics．40（6），2013，591-5.

3) Israel, GM. et al. Follow-Up CT of Moderately Complex Cystic Lesions of the Kidney（Bosniak Category Ⅱ F）. AJR. 181, 2003, 627-33.

4) 日本泌尿器科学会ほか編．尿路結石症診療ガイドライン．第２版．東京，金原出版，2013，135p.

5) 日本消化器がん検診学会 超音波検診委員会．腹部超音波検診判定マニュアルの改訂に関するワーキンググループ．腹部超音波検診判定マニュアル改訂版（2021 年）．日本消化器がん検診学会雑誌．60（1），2022，126-180.

Chapter 6

脾臓

カテゴリーおよび判定区分「脾臓」

超音波画像所見	カテゴリー	超音波所見 (結果通知表記載)	判定 区分
切除後[注1)] 局所治療後	0 2	脾臓切除後 脾臓局所治療後	B C
描出不能[注2)]	0	脾臓描出不能	B
形態異常			
先天的な変形[注3)]	2	脾臓の変形	B
最大径　10cm ≦、＜ 15cm[注4)]	2	脾臓腫大	B
最大径　15cm ≦	3	脾臓腫大	D2
充実性病変			
高エコー腫瘤像	3	脾腫瘤	D2
低エコー腫瘤像	4	脾腫瘍疑い	D2
高・低エコー混在腫瘤像	4	脾腫瘍疑い	D2
中心部高エコー	5	脾腫瘍	D1
嚢胞性病変			
嚢胞性病変（大きさを問わず以下の所見を認めない）	2	脾嚢胞	B
充実部分(嚢胞内結節・壁肥厚・隔壁肥厚)および内容液の変化(内部の点状エコーなど)を認める[注5)]	4	脾嚢胞性腫瘍疑い	D2
その他の所見			
石灰化像	2	脾内石灰化	B
血管異常[注6)]	2	脾血管異常	D2
脾門部充実性病変	3	脾門部腫瘤	D2
内部エコー均一で脾臓と同等のエコーレベルの類円形腫瘤像	2	副脾	B
異常所見なし	1	脾臓異常所見なし	A

注 1）部分切除の場合には切除部位が分かれば記載し残存部分はほかと同じ評価法とする。

注 2）摘出の有無を確認し、腫大の有無を判定できなければ描出不能とするが、精査の必要はない。

注 3）先天的な変形（多脾症など）は、カテゴリー2、判定区分Bとして残存部分はほかと同じ評価法とする。

注 4）脾臓の大きさに関しては年齢・体格により基準値にも幅がある。

注 5）嚢胞性病変で明らかに壁に厚みを持った場合には全て壁肥厚とする。また、内容液の変化（嚢胞内出血・感染など）も嚢胞性腫瘍の可能性が否定できないため、カテゴリー4、判定区分Ｄ２とする。

注 6）動脈瘤のほか、脾静脈の側副血行路など脾門部の異常も含む。但し、腫瘤性病変に関連する血管異常は腫瘤性病変の評価に準ずる。計測値は最大径とする。

（日本消化器がん検診学会　超音波検診委員会　腹部超音波検診判定マニュアルの改訂に関するワーキンググループ．日本超音波医学会　用語・診断委員会　腹部超音波検診判定マニュアルの改訂に関する小委員会．日本人間ドック学会　健診判定・指導マニュアル作成委員会　腹部超音波ワーキンググループ．腹部超音波検診判定マニュアル改訂版（2021 年）．日本消化器がん検診学会雑誌．60 巻 1 号，160，表 2-4，2022．転載）

1　脾臓の正常解剖

- 人体で最大のリンパ器官といわれ、感染に対する防御機構を担っているとともに血液を浄化する濾過機能も有する。血液に富む実質臓器である。
- 脾臓はやや扁平で楕円体状をしている、赤色の長さ約 10cm、幅約 7cm、厚さ約 3cm、重さ 80～150g の臓器である。
- 脾臓は結合織の被膜に包まれている。この被膜の一部が実質内に入り、脾柱を形成するため、健常者においても輪郭が平滑ではなく陥凹部を認める。この切れ込みが深く、脾臓が分葉状に見えるものは発生奇形であり、分葉脾（lien lobatus）と呼ぶ。
- 脾臓の実質は、赤脾髄と白脾髄からなるが、超音波や CT・MRI で肝実質とはほぼ同一の、均質な状態で描出される。
- 左上腹部背側に位置し、膵臓尾部の先端と接している。横隔膜と左腎臓の間、胃の裏側にあり、やや下側で結腸と接し、それぞれ圧痕（腎圧痕、胃圧痕、結腸圧痕）を有している。長径は第 10 肋骨に沿って位置している。
- 右側に脾動脈、静脈が出入りする脾門があり、脾静脈は胃腸からの静脈と合流して門脈となり、肝臓に入る。
- 超音波診断では、任意断層像を用いるため重要な解剖学としてはまず位置関係を把握しているか？ということになる。他臓器との関係を理解することで複数のメルクマールができ、迷わずにすむ。

●ここでは脾臓の位置を正確に把握し、他臓器との関係を理解するため、正面（図1）のみではなく左側（左肋間走査をイメージ）（図2）、尾側（肋骨弓下やCT像のイメージ）（図3）からの図を提示する。

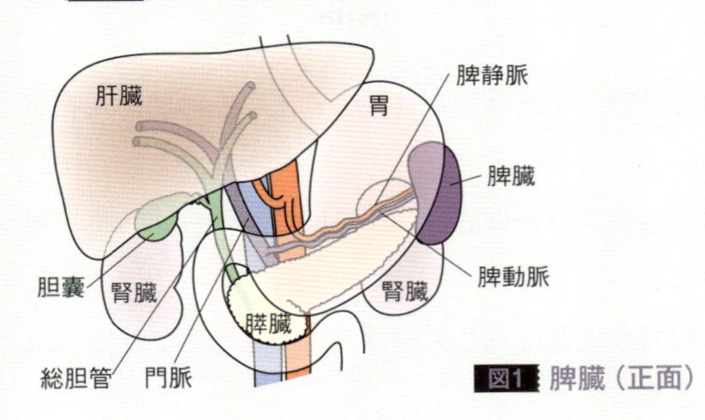

図1 脾臓（正面）

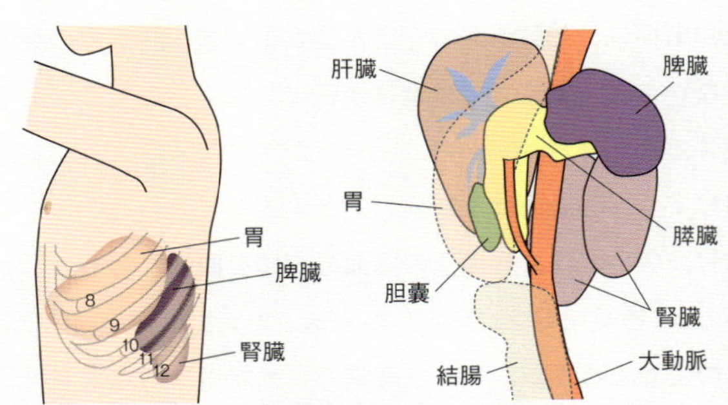

図2 脾臓（左側から）

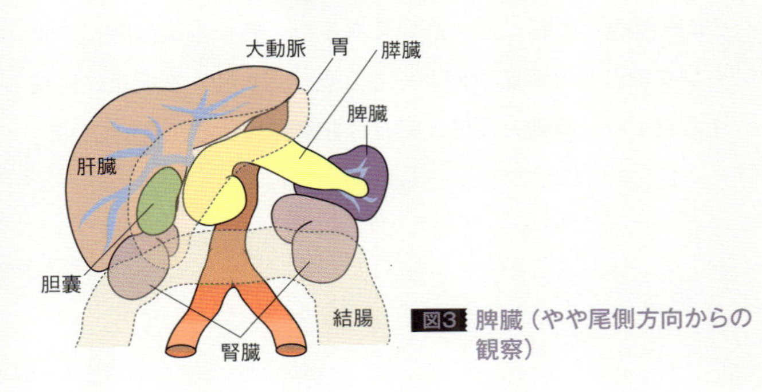

図3 脾臓（やや尾側方向からの観察）

2 脾臓の基本走査

- 脾臓の描出方法は、解剖学的な位置より主に左の肋間走査が中心となる。
- 健常者では、内部エコーは肝臓とほぼ同じエコーレベルで均質に描出される。
- 頭側の肺、内側〜尾側の胃と大腸のガスを避けることが描出のポイントとなる。
- 記録断面は、脾臓原発のびまん性疾患や腫瘤性病変の頻度が少ないこと、健常者では全体が描出しにくいこと、大部分が肋骨で覆われ短軸方向のスキャンがしにくいこと、などの理由により保存断面は1断面のみとする。
- 超音波学会では、縦走査の画面の左側を頭側として表示している。「推奨記録25断面」[1]の画像（2）（3）はほぼ同じ部位での走査となるが、（3）は脾臓の長軸断面は肋間走査の斜走査になっている点、膵尾部との連続性が確認しやすい点、CT断面の水平断に近い画像である点、膵臓の描出時にプローブを回転させる必要がなくなる点、（2）（3）を明確に区別する点より、脾臓の描出は画面右を頭側として表示している。

①左肋間走査（図4）：右側臥位

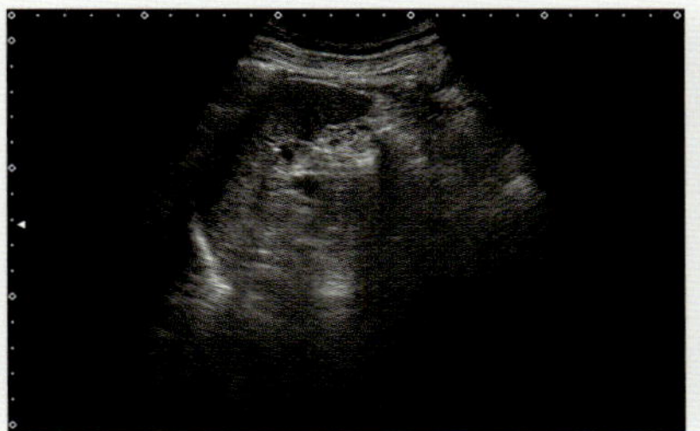

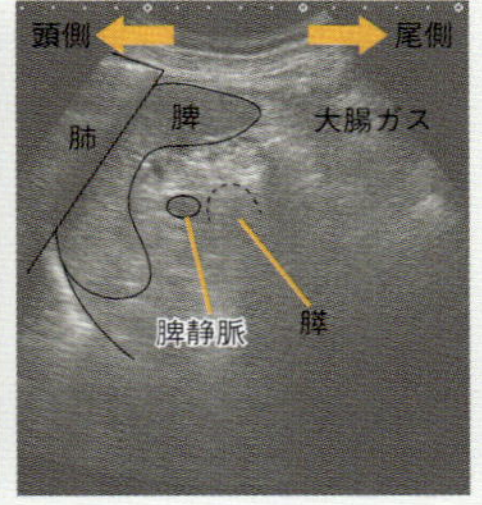

図4 左肋間走査：右側臥位

- 脾臓の撮影としての保存画面はこの1断面である。
- 他臓器同様、脾臓全体を観察し、異常がないときの保存断面としている。
- スクリーニング検査では左側臥位から検査を始める。この体位は、走査範囲が狭く、ゼリーを拭き取る部分が少ないため検査効率がよい、脾腫の有無により門脈圧亢進症があるかないかを把握したうえで観察できる、被検者の動きを少なくできる、「推奨記録25断面」[1)]の（3）のときと異なる体位からの観察ができる、などのメリットがある。
- 肺の尾側に位置するため、やや尾側からスキャンする場合には、吸気時に脾臓が尾側に下がったところで観察を行う。肋間からの観察では、呼気時の肺の影響が少なくなったところで観察を行う。
- 高齢者などで体位変換が難しい場合には、背臥位で検査する。

- 右側臥位にすると、脾臓はやや前面に移動する。側腹部からやや見上げるように描出すると、図4のように観察される。前面の大腸ガスは圧迫で圧排するとコントロールができること、背部は筋肉が多いことを考慮し、側腹部よりやや前面から、胸式呼吸の吸気時に、軽く圧迫を加えながら観察する（図5）。
- 脾臓の観察とともに最大径を計測し、脾腫の評価も行う（Web1）。

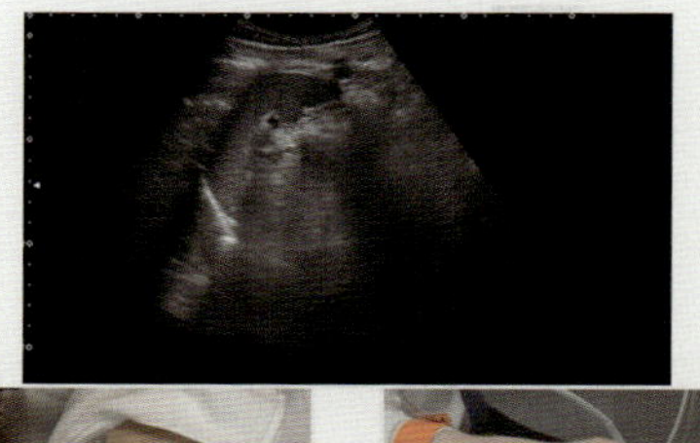

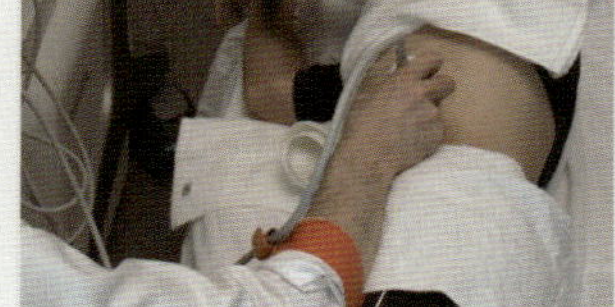

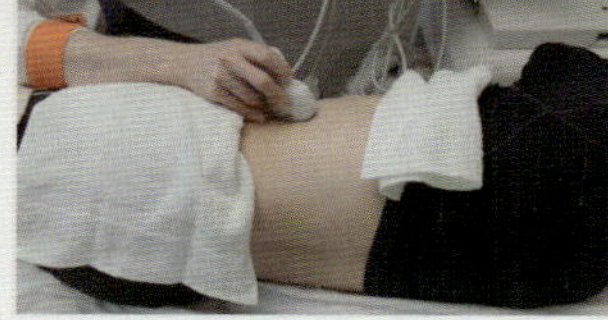

図5 左肋間走査：右側臥位

②左肋間走査（図6）：背臥位

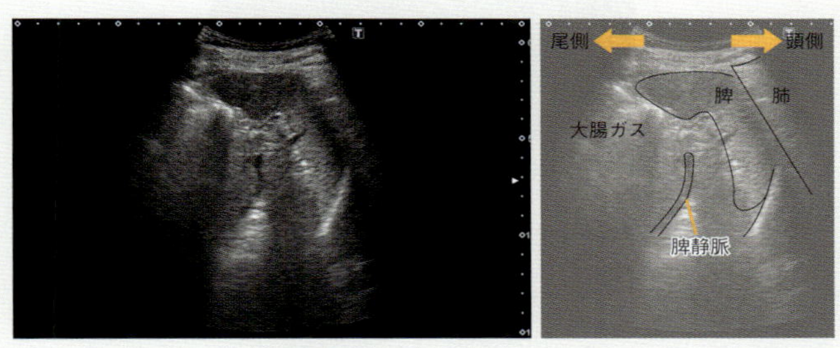

図6 左肋間走査：背臥位

- スクリーニング検査では、「推奨記録25断面」[1]（3）の脾臓越しの膵尾部の観察断面にあたる。つまりこの断面でも脾臓の観察は十分可能であることを認識する。
- ①から体位変換し、新たに描出される部分の観察を中心に行う。各臓器で呼吸の調節、体位変換などを行って観察するように、脾臓の観察でも体位変換を行ったことになる。脾臓は長軸が肋間の方向であり、肝臓を観察するときと同様に、肋間に正しく入れることが重要である。背臥位では、やや背側からの観察になることを確認する。
- 脾臓は背側寄りに位置するため、背側の肋間からやや腹側へプローブを見上げるイメージで観察を行うことがポイント（図7）。

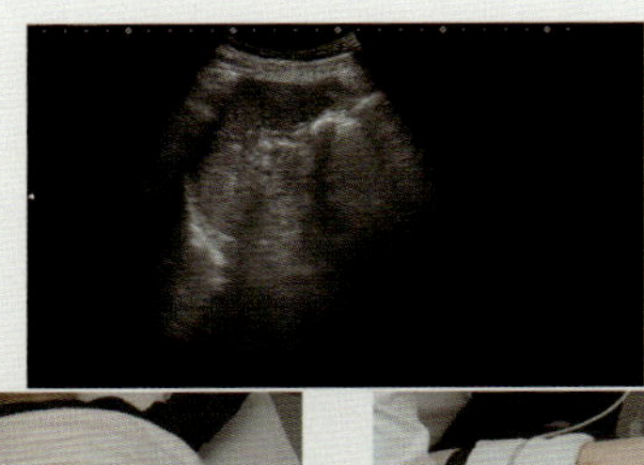

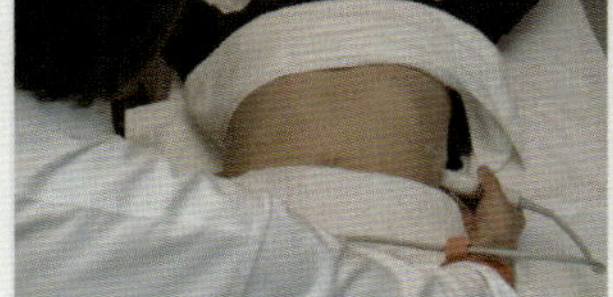

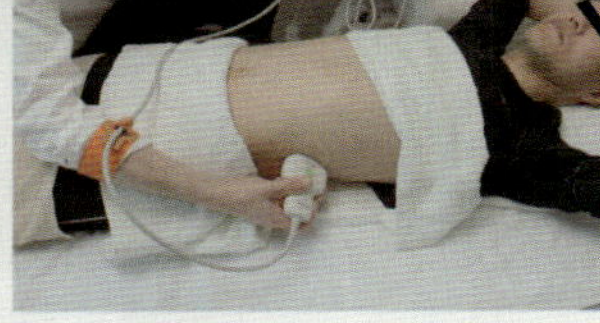

図7 背側、肋間からの観察 Web2

Memo

3 描出のコツとピットフォール

- 脾臓は、頭側に肺、内側に胃・大腸、外側に肋骨があり、超音波検査での描出を妨げるものに囲まれている。
- 描出のコツは、脾臓を足側やや腹側に移動させて描出することである。具体的には、被検者の最大吸気時（肺を膨張させ脾臓を足側に移動させる）の撮影および右側臥位の体位（背側から腹側へ移動させる）での撮影となる。
- 右側臥位での描出の利点は、やや腹側寄りから背側寄りまで個人の特徴に合わせてプローブの位置を幅広く選択し、観察が可能となること、腹側の消化管のガス像が圧排によりコントロールしやすくなること、などが挙げられる。
- 「推奨記録25断面」[1]の（3）の左肋間走査：脾臓・膵尾部の描出（②左肋間走査：背臥位）は、（2）の左肋間走査（脾臓）（①左肋間走査：右側臥位）の描出から、プローブを離さずそのまま一緒に体位変換を行うことで、位置がずれずに簡単に描出が可能となる。後は微調整のみでベストポジションが得られる。

描出できない場合の考え方

●脾臓は、健常者においては腫大もなく、必ず全体が描出されるわけではない。他の臓器と同様、描出不能はカテゴリー0とするが、判定区分B（軽度異常）となっているので注意が必要である。

脾臓の形態をどう評価する?

●形態を評価するときは、腫大の有無、輪郭・内部エコーを評価する。しかし、脾臓においては脾柱の形成により健常者においても平滑ではなく、凹凸不整であり、個人差があること、病態による内部エコー像の変化があまり見られないことから、形態評価は大きさの評価のみとなっている。また大きさの評価も、全体像が必ず全例で描出されるわけではないので、容積ではなく最大径で評価する。

4 形態異常（腫大）

大きさはどう測ればよいの？

● これまで、脾腫の指標は数種類あり、長径と垂直の2方向を計測して評価する spleen index が用いられてきた。しかしこの方法の場合、健常者では脾臓全体の描出が困難なことが多く、短軸の計測が困難となり、予測値で計測を行っていた。脾臓は変形が多く、正確性に欠けることもある。現在は、客観性が高く、簡便に行える方法として、最大径のみの評価としている（図8）。

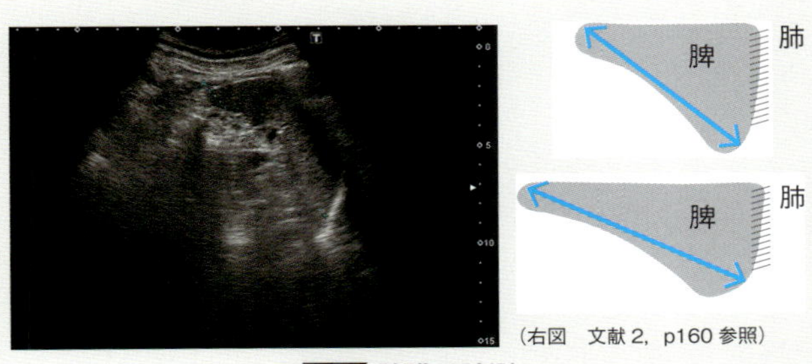

（右図　文献2，p160 参照）

図8 脾臓の計測

- 脾門部を中心に撮影し、最大径が10cm以上を腫大、カテゴリー2、超音波所見：脾臓腫大、判定区分B（軽度異常）とし、15cm以上をカテゴリー3、超音波所見：脾臓腫大、判定区分D2（要精検）としている。脾臓の大きさは、年齢などにより個人差が大きい点が指摘されているが、15cmを超えた場合には、門脈圧亢進症や血液疾患の病態の間接所見として要精検とする。

5 脾腫瘤性病変（充実性病変・囊胞性病変）

- 腫瘤性病変の評価は、腫瘤性病変の数、大きさ、形態評価となるが、発生頻度が低い疾患が多く、鑑別診断がつきにくい。そこで、超音波検査が石灰化や液体の描出能に優れている特性を活かし、充実性病変、囊胞性病変、その他の所見（石灰化像・脾門部充実性病変）に分けて評価を行う。
- 評価法を簡単に述べると、囊胞性病変と石灰化像がカテゴリー2、判定区分 B（軽度異常）となり、それ以外はすべて D2（要精検）または D1（要治療）となるのが特徴である。
- 脾臓では、原発の充実性病変の頻度は少なく、良性疾患として血管腫、リンパ管腫、過誤腫、炎症性偽腫瘍などがあり、悪性疾患として、悪性リンパ腫、血管肉腫、悪性線維性組織球腫、慢性骨髄性白血病、転移性脾腫瘍などを考慮する必要がある。
- 各腫瘍における決定的な超音波画像の特徴はないため、単純に超音波画像所見として高エコー腫瘤像、低エコー腫瘤像、高・低エコー混在腫瘤像（無エコーとの混合性エコーも囊胞性病変として扱われない場合には腫瘤性病変として扱う）に分けて評価を行う（図9）。

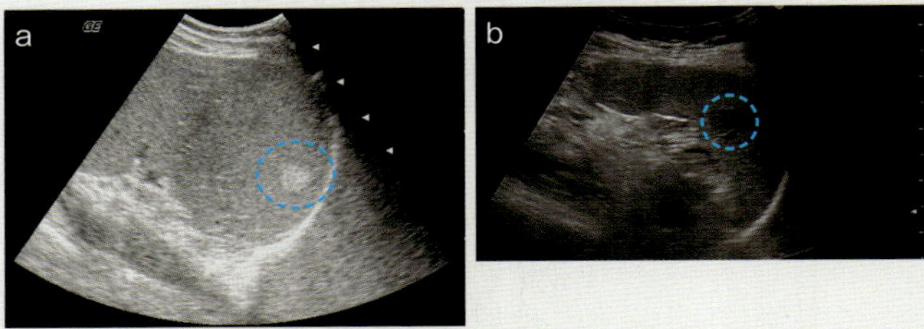

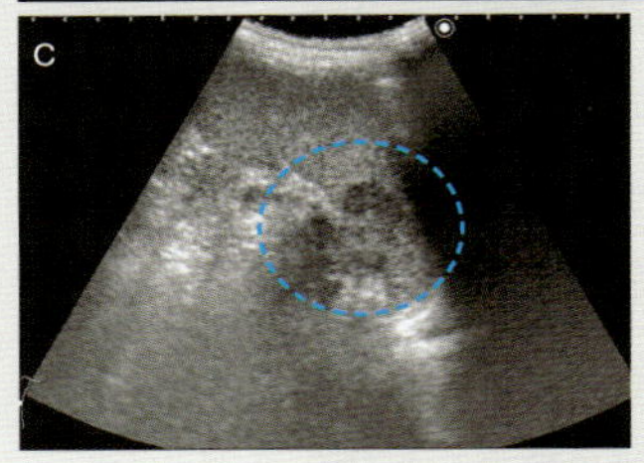

図9 脾腫瘍

a 高エコー腫瘤、b 低エコー腫瘤、c 混在エコー腫瘤

- 嚢胞性病変で最も多いのが脾嚢胞であり、カテゴリー2、超音波所見：脾嚢胞、判定区分B（軽度異常）となる（図10）。
- 内部エコーが均質な無エコーである場合には、大きさを問わずカテゴリー2、超音波所見：脾嚢胞、判定区分Bとする。
- 嚢胞性病変に充実部分（嚢胞内結節・壁肥厚・隔壁肥厚）および内容液の変化（内部の点状エコーなど）を認める場合には、嚢胞性腫瘍や腫瘍内壊死による嚢胞性変化の可能性があるため、カテゴリー4、超音波所見：脾嚢胞性腫瘍疑い、判定区分D2（要精検）となる（図11）。

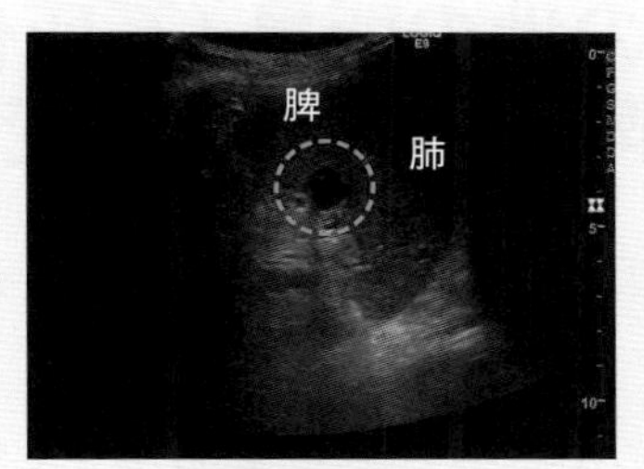

図10 脾嚢胞

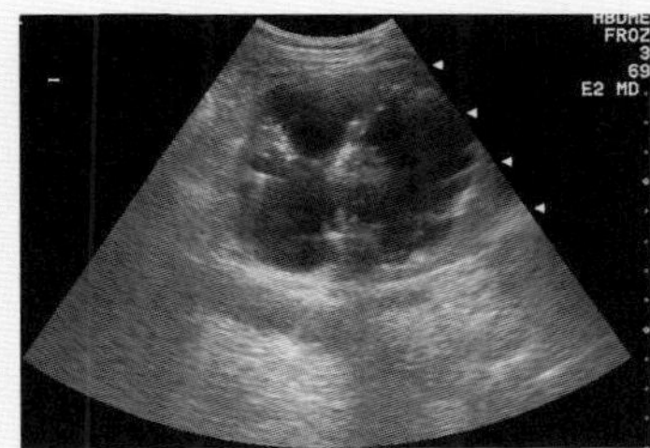

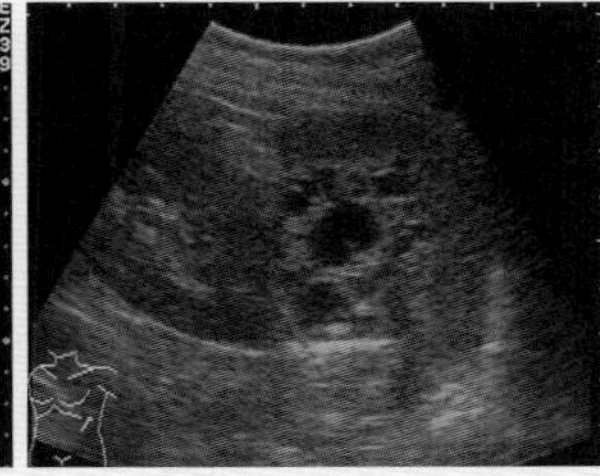

図11 嚢胞性病変に嚢胞内の結節像、壁肥厚像、隔壁肥厚などを認める場合

- 脾腫瘍は発生頻度からみても非常に稀であるため、脾嚢胞以外は明確な鑑別が不可能でありすべてD2（要精検）となる。

6 その他の所見（石灰化、脾門部充実性病変）

- 脾臓の実質内にも種々の原因により石灰化像を呈する場合がある。ストロングエコーとアコースティックシャドウにより評価を行う。
- 石灰化像は、大きさに関係なくカテゴリー2、超音波所見：脾内石灰化、判定区分Bとする。

どんな画像が副脾ですか？

- 副脾（splenunculus）は異所性脾（dystopic spleen）とも呼ばれ、脾臓外に、脾門部、脾動静脈周囲、あるいは大網や腸間膜に直径1cm前後の大きさで機能的にも脾臓と同等の組織を指す。
- 超音波検査では、脾門部を描出した際に境界明瞭な1cm前後の球形の腫瘤として捉えられる。内部エコーは均質で、脾臓と同じエコーレベルの腫瘤性病変が、典型像といえる（図12）。単発のみでなく、多数例もあり、カラードプラを利用し確認することも有効である。

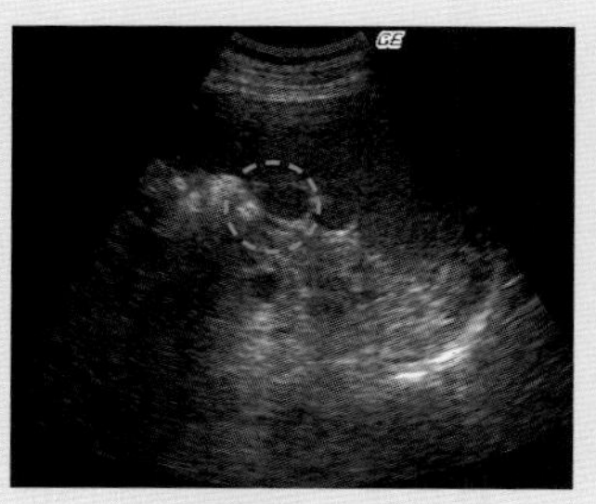

図12 副脾

● カラードプラでは、脾実質と同等の血流であることを確認する。血流を評価することで脈管系の疾患（動脈瘤や脾静脈の蛇行、側副血行路）、リンパ節腫大などとの鑑別が可能となる。

● 健常人においても10〜20％の頻度でみられるため、内部エコー均一で、脾臓と同等のエコーレベルの類円形腫瘤像では、カテゴリー2、超音波所見：副脾、判定区分B（軽度異常）となる。リンパ節の腫脹や膵尾部腫瘍との鑑別が問題となる。基本的には、輪郭が平滑で内部エコーは均一、脾臓とまったく同じエコーレベルであることが特徴といえる。内部血流も、脾臓と同等である。リンパ節の腫大は、何らかの炎症における反応性の腫大の可能性もあるが、他臓器の悪性疾患の二次的な反応であることもあるため、疑われる場合には脾門部腫瘤として扱い、カテゴリー3、超音波所見：脾門部腫瘤、判定区分D2（要精検）となる。

● 脾門部では、門脈圧亢進症のときの側副血行路や動脈瘤など血管の異常所見も観察される部位である。血管異常は動脈・静脈を問わず、悪性疾患とは異なるため、カテゴリー2、超音波所見：脾血管異常となるが、判定区分はD2（要精検）となる。

引用・参考文献

1）日本消化器がん検診学会 超音波検診委員会．腹部超音波検診判定マニュアルの改訂に関するワーキンググループ．腹部超音波検診判定マニュアル改訂版（2021年）．日本消化器がん検診学会雑誌．60（1），2022，130．

2）日本消化器がん検診学会 超音波検診委員会．腹部超音波検診判定マニュアルの改訂に関するワーキンググループ．腹部超音波検診判定マニュアル改訂版（2021年）．日本消化器がん検診学会雑誌．60（1），2022，126-180．

Chapter

7

その他

カテゴリーおよび判定区分「腹部大動脈」

超音波画像所見	カテゴリー	超音波所見（結果通知表記載）	判定区分
治療後[注1)]	2	腹部大動脈治療後	B
描出不能	0	腹部大動脈描出不能	B
大動脈の限局拡張[注2)]			
紡錘状拡張			
最大短径　30mm ≦、＜ 45mm	2	腹部大動脈瘤	C
最大短径　45mm ≦、＜ 55mm	2	腹部大動脈瘤	D2
最大短径　55mm ≦[注3)]	2	腹部大動脈瘤	D1P
囊状拡張	2	腹部大動脈瘤	D2P
その他の所見			
フラップを認める[注4)]	2	腹部大動脈解離	D2
プラークなど血管壁・内腔の異常[注5)]	2	動脈硬化	C
異常所見なし	1	大動脈異常所見なし	A

※パニック所見：緊急性を要する病態の場合には判定区分にPを付け加える。

注1）大動脈瘤に対するステントグラフト内挿術後症例では、最大瘤径が前回（治療前を含む）より増大した場合はP：パニック所見 ※判定区分D2とする。

注2）大動脈径の計測は（図）のように計測する（日本超音波医学会用語・診断基準委員会：超音波による大動脈病変の標準的評価法2020に準じる）。

注3）最大径55mm以上の紡錘状拡張や囊状拡張は、破裂の危険性が高いため、Pとして判定医に報告する。

注4）大動脈解離の判定区分は基本D2であるが、拡張の程度により紡錘状大動脈瘤に準じる。新規の場合にはD2Pとする。

注5）大動脈の特に大きなプラークや可動性プラークがあれば記載してもよい。また、壁肥厚や石灰化などの所見も別途記載してもよい。

（日本消化器がん検診学会　超音波検診委員会　腹部超音波検診判定マニュアルの改訂に関するワーキンググループ．日本超音波医学会　用語・診断委員会　腹部超音波検診判定マニュアルの改訂に関する小委員会．日本人間ドック学会　健診判定・指導マニュアル作成委員会　腹部超音波ワーキンググループ．腹部超音波検診判定マニュアル改訂版（2021年）．日本消化器がん検診学会雑誌．60巻1号，175，表2-6，2022．転載）

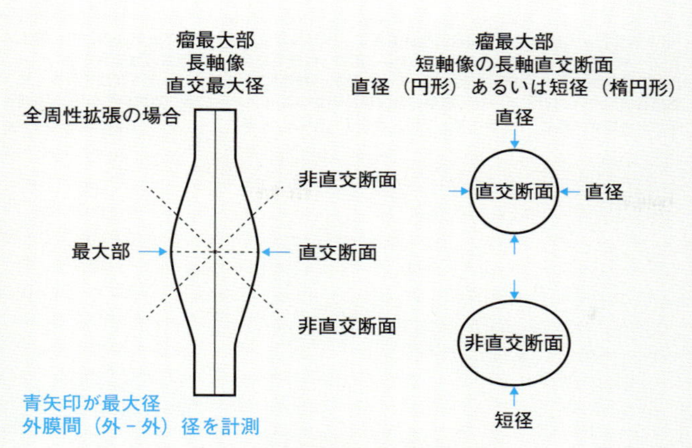

図　紡錘状瘤径の計測

https://www.jsum.or.jp/committee/diagnostic/pdf/aorticlesion2020.pdf

カテゴリーおよび判定区分「その他」

超音波画像所見	カテゴリー	超音波所見（結果通知表記載）	判定区分
リンパ節腫大			
短径　7mm ≦ 注1)	3	リンパ節腫大	C
短径　10mm ≦　または 短径 / 長径　0.5 ≦	4	リンパ節腫大	D2
腹腔内貯留液			
貯留液を認める 注2)	3	腹水	D2
胸腔内貯留液			
貯留液を認める 注2)	3	胸水	D2
心腔内貯留液			
貯留液を認める 注3)	2	心嚢水	D2
腹腔・後腹膜・骨盤腔（副腎を含む）			
腫瘤像を認める 注4)	3	腹部腫瘤	D2

注 1）リンパ節の腫大は短径が 7mm 以上より有所見として記載する。

注 2）生理的な限界をこえて貯留液が貯留した状態。貯留液の点状エコー（デブリエコー）や貯留液内に充実性のエコー像を認める場合には出血・悪性疾患（腹膜転移を含む）を疑う病態があることを考慮し、カテゴリー4 としても良い。

注 3）心嚢水は良性であっても治療が必要な病態の可能性があるため D2 とする。

注 4）腹部腫瘤像には嚢胞性腫瘤も含む。

(日本消化器がん検診学会　超音波検診委員会　腹部超音波検診判定マニュアルの改訂に関するワーキンググループ．日本超音波医学会　用語・診断委員会　腹部超音波検診判定マニュアルの改訂に関する小委員会．日本人間ドック学会　健診判定・指導マニュアル作成委員会　腹部超音波ワーキンググループ．腹部超音波検診判定マニュアル改訂版（2021 年）．日本消化器がん検診学会雑誌．60 巻 1 号，178，表 2-7，2022．転載）

1 基本走査とピットフォール

● 腹部超音波検診では骨盤内臓器や消化管は通常、検査の対象臓器として定められていないが、傍大動脈リンパ節の腫大や腹水貯留は悪性病変の重要な超音波所見であるため、少なくとも腹部大動脈や膀胱周囲を観察する必要がある。

腹部正中横走査

● 腹部大動脈は下大静脈と並走して椎体の前面を足側へ走行し、頭側より腹腔動脈、上腸間膜動脈、腎動脈、下腸間膜動脈を分岐し、通常臍部付近で両側腸骨動脈に分岐する。膵臓の観察時に上腸間膜動脈分岐部レベルまでは観察するが、それより足側の2分岐（臍部付近）までの観察が必要である（図1）。

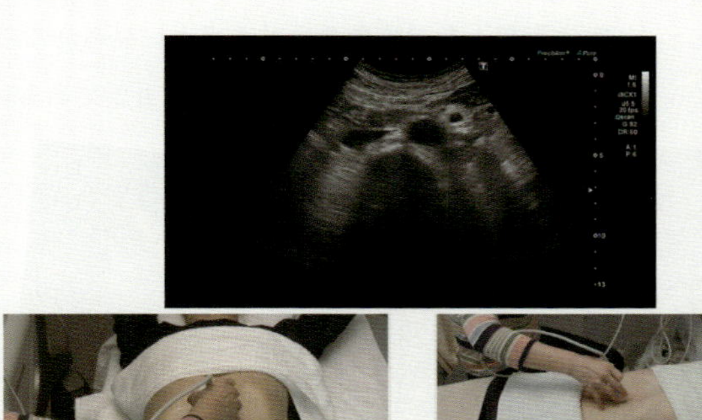

図1 腹部正中横走査 Web1

腹部正中縦走査

- 横隔膜下から腹部大動脈の2分岐まで観察し、腹部大動脈の足側を中心に縦断像を記録する（肝・膵の観察断面で頭側の腹部大動脈は描出されていることが多い）（図2）。

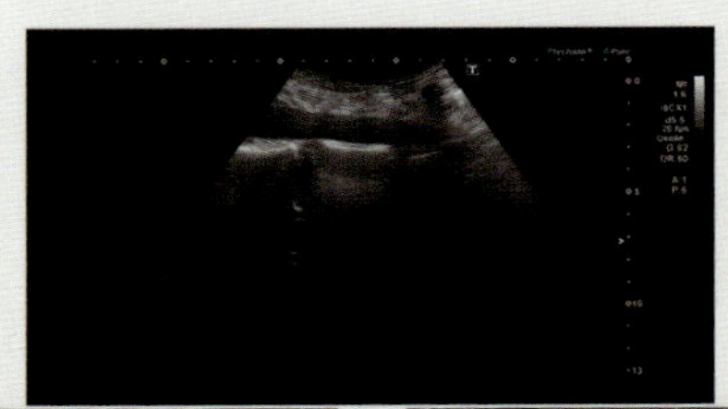

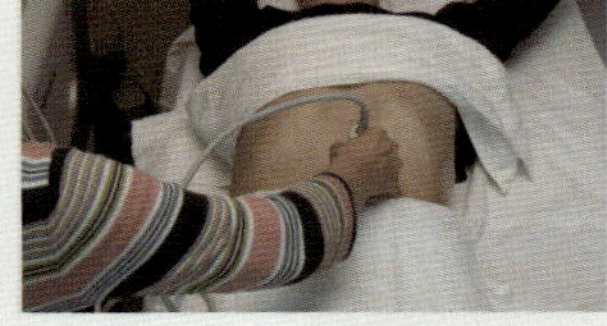

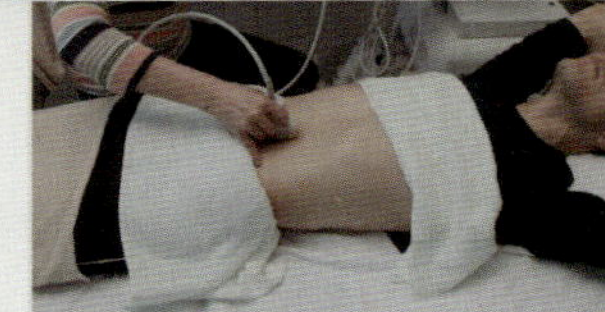

図2 腹部正中縦走査 Web2

- 図3の症例では腹部大動脈の末梢側に軽度の拡張と壁在血栓を認める（矢印）。腹部大動脈瘤は2分岐の直上に見られることが多く、足側の腹部大動脈まで観察することが重要である。

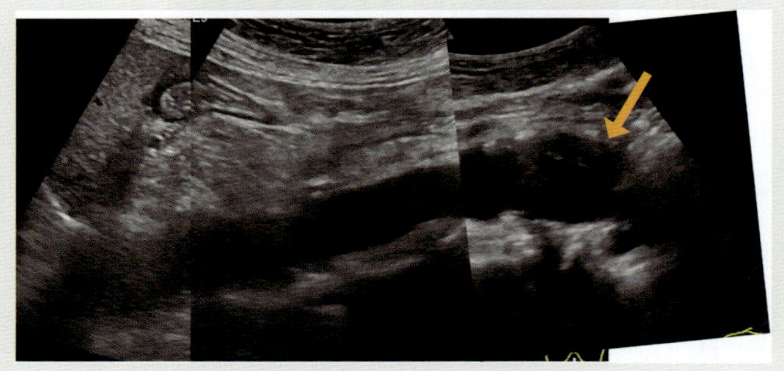

図3 腹部大動脈末梢側の軽度拡張と壁在血栓

Point

通常、腹部正中横断走査では、右に下大静脈、左に腹部大動脈が並走し、２つの管腔構造を認めるが、腎門レベルより足側で下大静脈が両側に存在する重複下大静脈では、３つの管腔構造が観察される。リンパ節腫大との鑑別は２方向で確認するか、カラードプラ法を用いるとよい（図4）。

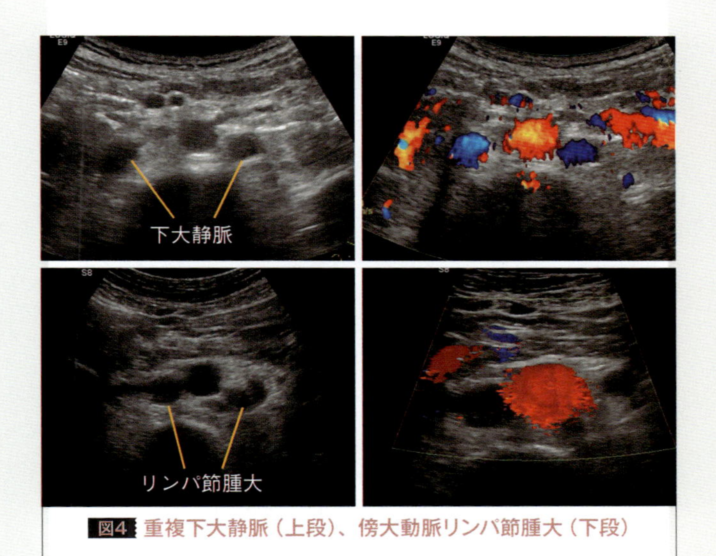

図4 重複下大静脈（上段）、傍大動脈リンパ節腫大（下段）

下腹部正中横走査・縦走査

● 腹水は、モリソン窩や横隔膜下とともに骨盤腔の膀胱背側に観察されるので、大動脈を足側端まで観察したら、そのまま恥骨まで横断走査で観察すると膀胱が観察できる（図5）。膀胱は縦断走査でも確認する（図6）。

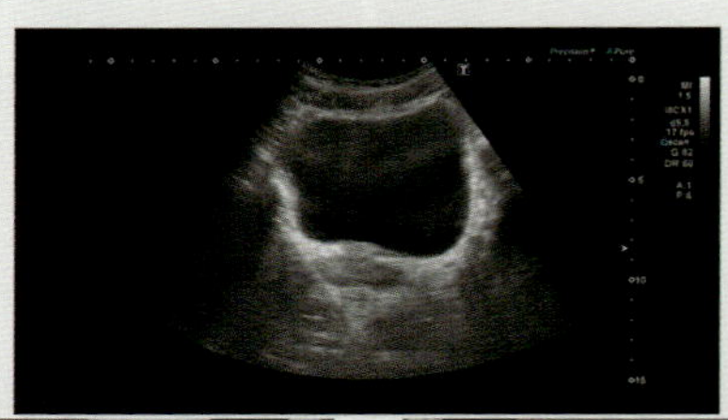

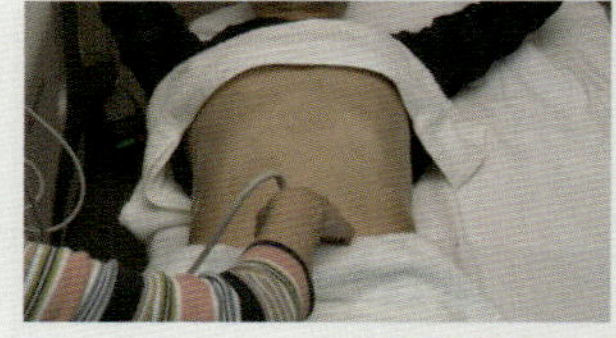

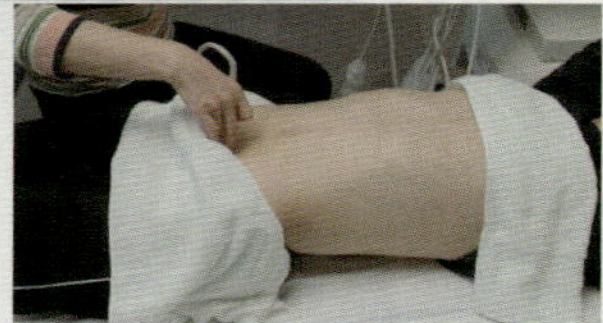

図5 膀胱の観察（横断走査）

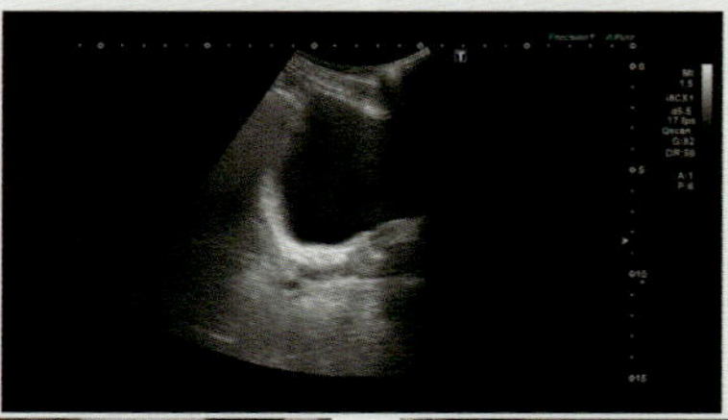

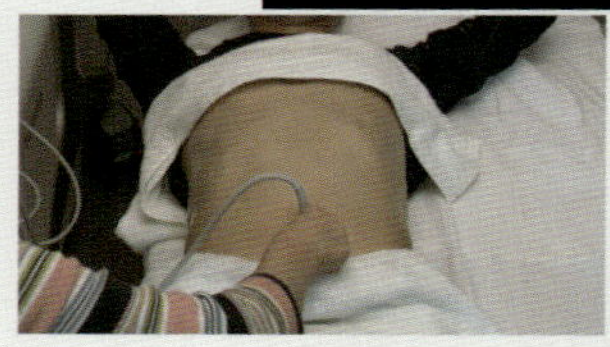

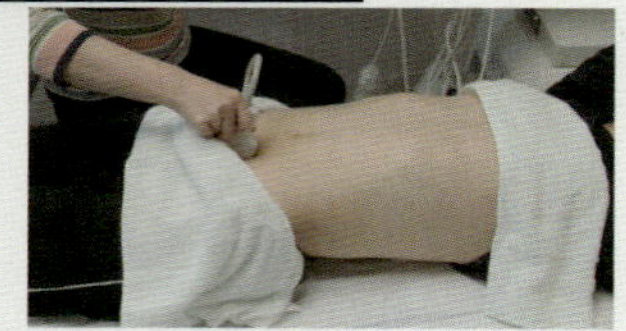

図6 膀胱の観察（縦断走査） Web3

● 膀胱腫瘍は腹部超音波スクリーニングで発見されることが比較的多い（図7）。

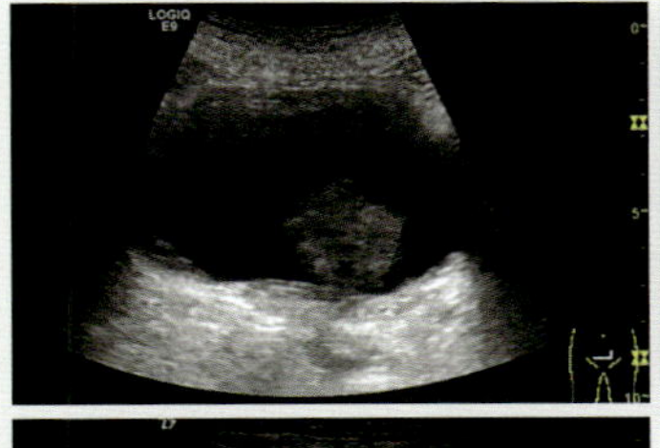

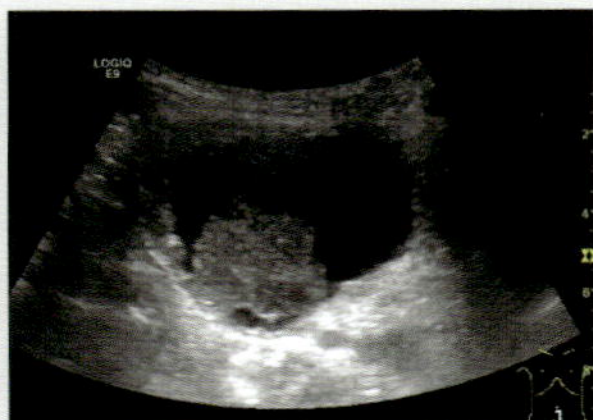

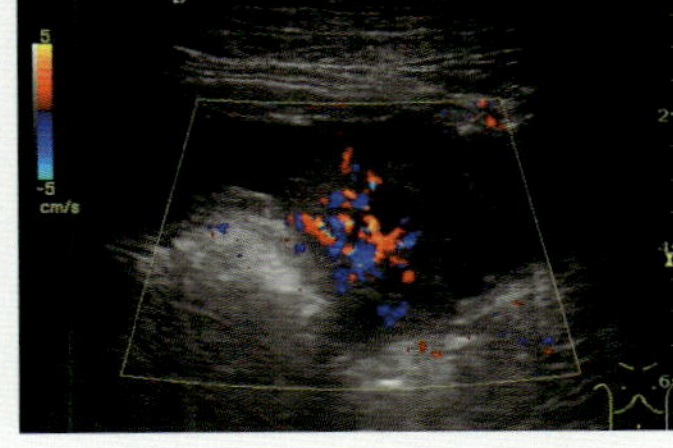

図7 膀胱腫瘍

膀胱内に壁から隆起する腫瘤を認める。腫瘍内に豊富なカラー表示を認める。

Point

各臓器を観察しているときに、目的とする臓器以外に異常を認めることがある。その場合は病変と臓器との位置関係がわかる２方向の断面や拡大像を記録する。図8 の症例では、肝右葉後区域の背側で右腎の内側に低エコー腫瘤が存在していることから、右副腎腫瘍が疑われる。

右肋骨弓下走査

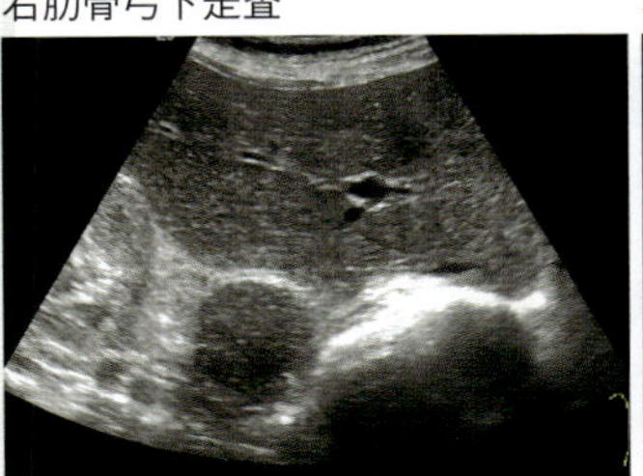

右肋間走査

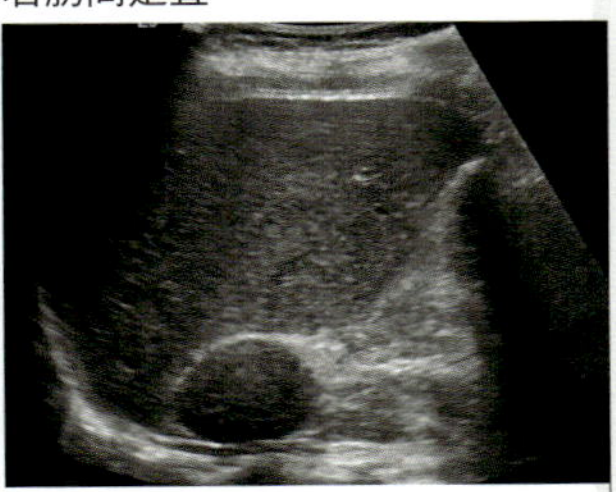

図8 右副腎腫瘍

2　大動脈治療後

治療後はどう判定する？

- 腹部大動脈瘤に対するステントグラフト内挿術症例では、留置されたグラフトが高エコーに描出され、グラフト内に血流を認める（図9）。治療後良好に経過している場合は、瘤径が徐々に縮小する。前回と比較して瘤径が縮小または変化がない場合は、カテゴリー2、超音波所見：腹部大動脈治療後、判定区分 B（軽度異常）となる。治療後も瘤径が増大する場合は何らかの追加治療が必要となり、判定区分 D2P と判定する。

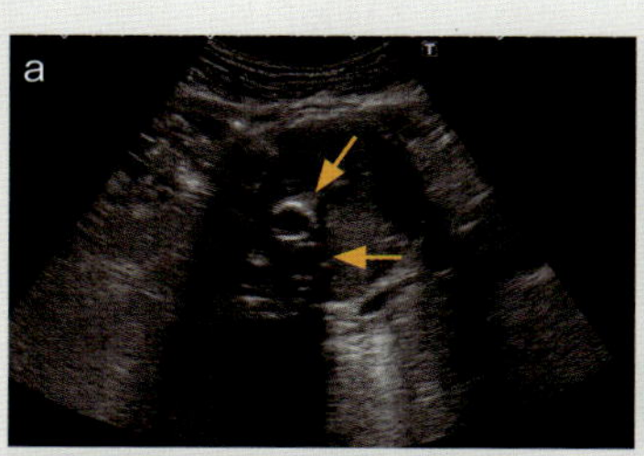

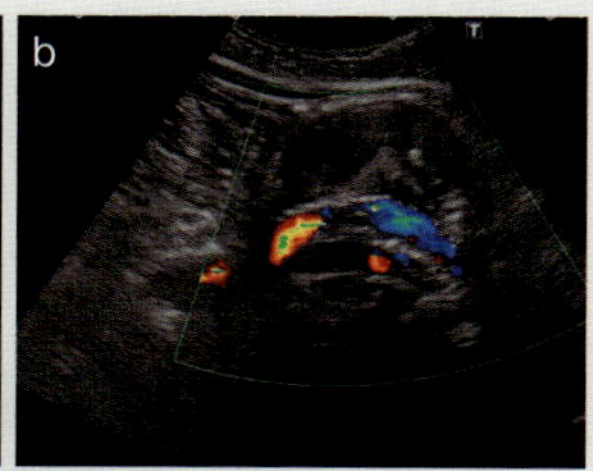

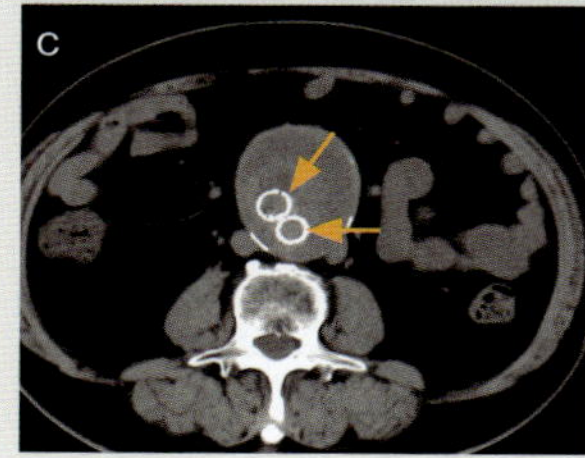

図9 ステントグラフト内挿術後症例

大動脈瘤内に留置されたステントグラフトは、CT 画像（c）と同様に、B モードで高エコーに観察される（a、b）。縦断像のカラードプラ法（b）では、ステントグラフト内に血流表示を認める。

3　大動脈の限局拡張

最大径はどのようにして計測するの？

- 大動脈の限局拡張は腎動脈分岐部より末梢に多く、形態から紡錘状拡張と嚢状拡張に分類される。迷う場合は嚢状拡張とする。
- 紡錘状拡張が多く、最大短径が 30mm 以上あれば大動脈瘤と診断する。最大短径 45mm 未満まではカテゴリー2、超音波所見：腹部大動脈瘤、判定区分 C（要再検査）とするが、45mm 以上、55mm 未満の拡張はカテゴリー2、超音波所見：腹部大動脈瘤、判定区分 D2（要精検）となる。55mm 以上では破裂の危険性が高くカテゴリー2、超音波所見：腹部大動脈瘤、判定区分 D1P（要治療のパニック所見）とする。
- 腹部大動脈は蛇行していることが多く、斜めに計測すると実際よりも計測値が大きくなるため、紡錘状拡張では最大短径を瘤径とする。実際には、最も拡張している横断面で、正円形に描出できればその直径、楕円形に描出される場合は短径を計測する（p221 図参照、図10）。

- 嚢状拡張は大動脈の走行に直交する断面の最大瘤径を計測するが、瘤径にかかわらず破裂の危険性が高いためカテゴリー2、超音波所見：腹部大動脈瘤、判定区分 D2P（要精検のパニック所見）とする。

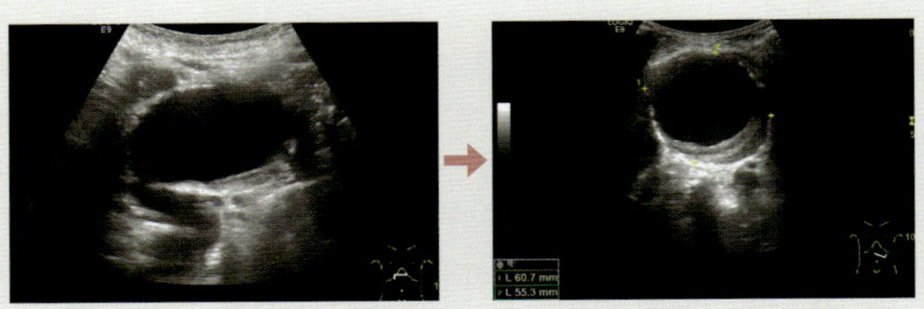

腹部大動脈瘤をできるだけ正円形に描出して、外膜間を計測する。

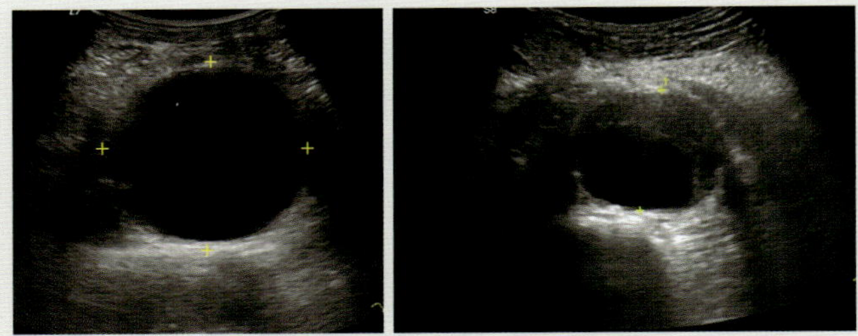
直交する２方向の直径を計測して、短いほうを瘤径とする、もしくは楕円形の場合は短いほうの直径を計測する。

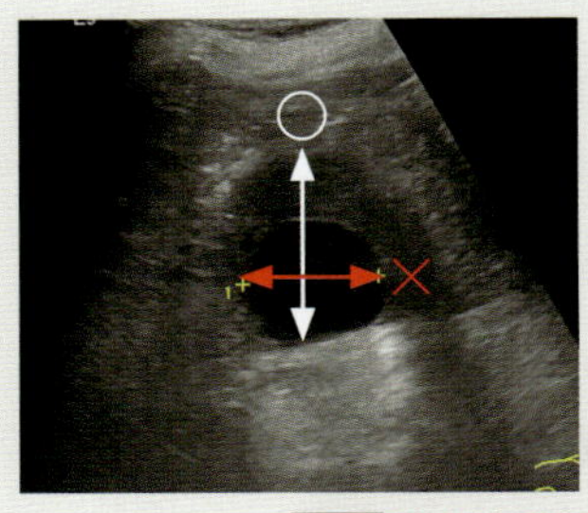
直径の計測は、内腔の径ではなく壁在血栓も含めて計測する。

図10 腹部大動脈瘤の実際の計測手順

● 大動脈内にフラップを認める場合、新規の場合はカテゴリー2、超音波所見：腹部大動脈瘤、判定区分 D2P（要精検のパニック所見）とする。大動脈の拡張を伴う場合は、紡錘状拡張に準じて瘤径により判定区分が変わる。

引用・参考文献

1）日本消化器がん検診学会 超音波検診委員会．腹部超音波検診判定マニュアルの改訂に関するワーキンググループ．腹部超音波検診判定マニュアル改訂版（2021 年）．日本消化器がん検診学会雑誌．60（1），2022，126-180.

Index

欧文

あ行

か行

さ行

た行

な行

は行

ま行

や・ら行

左から
小川眞広先生
平井都始子先生
岡庭信司先生

US Lab(ユーエス ラボ)シリーズ6
改訂版(かいていばん) カテゴリーが劇的(げきてき)にわかる
腹部超音波(ふくぶちょうおんぱ)スクリーニング
― web(ウェブ)でエコー動画(どうが)×走査(そうさ)がみられる！

2018年9月15日発行　第1版第1刷
2020年4月10日発行　第1版第2刷
2022年10月5日発行　第2版第1刷
2025年6月10日発行　第2版第3刷

編　著　平井 都始子(ひらい としこ)

発行者　長谷川 翔
発行所　株式会社メディカ出版
〒532-8588
大阪市淀川区宮原3－4－30
ニッセイ新大阪ビル16F
https://www.medica.co.jp/
編集担当　渡邊亜希子
装　　幀　市川　竜
本文イラスト　福井典子
組　　版　株式会社明昌堂
印刷・製本　株式会社シナノ パブリッシング プレス

ISBN978-4-8404-7903-5　　Printed and bound in Japan

当社出版物に関する各種お問い合わせ先（受付時間：平日9：00～17：00）
●編集内容については、編集局 06-6398-5048
●ご注文・不良品（乱丁・落丁）については、お客様センター 0120-276-115